Majoor Bosshardt

Een leven voor anderen

In dankbaarheid en met grote waardering denk ik aan
allen, die me in dit werk in het hart van Amsterdam
geholpen, gestimuleerd én gesteund hebben.

Dank aan God, dat ik het mocht doen.

Eline Verburg

Majoor Bosshardt
1913–2007

Een leven voor anderen

Uitgeverij BZZTôH
's-Gravenhage, 2007

Eerste druk: september 1998
Tweede druk: oktober 1998
Derde druk: januari 1999
Vierde druk: april 2000
Vijfde, herziene druk: augustus 2004
Zesde druk: november 2004
Zevende, herziene druk: juli 2007

© Copyright 1998, Uitgeverij BZZTôH bv,
's-Gravenhage
Foto omslag: Ruud Tinga
Ontwerp omslag: Julie Bergen
Zetwerk: No lo sé prod. & TAT
Druk- en bindwerk: Haasbeek, Alphen a/d Rijn

ISBN 978 90 453 0766 4

Voor meer informatie en een gratis abonnement op de BZZTôH
nieuwsbrief:

www.bzztoh.nl

Voorwoord
door ds. Nico ter Linden

De ene dag kon je haar op Soestdijk tegenkomen, de volgende dag op de Wallen en daags erop zag je haar in een praatshow op de televisie, en altijd was zij dezelfde majoor Bosshardt. Over wat ze aan moest, hoefde ze zich nooit druk te maken; verder nam ze altijd zichzelf mee, en daarover maakte ze zich al evenmin bezorgd. Ze bleef gewoon wie ze was en is: gelovig, vrolijk, dapper, lief, vitaal, gul, echt. Zomaar wat woorden die me te binnen schieten. En als ik het in één woord moet samenvatten, dan zeg ik: een vrouw vervuld van vreugde.

'Opdat mijn vreugde in u zij' is een woord dat Johannes Jezus in de mond legt, wanneer deze afscheid neemt. Jezus spreekt daar niet over 'mijn geluk', Jezus is op dat moment niet gelukkig, hij staat op het punt te worden gekruisigd. Maar zijn vreugde is niet van hem geweken, hij put kennelijk uit diepe bronnen. Die vreugde zal van deze aarde niet wijken, gelooft Johannes, wanneer Jezus' vrienden vanuit diezelfde vreugde leven.

Over 'geluk' en 'ongeluk' in het leven van majoor Bosshardt wist ik niet zoveel. Maar de diepe bronnen waaruit zij put, daar had ik zo mijn vermoedens over, en werd daar bij het lezen van dit boek slechts in bevestigd: het verhaal van haar leven, over de mensen die die vreugde in haar jeugd hebben gezaaid en bij het ouder worden gevoed.

De Ploeger

Ik vraag geen oogst; ik heb geen schuren
ik sta in uwen dienst zonder bezit.
Maar ik ben rijk in dit:
dat ik den ploeg van uw woord mag besturen,
en dat gij mij hebt toegewezen
dit afgelegen land en deze
hoge landouwen, waar – als in het uur
der schafte bij de paarden van mijn wil
ik leun vermoeid en stil –
de zee mij zichtbaar is zover ik tuur.

Ik vraag maar een ding, kracht
te dulden dit besef, dat ik geboren ben
in 't najaar van een wereld
en daarin sterven moet.
Gij weet hoe, als de ritselende klacht
voor die voorbije schoonheid mij omdwerelt,
weemoed mij talmen doet
tot ik welhaast voor u verloren ben.

Ik zal de halmen niet meer zien
noch binden ooit de volle schoven,
maar doe mij in den oogst geloven
waarvoor ik dien...

Opdat, nog in de laatste voor,
ik weten mag dat mij uw doel verkoor
te zijn een ernstig ploeger op de landen
van een te worden schoonheid; eenzaam tegen
der eigen liefde dalend avondrood –
die ziet beneden aan de sprong der wegen
de hoeve van zijn deemoed, en het branden
der zachte lamp van een gelaten dood.

Adriaan Roland Holst
Uit: Voorbij de wegen, *1920*

Inhoud

Woord vooraf

Voor majoor Bosshardt zijn allerlei superlatieven te vinden om haar unieke persoonlijkheid te omschrijven. 'Een levende legende' is wel een van de meest gebruikte uitdrukkingen van de laatste decennia. Het was voor mij een grote eer om over deze markante vrouw een boek te mogen schrijven. Een vrouw, die ik voor het eerst als tiener op de televisie zag in een programma van Mies Bouwman, als ik het mij goed herinner.

Talloze verhalen zijn in de loop der jaren verschenen over majoor Bosshardt. Toch ging mijn kennis over haar niet veel verder dan die van de meeste Nederlanders: een vrouw die veel heeft betekend voor het Leger des Heils. Zelfs over het Leger des Heils wist ik niet veel meer te bedenken dan 'dat ze daklozen opvangen en kleding inzamelen.'

Al vanaf onze eerste afspraak groeide mijn bewondering en respect voor deze vrouw, die qua leeftijd niet onderdoet voor mijn grootouders – die ik overigens ook zeer bewonder en respecteer. Zij dwingt die bewondering af, hoewel ze hardnekkig blijft volhouden dat ze niet zo bijzonder is. De kwalificatie 'lief' is ontoereikend. We hebben weliswaar nooit woorden met elkaar gehad, maar als er al eens een klein conflict ontstond, bleek ze weinig tegenspraak te kunnen dulden. Maar ze was altijd ook de eerste om de plooien weer liefdevol glad te strijken, dus ook de term 'eigenwijs' is geen vlag die de lading dekt.

Wat me bijzonder is opgevallen, is de enorme mensenkennis die majoor Bosshardt aan de dag legt. Zij doorziet iemand al bij het eerste oogcontact, na de eerste woorden. Zij weet als geen ander de persoonlijke verhoudingen tussen mensen messcherp te analyseren. Een wijze vrouw. Voeg hierbij nog een grote dosis humor en zelfkennis en je hebt te maken met een heel indrukwekkende en dynamische persoonlijkheid.

'Spreekt het Leger des Heils jou nou eigenlijk aan?' vroeg de majoor me tijdens een van onze laatste ontmoetingen. Een vraag die ik moet beantwoorden met een volmondig 'ja', ook al ben ik geen belijdend christen. Maar wel opgevoed met dezelfde normen en waarden die het Leger des Heils én majoor Bosshardt voorstaan. Sociaal, menslievend en vol onbegrip over al het onrecht in de wereld. Als iedereen was zoals zij, zag de wereld er een stuk beter uit, dat staat vast.

Ik wil graag Johan Olde Kalter bedanken voor het in mij gestelde vertrouwen. Ron Couwenhoven en Henny Korver: dank voor jullie praktische en morele steun en voor de opbouwende kritiek en adviezen. Henny bedankt voor het nauwkeurig lezen van het manuscript en de bemoedigende en lieve woorden. Mijn dank gaat met name uit naar majoor Bosshardt zelf, voor onze prettige en openhartige gesprekken, waardoor ik haar huis altijd met een vrolijk en optimistisch gevoel heb verlaten.

Eline Verburg, Oudorp (N.-H.), 1998.

Hoofdstuk 1

'God dienen houdt niet op na je vijfenzestigste'

Vijfentachtig! En nog zo actief!' Die verbaasde uitroep is vaste prik als ik op lezingen binnenkom en mijn verhaal begin met de mededeling dat ik nu vijfentachtig jaar ben. Je ziet meteen een golf van ongeloof door het zaaltje gaan. Die bewondering laat ik altijd maar een beetje over me heen komen, want ik vind mezelf helemaal niet zo bijzonder. Ik voel me gelukkig nog redelijk gezond. Een paar jaar geleden heb ik mijn arm gebroken toen ik in de Spuistraat van een trapje viel, bij het verlaten van een restaurant waar ik met de Strijdkreet binnen was geweest. Dat was wel heel vervelend, maar voorlopig zie ik nog helemaal geen aanleiding te stoppen met wat ik doe. Als ik de hele dag thuis zou moeten zitten en helemaal geen programma meer zou kunnen maken voor mezelf, dan zou het pas slecht met me gaan. Er is niemand die me zegt dat ik nog moet werken voor het Leger des Heils, maar ik doe het graag en zie het ook nog steeds als mijn roeping. God dienen houdt niet op na je vijfenzestigste verjaardag, als je in de AOW terechtkomt.

Mijn werkzaamheden bestaan voor een groot deel uit het houden van lezingen en spreekbeurten in het hele land. Daarnaast ga ik normaal gesproken twee avonden in de week langs diverse cafés, restaurants en hotels in Amsterdam om Strijdkreten te verkopen, waarmee ik een paar duizend gulden per maand verdien voor het Leger. Dat is veel geld, maar het gaat me vooral om de ontmoeting met allerlei mensen. Ik zou al die contacten moeilijk kunnen missen. Verder word ik nogal eens gevraagd te spreken op een begrafenis of bij een huwelijk. Ik word minstens één keer per week wel gebeld door een journalist of iemand van de radio of televisie met het verzoek of ik wil meewerken aan een artikel of een programma. Om een beetje fit te blijven en niet stijf te worden, zwem ik elke woensdagochtend in het Marnixbad met een groepje oudere dames en heren. We doen onder begeleiding allerlei oefeningen in het water en zwemmen daarna nog een paar baantjes.

Vind ik tussendoor nog even tijd, dan kan ik de ontelbare brieven en kaarten die ik dagelijks in mijn brievenbus krijg lezen en beantwoorden. En natuurlijk ga ik regelmatig op huis- of ziekenbezoek bij verschillende kennissen. Niemand heeft me ooit de opdracht gegeven om al die dingen te doen, daar ben ik eigenlijk vanzelf ingerold.

Ongeveer een jaar geleden ben ik verhuisd naar de Goodwillburgh, een bejaardenhof van het Leger des Heils aan de Anne Frankstraat, vlak bij het Waterlooplein. In totaal heb ik negenenveertigeneenhalf jaar in de Amsterdamse binnenstad gewoond, op de Oudezijds Voorburgwal. Ik stond tweeëneenhalf jaar ingeschreven bij de Goodwillburgh en toen deze woning vrijkwam, dacht ik: 'Laat ik het nu maar doen, voordat ik echt geen trappen meer kan lopen.' De vrouw die vóór mij stond op de wachtlijst wees deze woning af, omdat hij op de eerste etage ligt. Ze was bang dat er dan sneller ingebroken zou kunnen worden. Ik denk daar niet zo over na; ik ga er altijd van uit dat er níet ingebroken zal worden. In de zomer laat ik de deur gewoon openstaan. Ik heb niks bijzonders in huis, bij mij valt voor een inbreker niets te halen. In mijn lange werkzame leven heb ik het maar twee keer meegemaakt dat er geld van me is gestolen. Beide keren kwam ik terug van een lezing bij mijn huis op de Oudezijds Voorburgwal. De ene keer werd mijn tas gestolen terwijl ik mijn auto aan het parkeren was. Ik had de tas, waarin mijn portefeuille zat, alvast in de gang gezet en de voordeur opengelaten. De tweede keer zette ik mijn auto voor de garage en bracht vast wat spullen naar huis, terwijl mijn tas nog in de auto lag. Toen ik terugkwam, was mijn auto opengebroken. Mijn tas was weg, met daarin een gift voor het Leger des Heils van vijfhonderd gulden en nog een kleiner bedrag van mezelf. Het ergste vond ik dat mijn agenda ook was verdwenen. Zonder agenda ben ik nergens. Alle afspraken voor lezingen en andere dingen die ik moet doen, staan erin. Sinds die tijd heb ik twee identieke agenda's: de ene laat ik thuis liggen en de andere neem ik mee, voor het geval me nog eens zoiets overkomt.

Mensen maken zich in mijn ogen veel te snel ongerust. Vorig jaar december kregen we Sinterklaas op bezoek in de Goodwillburgh. Dat vond ik zo aardig, dat ik hem een kopje koffie aanbood.

Er waren buren die zeiden: 'Moet je niet doen hoor, je weet nooit wie je in huis haalt. Misschien is het iemand die goed in je kamer rondkijkt en later terugkomt om de boel leeg te stelen.' Daar had ik geen seconde over nagedacht. Ik ga zo veel mogelijk uit van vertrouwen en dat is me tot nu toe nooit tegengevallen.

Tot mijn vijfenzestigste woonde ik boven het Goodwillgebouw 'De Leuwenburgh', een monumentaal pand op de Oudezijds Voorburgwal 14, waar ik een kamer op de eerste etage had die tegelijkertijd mijn kantoor en vergaderruimte was. De Leuwenburgh was het eerste pand van het Goodwillcentrum, dat ik vijftig jaar geleden, in 1948, in de Amsterdamse binnenstad heb opgezet. Het Goodwillcentrum is het Leger des Heils-centrum voor maatschappelijk en geestelijk werk, dat speciaal op de problemen in de Amsterdamse binnenstad is gericht. Het werk houdt in dat de problemen in de buurt breed worden aangepakt. Zowel aan bewoners als prostituees, zwervers en alcoholverslaafden biedt het Leger des Heils vanuit het Goodwillcentrum hulp. De huidige leider van het Goodwillcentrum, majoor Van Pelt, richt mijn oude slaapkamer momenteel in als 'Bosshardtkamer'. Een piepklein museum, zou je kunnen zeggen. Er komen foto's van mijn tijd bij het Goodwillcentrum te liggen en dat soort dingen. Ik vind het eigenlijk een beetje overdreven, maar er schijnen toch mensen nieuwsgierig naar te zijn.

Toen ik vijfenvijftig jaar was, schreef ik me in voor een woning op het Begijnhof, dat tussen de Nieuwezijds Voorburgwal, het Spui en de Kalverstraat ligt, een oase van rust in het drukke centrum van de stad. Daar te wonen leek me echt het summum van mooi. Maar toen ik wat ouder werd, kreeg ik een beetje mijn twijfels over het Begijnhof. De kans dat je daar een benedenwoning krijgt is namelijk erg klein. Toen ik er nog eens over sprak met iemand van het bestuur, kreeg ik te horen dat de makelaar die verantwoordelijk is voor de toewijzing van de woningen, er niet zo veel voor voelde dat ik een huisje op het Begijnhof zou betrekken. Dat verbaasde me een beetje, want aan de eis dat de bewoonsters 'van onbesproken levensgedrag' moeten zijn, voldeed ik toch zeker wel. Bovendien waren de kloosterzusters 'op'. Het bleek dat die makelaar bang was dat om de haverklap een muziekkorps van het Leger des Heils op het Begijnhof zou komen spelen en dat het gedaan was met de rust, als ik daar zou wonen. Toen hoefde het voor mij ook niet meer; ik zag ineens nog veel meer nadelen. De poort van het

Begijnhof gaat om tien uur 's avonds op slot, dan had ik steeds om de sleutel moeten gaan vragen. Bij de poort aan de Spuistraat, de enige die 's avonds wat langer open is, zit ook een trapje, wat niet lekker is als je echt slecht ter been wordt. En de sociale controle binnen het Begijnhof leek me eigenlijk niet zo aantrekkelijk. Iedereen weet of je thuis bent en hoe laat je thuiskomt, dat is niets voor mij. Bovendien is het Spui nu voor verkeer afgesloten en waar had ik dan mijn autootje moeten parkeren?

Na mijn pensioen in 1978 verhuisde ik naar een driekamerwoning op de Oudezijds Voorburgwal, op drie hoog, schuin tegenover de Leuwenburgh. Ik moest dagelijks eenenvijftig traptreden op en af. De buurvrouw op tweehoog gaf eigenlijk de doorslag. Zij vond het zo leuk dat ik haar bovenbuurvrouw zou worden. Dat had ze natuurlijk liever dan onbekenden, van wie je niet weet hoe ze zijn. Hoewel ik het daar, ondanks de trappen, erg naar mijn zin had, ben ik blij dat ik nu in de Goodwillburgh woon.

Dit huis, de Goodwillburgh, heeft voor mij een grote emotionele waarde, omdat ik het zelf heb gesticht in 1975. Het was het eerste bejaardenhuis in de binnenstad. Later werd aan de Sint Antoniesbreestraat, aan de rand van de Nieuwmarkt, ook het ouderencentrum De Flesseman gebouwd, maar daarvoor heb ik me nooit ingeschreven. Ik ben er wel eens binnen geweest; het zijn prachtige kamers en de service is prima, maar ik vond dat je daar wel erg weinig uitzicht had. Je kijkt direct tegen het tegenovergelegen postkantoor aan en als je de hal uitloopt, sta je direct op het fietspad.

Kennissen hadden verwacht dat ik vreselijk heimwee zou krijgen naar de Oudezijds Voorburgwal, maar ik heb het hier uitstekend naar mijn zin. Ik heb trouwens helemaal geen tijd om heimwee te hebben. Het is een prima woning, ik heb een leuk uitzicht op het park aan de overkant en op de Nieuwe Herengracht, mijn autootje kan ik voor de deur parkeren en ik heb voor het eerst van mijn leven een eigen douche. Op de Oudezijds Voorburgwal had ik alleen maar een klein hangend koelkastje in de keuken, waar ik amper bij kon en een tweepits gasstelletje, omdat er geen ruimte was voor een fornuis. Hoewel ik gek was op mijn vorige woning, is het hier een stuk comfortabeler. Meer dan dit heb ik niet nodig. Ik zou het liefste hier overlijden, als ik tenminste niet voor die tijd in de war raak en in een verpleeghuis moet worden opgenomen, wat ik natuurlijk niet hoop.

Het is niets voor mij om achter de geraniums te gaan zitten, zoals sommige ouderen doen. Ik ga er daarom nog twee keer per week op uit met de Strijdkreet, het blad van het Leger des Heils dat om de veertien dagen verschijnt. Zomer en winter, weer of geen weer.

Op maandagavond ga ik altijd naar de Spuistraat en omgeving en zaterdags kom ik in de buurt van de Beethovenstraat en de Apollolaan, waar ik verschillende restaurants en hotels bezoek met de Strijdkreet, zoals het Hilton, Apollo First, de Kersentuin en Le Garage, het restaurant van Joop Braakhekke. Voorheen ging ik nog vaak met de Strijdkreet de rosse buurt in, mijn oude woongebied, maar die wijk wordt nu door iemand anders gedaan. Daar zijn me te veel kleine trapjes en drempels, ik was bang dat ik op een dag mijn been zou breken. Bovendien staat de muziek in de cafés op de Wallen meestal erg hard, zodat ik de mensen niet meer kan verstaan. Omdat ik een beetje hardhorend ben geworden, is het dan moeilijk een normaal gesprek te voeren.

In de Spuistraat kom ik al tientallen jaren. Ik begon tot voor kort elke week bij het Renaissance Hotel, dat beter bekend is als 'de Sonesta-koepel' aan het Kattegat, waar de portier mijn autotje keurig voor me wegzet. In een zaaltje van het Renaissance Hotel kwamen elke maandagavond de Amsterdamse makelaars bij elkaar, ik noem het altijd 'de makelaarsbeurs'. Kort geleden hebben zij besloten uit te wijken naar De Rode Hoed op de Keizersgracht, omdat het zaaltje in het Renaissance Hotel niet altijd vrij is. Maar als ze er zijn, begin ik daar, met mijn mandje Strijdkreten aan de ene hand, de collectebus in mijn andere hand. Een hoop van die jongens zie ik vaak later op de avond weer terug in de cafés op het Spui.

In café Nicolaas tegenover het hotel, waar ik ook altijd even binnenloop, zien ze me elke dag: er hangt een groot schilderij met mijn portret, geschilderd door de kunstenaar Peter Donkersloot. Met de portier van de seksbioscoop, een paar deuren verderop, maak ik altijd even een praatje, maar daar mag ik nooit naar binnen. Ik denk ook niet dat de mannen die daar pornofilms komen kijken op mij zitten te wachten. Als ik met de portier sta te praten en er komt net een bezoeker naar buiten, weet deze niet hoe snel hij de hoek moet omlopen. In 'De Keuken van 1870', de gaarkeuken aan het begin van de Spuistraat, kom ik negen van de tien keer oude bekenden tegen. Meestal zit tante Neeltje er wel achter een bord Hollandse kost. Zij is inmiddels bijna tachtig en vroeger zat ze 'in het leven', zoals dat heet. Laatst kwam ik haar samen met een nieuwe vriend tegen, een man van in de veertig. Ik vermoed dat Neeltje in de buurt een huis heeft waar meisjes werken. Ze koopt altijd een Strijdkreet en stopt gul een stuk papiergeld in de collectebus.

Daarna haal ik mijn autootje weer op bij het hotel, want ik kan niet de hele Spuistraat lopend langsgaan met mijn oude benen. Voorbij de Raadhuisstraat vind ik altijd wel weer een parkeerplaats. Met mijn invaliden-vergunning mag ik overal staan. Bovendien herkennen de politie en de parkeerwachters mijn auto, omdat het wapen van Amsterdam door de Verkeerspolitie op de portieren is geplakt. En op de achterklep zit een sticker van het Leger des Heils, zodat ik gelukkig nooit dat gedoe heb met parkeergeld of wielklemmen.

In de restaurants in de Spuistraat zitten altijd veel toeristen, die mij natuurlijk helemaal niet kennen. Speciaal voor de Engelstalige toeristen heb ik ook altijd een stapeltje 'War Cries' bij me, de Engelse variant van de Strijdkreet. Vooral bij visrestaurant Lucius – waar ik meestal een warm broodje roomboter en een kopje thee krijg – en bij Haesje Claes komen veel toeristen. Het vroegere restaurant Dorrius, dat tegenwoordig 'Kantjil & de Tijger' heet, zit altijd vol met studenten en andere jonge mensen, die zich grote borden met buitenlands eten laten voorschotelen. Ik vraag me wel eens af hoe ze dat allemaal kunnen betalen. Zij kennen mij vooral van de televisie. Vooral toen ik met Herman Brood in 'Villa Felderhof' was geweest en na mijn optreden bij 'Laat de Leeuw' van Paul de Leeuw is mijn bekendheid onder de jeugd weer enorm toegenomen. Ze reageren meestal heel leuk op mijn verschijning. Dan zegt zo'n jongen van een jaar of achttien: 'Hee, majoor Bosshardt, wat vind ik dat nou leuk dat ik u een keer in het echt zie. Mag ik u even een hand geven?' Dat doet me echt goed, zoiets. Het is voor mij een bewijs dat het met een groot deel van die 'jeugd van tegenwoordig' nog best goed gaat, ondanks alle verhalen over criminaliteit en drugs.

Bij café De Koningshut rust ik meestal eventjes uit en krijg ik van de kroegbaas Harry Loeffen of zijn moeder Sjaan wat te drinken. Ik kom er al zo lang, dat ik me nog kan herinneren dat Harry werd geboren, dat zal wel bijna vijfenveertig jaar geleden zijn. Nu staat hij zelf achter de bar en zijn moeder houdt denk ik een oogje in het zeil. De Koningshut was vroeger een van de drukst bezochte cafés in Amsterdam, het was een trefpunt voor journalisten van de Nieuwezijds Voorburgwal. Daar had je toen nog alle kranten bij elkaar in één straat, zoals de Volkskrant, Het Parool, het Algemeen Handelsblad, Trouw en De Telegraaf en daar vlakbij zaten ook nog De Tijd en Het Vrije Volk. Sinds al die kranten naar de randen van de stad zijn verhuisd, is het veel rustiger geworden. Als ik nog niet al te moe ben, doe ik dezelfde avond ook de cafés aan de overkant van de Spuistraat. Maar de laatste tijd red ik dat niet vaak meer. Soms is mijn collectebus echt veel te zwaar, dan stop ik ermee en ga ik later in de week terug, voor Broodje van Kootje, Luxembourg, Hoppe, café Zwart, Dante en restaurant Luden. Café Hoppe neemt een bijzondere plaats in, omdat ik hier destijds ben geweest met kroonprinses Beatrix, die in vermomming met me mee ging door de buurt. In Hoppe zat de fotograaf Peter Zonneveld, die haar herkende en ervoor zorgde dat Beatrix en ik wereldnieuws werden. De eigenaar van Hoppe ken ik ook al jaren, ik noem hem altijd gewoon 'meneer Hoppe'. Vroeger, toen hij het eens heel druk had en een tekort aan personeel, heb ik op een avond het café staan vegen.

Galerie-café Dante is de vaste woon- en werkplaats van Herman Brood, die ik er regelmatig tegenkom. Pas geleden werd ik daar aangesproken door een jonge ober, die de zoon bleek te zijn van Peter Zonneveld. Met hem heb ik even heel leuk staan praten over zijn vader. Restaurant Luden is meestal het laatste adres. Het gebeurt niet elke week, maar als ik daarna nog puf heb, wil ik ook nog wel bij de beroemdste seksclub van Amsterdam, Yab Yum, naar binnen lopen.

Als ik helemaal klaar ben, moet het geld nog worden geteld. De collectebus is na een uurtje al werkelijk loodzwaar van alle kleingeld. Soms zet ik hem halverwege de avond al in mijn auto, waarvan ik de portieren in dat geval wel goed op slot doe. Ik haal in de Spuistraat een paar honderd gulden op per week. Omdat ik nu eenmaal een 'bekende Nederlander' ben, haal ik doorgaans meer geld op dan anderen die met de Strijdkreet lopen. Dat geld gaat allemaal naar het Goodwillcentrum.

Niet dat ze daar echt zitten te springen om die paar honderd gulden, want met een exploitatie van bijna dertien miljoen gulden is dat bedrag natuurlijk maar een druppeltje op de gloeiende plaat. Het is de laatste jaren niet erg populair meer onder de jongere officieren en heilssoldaten, om er wekelijks met de Strijdkreet op uit te trekken. Alleen de ouderen zijn daar heel trouw in. Dat is toch wel een probleem. Je loopt niet alleen duizenden guldens aan inkomsten mis, maar laat ook de contacten met de cafés, restaurants en clubs verwateren. De Strijdkreet is toch uitgegroeid tot het gezicht van het Leger. Ik ben van mening dat dat niet verloren mag gaan.

Het Goodwillcentrum in de Amsterdamse binnenstad viert dit jaar in oktober het vijftigjarig jubileum. Vijftig jaar geleden ben ik met het Goodwillwerk begonnen, met niet meer dan honderd gulden. Ik vind alle kleine inkomsten net zo waardevol als alle grote giften en subsidies die nu bij het centrum binnenkomen. Op deze manier bereik je namelijk ook de mensen die niet uit zichzelf geld gireren, maar die best iets willen geven. Ik heb zelfs liever honderd mensen die één gulden geven, dan één persoon die honderd gulden geeft. Want als die ene persoon wegvalt, heb je meteen niets meer. Maar die honderd mensen vallen nooit allemaal tegelijk weg. Bovendien: niemand mist die paar honderd gulden die ik in een paar uur ophaal, het is allemaal gevonden geld, waarvan men niet eens weet dat het in zijn portemonnee zit. Zo hoorde ik laatst ook nog een verhaal over stuivers, die er tekort zouden zijn. Veel stuivers worden door mensen thuis in een potje gestopt, een groot deel wordt gebruikt als wisselgeld in sigaretten- automaten en dan was er nog voor een kapitaal aan stuivers, dat bij mensen los in de auto zou liggen. In elke auto een stuiver, moet je eens narekenen hoeveel geld dat bij elkaar is. En niemand die het mist.

Ik heb mijn rijbewijs gehaald toen ik vijftig was en ik ben echt heel wijs met mijn autootje, een donkerblauwe Fiat Panda. Vaak rijd ik zelf naar de plaatsen toe waar ik een lezing moet houden, tot verbijstering van allerlei mensen die dit niet verantwoord vinden op mijn leeftijd. Ooit is het verhaal in de wereld geholpen dat ik niet kan rijden, dat hoor ik eigenlijk al sinds in mijn rijbewijs heb. Ik ben in één keer geslaagd, maar op dat moment vond ik zelf ook dat ik nog niet goed kon rijden. Mijn eerste auto was een Fiatje 500 en toen ik voor het eerst alleen de weg opging was ik vreselijk onzeker. Zat ik steeds te weifelen: 'Zal ik 'm in z'n twee zetten, zal ik 'm in z'n drie zetten?' Maar door ervaring – ik reed tot een paar jaar geleden nog veertig- tot vijftigduizend kilometer per jaar – heb ik het toch goed geleerd. Over dat gezeur kan ik me wel eens heel boos maken. Ik mag van de dokter en de oogarts autorijden en tot nu toe ben ik nog glansrijk door de keuring heen gekomen. Ik heb nog nooit een ernstige aanrijding veroorzaakt of een bekeuring gehad en nog steeds moet ik horen: 'Bosshardt rijdt zo slecht.' Dat zijn dan keurige mensen die zelf al drie keer een aanrijding hebben gehad. In de krant heeft ook wel eens gestaan dat ik in mijn auto een beschermengel moest hebben, dus dat ik nooit brokken heb gemaakt zou niet eens mijn eigen verdienste zijn. De verzekeringsmaatschappij belde me na de laatste keuring zelfs op om me te complimenteren. Het lijkt me wel leuk als ik tot het einde van mijn leven kan blijven rijden zonder schade, die kans zit er nog steeds in.

Als ik onderweg ben, altijd gekleed in het Legeruniform met mijn hallelujahoed op, komen er heel vaak auto's voorbij die dan weer even inhouden en naast me komen rijden. Je ziet ze denken: 'Is ze het, is ze het niet?' Om vervolgens luid te toeteren en enthousiast te wuiven. Er wordt ook vaak naar me getoeterd als ik even stilsta, in de Spuistraat bijvoorbeeld. Dan ben ik een parkeerplaats aan het zoeken of moet ik even ergens zijn, zitten ze meteen ongeduldig op hun claxon te drukken. Of er wordt geroepen: 'Hee, sta je weer te bekeren? Schiet eens op, dóórrijden!' Ik toeter altijd maar gewoon terug. Laatst stond ik zelf vast achter een bestelbusje dat aan het lossen was, dus ik toeterde dat ik er door wilde. Komt die man naar buiten en ziet dat ik het ben: 'Rustig aan een beetje hè... en jíj zeker!' roept-ie.

Vaak rijd ik zelf naar lezingen toe, maar er is ook vaak iemand die mijn chauffeur wil zijn. Jan van Hemert bijvoorbeeld, een achterneef van me die vroeger taxichauffeur was, maar nu in de AOW zit en blij is als hij een avondje voor me kan rijden. Met die vier of vijf vrijwillige chauffeurs die om beurten voor me rijden ben ik echt heel blij, maar als het niet anders kan, rijd ik net zo gemakkelijk zelf. Een enkele keer word ik onderweg naar huis overmand door slaap. Als er een centrum van het Leger des Heils in de buurt is, wil ik daar soms gaan vragen of ik er even een dutje mag doen. Ik heb bijvoorbeeld een keer een paar uurtjes op bed gelegen in onze alcoholkliniek in Ugchelen. Ik heb mijn auto ook wel eens aan de kant van de weg op een parkeerplaats gezet om even bij te komen. Op een nacht zat ik ook even zo te slapen, toen ik plotseling wakker schrok van een politieagent die hard op het raam stond te tikken. 'Majoor! Majoor!' klonk het angstig. Hij was door iemand gewaarschuwd en was bang dat ik niet goed was geworden.

Ik heb in mijn leven al voor duizenden zaaltjes gestaan om

lezingen te geven over mijn werk. Dat deed ik al vóór 1959, maar sinds ik dat jaar voor de eerste keer op televisie kwam in het programma 'Anders dan Anderen' van VARA's Bert Garthoff, werd ik meer en meer gevraagd. Nu houd ik nog steeds twee keer per week of vaker ergens een lezing. Vaak in bejaardencentra, maar ook wel in kerken, buurthuizen, op scholen en voor christelijke en niet-christelijke organisaties. Laatst was ik zelfs in de gevangenis op het Oostereiland in Hoorn, om voor de gedetineerden te spreken. Meestal vertel ik het een en ander over mijn werk voor de Goodwill. Het hangt er een beetje van af wat de organisaties zelf vragen. Willen ze vooral iets weten over de prostitutie, dan leg ik daar de nadruk op, is men geïnteresseerd in daklozenopvang, praat ik over daklozenopvang. Soms vertel ik over mijn jeugd, hoe ik ben opgegroeid en hoe ik bij het Leger des Heils ben terechtgekomen. Een jaar of wat geleden mocht ik spreken op de heropening van een begraafplaats in Diemen. Dat kerkhof was vreselijk verwaarloosd, er werden geen mensen meer begraven en de kapel werd ook nauwelijks gebruikt. De graven waren op sommige plaatsen helemaal overwoekerd. De nieuwe eigenaar, een begrafenisondernemer, heeft er, hoewel dat in dit verband een beetje vreemd klinkt, nieuw leven ingeblazen. Hij had de kapel veranderd in een mooie aula, de stenen schoongemaakt en alle paden weer keurig aangeharkt. Bij die gelegenheid heb ik gesproken over het leven en de dood, die geen dood is maar het begin van het eeuwige leven.

Ik houd nooit vaker dan twee keer achter elkaar dezelfde lezing, want dan zou het me gaan vervelen. Alle verhalen ken ik uit mijn hoofd, ik hoef me meestal niet speciaal op een lezing voor te bereiden.

Ik begin een lezing over het Goodwillcentrum meestal met een bijbelse gedachte, bijvoorbeeld de bijbeltekst uit Mattheüs 25: 35-36, die luidt als volgt:

Want Ik heb honger geleden en gij hebt Mij te eten gegeven. Ik heb dorst geleden en gij hebt Mij te drinken gegeven, Ik ben een vreemdeling geweest en gij hebt Mij gehuisvest, naakt en gij hebt Mij gekleed, ziek en gij hebt Mij bezocht; Ik ben in de gevangenis geweest en gij zijt tot Mij gekomen.

Op deze manier kan ik uitleggen op welke manier het Leger des Heils zijn hulp verleent aan de misdeelden in de samenleving, vanuit het evangelie. Meestal praat ik een uur vol en daarna kunnen de aanwezigen vragen stellen. Tien tegen een vraagt iemand me iets over koningin Beatrix, maar ik krijg ook vaak grappige en verrassende vragen.

Zo wordt me regelmatig gevraagd hoe je aan mijn uniform kunt zien dat ik majoor ben. Dan antwoord ik: 'Als u goed kijkt en als u het zou weten, zou u aan mijn uniform kunnen zien dat ik "luitenant-kolonel" ben.' Dat ben ik al sinds 1968, maar mensen hoeven mij geen luitenant-kolonel te noemen, alsjeblieft niet. Ik sta bekend als "majoor Bosshardt" en noem mezelf ook altijd zo, als ik me ergens voorstel of de telefoon opneem.

Ik ben, nadat ik de kweekschool van het Leger des Heils had voltooid, begonnen als luitenant, in 1935. In 1938 werd ik bevorderd tot kapitein en in 1946, na de oorlog, tot senior-kapitein. Toen ik begon met de opzet van het Goodwillwerk in de binnenstad ben ik tot adjudant benoemd en in 1955 werd ik majoor, de rang waarin ik 'bekende Nederlander' ben geworden. In 1963 werd ik benoemd tot brigadier, dat is een rang die inmiddels is afgeschaft. Het is vaak verwarrend, die verschillende rangen, ook al omdat ze zo verschillen van de rangen in het militaire leger. Toen majoor Van Pelt zijn bevordering kreeg, zeiden kinderen tegen hem: 'Wat jammer voor u, dat u nu geen kapitein van het schip meer bent!' Het gebeurt maar zeer zelden dat vrouwen een hogere rang bekleden dan kolonel. Je kunt daarna alleen nog luitenant-commissioner en commissioner worden, in het laatste geval ben je dan al de leider van het Leger des Heils in Nederland; op dit moment is dat commandant Van Boven. Die rangen en bevorderingen hebben mij nooit zo veel gedaan; zie het maar als een kwestie van meer ervaring. Het werk zelf heb ik altijd het belangrijkste gevonden.

Laatst was ik op een lezing bij de plattelandsvrouwen in Sint Pancras bij Alkmaar, waar een van de dames vroeg of ons uniform er vroeger niet anders uitzag. Zij bleek, zoals heel veel mensen, het Leger des Heils te verwarren met het *Nederlandse* Leger des Heils, wat gezien de naam heel begrijpelijk is. Het Nederlandse Leger des Heils hoort niet bij het Internationale Leger, maar is gevormd uit een groep heilssoldaten die zich in de jaren '30 afscheidde van het Leger des Heils. Waarom ze vrijwel dezelfde naam hebben gekozen is mij ook niet helemaal duidelijk. De groep scheidde zich destijds af omdat de leden een conflict kregen met het Nationale

Hoofdkwartier. Zij vonden dat het werk van het Leger des Heils meer gericht moest worden op het eigen land en dat het niet juist was geld en mensen naar bijvoorbeeld ontwikkelingslanden te sturen.

Tegenwoordig bestaat er nog een kleine afdeling van dit Nederlandse Leger des Heils, in het noorden van het land. Officieel zijn ze nooit erkend, ze mogen ook niet collecteren, maar dit gebeurt wel. Omdat ze qua uiterlijk zo lijken op de mensen van, ik zal maar zeggen het échte Leger des Heils, denken mensen die hen zien collecteren dat ze geld geven aan het officiële Leger des Heils. Ze drijven als het ware mee op onze naam en ze zullen gerust wel goede dingen doen met de giften. Maar het Nederlandse Leger des Heils heeft in feite niets te maken met het Internationale Leger des Heils, dat in 1865 door William Booth is opgericht in Engeland en inmiddels is verspreid over meer dan honderd landen. Het is uitgegroeid tot een soort wereldgodsdienst waarbinnen honderdachtenzestig talen worden gesproken.

In Nederland bestaat het Leger des Heils sinds 1887, meer dan honderd jaar. Ik ben nu zesenzestig jaar verbonden aan het Leger en heb er nooit een dag spijt van gehad. Ik ben blij dat ik op mijn leeftijd nog zo veel voor het Leger des Heils kan doen en dat ik het zo goed heb. Dat had ik vroeger niet durven hopen, dat ik op mijn oude dag in zo'n prettige woning zou kunnen wonen en dat ik alles zou kunnen kopen wat ik nodig heb. Dat is overigens niet veel. Je hebt wel mensen die meer dan veertig paar schoenen hebben! Ik doe het gewoon met één paar doordeweekse schoenen, een paar zondagse schoenen en een paar pantoffels. Vorig jaar heb ik met Kerst voor mezelf een elektrische deken gekocht, dat was voor mij een behoorlijk luxueuze uitgave. En eigenlijk was ik altijd een beetje bang voor een elektrische deken, je denkt toch: 'Als-ie maar niet in brand vliegt.' Dat schijnt echter helemaal niet te kunnen. In de winter is het voor mij heel prettig als ik 's avonds thuis kom na een Strijdkretenwijk, om in een warm bed te kunnen stappen. Dan slaap ik misschien sneller in en kan ik beter uitrusten.

Aan vijfeneenhalf uur slaap heb ik voldoende. Meestal lees ik 's avonds als ik thuiskom nog even de krant of ik schrijf een brief, maar om een uur of half één denk ik: 'Nu moet ik echt naar bed.' Mijn avondgebed schiet er wel eens bij in. Dan ben ik zo moe, dat ik tegen God zeg: 'Heer, ik ga nu slapen, u weet het wel.' Om kwart voor zeven 's ochtends sta ik weer op. Dat moet haast wel, zo vroeg, want dan ben ik tenminste gewassen en aangekleed voordat de telefoon voor de eerste keer rinkelt. Voor mezelf koop ik één keer in de week wat boodschappen, maar niet zo veel. Dat moet ik allemaal maar meesjouwen. Brood, zo nu en dan een pakje roomboter, want daar houd ik van, kaas en eieren en nog wat dingen als yoghurt of kwark, dat heb ik altijd in huis. Ik ben niet zo'n goeie eter. Uitgebreid koken voor mezelf doe ik bijna nooit, daar ben ik helemaal niet goed in en ik heb er niet zo'n behoefte aan. Ik koop ook nooit vlees, dat eet ik alleen als ik het bij iemand anders krijg. Het liefst heb ik een beetje sla of een stronk witlof, een boterhammetje of een kop soep. Eén keer per week eet ik een potje bruine bonen met een klontje boter erdoor en een schaaltje yoghurt toe, daar heb ik een hele maaltijd aan. Via de Goodwillburgh kan ik ook maaltijden aan huis bestellen. Dat heb ik een paar keer geprobeerd, maar het probleem is dat je dan elke dag om één uur thuis moet zijn, als ze komen bezorgen. Als ik op dat moment geen tijd heb om te eten, moet ik het later weer opwarmen. Bovendien krijg je niet elke dag gewoon aardappels met groente en vlees: ook wel eens macaroni of nasi en daar kan mijn maag niet zo goed tegen, heb ik gemerkt. Kruiden en specerijen zijn aan mij blijkbaar niet besteed. Eén keer per week, op zaterdag, eet ik altijd bij zuster To, die ook hier in de Goodwillburgh woont. Zuster To was de eerste gezinsverzorgster van het Goodwillcentrum, begin jaren vijftig. Ook tante Jans woont bij mij in het complex. Zij is in Amsterdam een bekende verschijning geweest met haar fiets, waarmee ze eropuit trok met de Strijdkreet. Tante Jans is nu bijna negentig en raakt helaas een beetje vergeetachtig. Haar getrouwde dochter Rens komt vaak op bezoek; ze heeft vier pittige kleinkinderen en een paar achterkleinkinderen.

Ik heb veel vrienden en bekenden overgehouden aan mijn werk voor het Leger des Heils, zowel mensen van binnen als van buiten het Leger, in binnen- en buitenland. Dat wil niet zeggen dat ik al die mensen ook heel vaak zie. Ik ben niet iemand die graag op bezoek komt of naar een verjaardag gaat. Dat vind ik eerlijk gezegd zonde van mijn tijd. Sommige kennissen vragen mij wel eens: 'Kom nou eens lekker een heel dagje bij me.' Dan weet ik echt niet wat ze die hele dag met mij moeten, zelf ben ik na een uurtje wel uitgepraat. Ik neem maar een borduurwerk mee, dan heb ik tenminste nog wat te doen. Maar eigenlijk ga ik meestal alleen bij iemand op bezoek om die ander een plezier te doen.

Zo zul je mij ook nooit in de stad zien winkelen. Laatst had ik van iemand een cadeaubon gekregen van de Bijenkorf en daar ben ik dan wel even een trui wezen kopen, maar ik wil liefst zo snel mogelijk weer weg zijn. Het is niet alleen doodvermoeiend, maar ik word ook nog door een heleboel mensen aangesproken en dan kom ik nooit weg. Het enige voordeel van bekend zijn is, dat ik mijn autootje gewoon even op de Dam bij Krasnapolsky voor de deur mag parkeren.

Op mijn verjaardag ben ik sinds mijn vijftigste nooit meer thuis, dan moet ik onderduiken op een geheim adres. Of ik zorg dat ik op vakantie ben, hoewel ik de laatste jaren niet meer echt op vakantie ga. Dan neem ik lekker een stapel post mee om die in alle rust en ongestoord te kunnen beantwoorden. Maar als ik weer thuiskom, puilt de brievenbus alweer uit met verjaardagskaarten en brieven. Vergis je niet, dat zijn er meestal meer dan vijfhonderd! En met kerst krijg ik opnieuw zo'n grote lading lief bedoelde kerstwensen. Dit jaar was ik ook niet thuis op mijn verjaardag, maar de mensen van het Leger des Heils hadden een oplossing gevonden: ze kwamen gewoon een paar dagen eerder bij me langs om een cadeautje aan te bieden. Er was een groep artiesten uitgenodigd, om voor een van mijn medebewoonsters op te treden, maar nu ze er toch waren moesten ze ook voor mij zingen. De pers was ingelicht, de regionale televisiezender kwam langs en bracht allerlei vrienden en kennissen mee, zoals Piet Römer in zijn uitmonstering als rechercheur De Cock en Pistolen Paultje, die ook wel 'de gangster met het gouden hart' wordt genoemd. Ik kreeg een grote taart cadeau, die ik heb getrakteerd aan alle bewoners van het huis. Zo gaat het eigenlijk elk jaar, ik denk dat ik er nooit onderuit kom.

Ik wil, juist omdat ik het zo druk heb, mijn leven kunnen leiden zoals ik dat het liefste wil. Andere mensen bemoeien zich daar graag mee, dat is misschien een soort leeftijds-discriminatie. Als je oud bent, mag je niet meer doen wat je zelf wilt. 'Neem nou toch wat rust, doe dit, doe dat,' terwijl ik dat allemaal best zelf kan bepalen. Ik kan mijn leven heel aardig invullen en zorg er wel voor dat ik daar zelf ook nog wat aan beleef. Zo ben ik met Pasen dit jaar naar de Mattheüs Passion geweest in Naarden, samen met mijn nichtje Mieke. Dat vond ik nou echt leuk, dat nog eens mee te maken. Vroeger, toen ik een jaar of zeventien was, ging ik er samen met mijn vader heen, vanuit Utrecht, op de fiets. Ik houd heel erg van de Mattheüs, niet speciaal vanwege de muziek, maar om het verhaal. De tekst zou ik zo kunnen meezingen. Ik ga een heel enkele keer wel eens naar de bioscoop, maar dan moet er echt wel een film zijn die ik heel graag wil zien. Op vier mei, Dodenherdenking, ga ik meestal naar de Nieuwe Kerk voor de herdenkingsdienst. Dit jaar was ik er samen met majoor Van Pelt, die dit voor het eerst meemaakte. 'We zitten vlak bij de koningin!' zei hij enthousiast. Als je al zo lang meedraait als ik, zijn dit soort dingen niet echt bijzonder meer, maar ik waardeer het natuurlijk wel. Op Koninginnedag blijf ik meestal in Amsterdam. Als ik verder niets bijzonders te doen heb, ga ik de stad in met de Strijdkreet. Dit jaar ben ik even naar het Waterlooplein geweest, dat is tenminste te belopen. Het jaar daarvoor was ik in de Alledagkerk op het Begijnhof geweest voor een speciale Koninginnedag-dienst, maar toen ik naar huis wilde, was er voor de taxi's geen doorkomen aan en moest ik de hele afstand lopend afleggen. Vroeger draaide ik daarvoor mijn hand niet om, maar tegenwoordig is dat te zwaar.

Vanwege mijn bekendheid gebeurt het nog regelmatig dat mensen bij mij aankloppen om hulp. Iemand met huwelijksproblemen, bijvoorbeeld, of iemand die uit zijn woning dreigt te worden gezet en het allemaal niet meer ziet zitten. Deze mensen stuur ik meestal door naar onze afdeling maatschappelijk werk in het Goodwillcentrum. Zo kreeg ik een tijdje geleden nog een brief met de vraag of ik iets kon doen voor een Marokkaanse vrouw, die met haar driejarig kindje in Nederland was zonder verblijfsvergunning. Ze was in de steek gelaten door haar man of vriend en wilde gaan werken, in de hoop dat ze een verblijfsvergunning zou krijgen. Ze zat nu bij de Hulp voor Onbehuisden te wachten tot haar een woning toegewezen zou worden. Daarvoor had ze dan ook weer meubeltjes nodig en geld om het een beetje te kunnen inrichten. Of ik kon helpen. Dat soort dingen speel ik door naar het maatschappelijk werk. Anders heb ik straks twintig van deze gevallen en kom ik niet meer aan mijn normale dagelijkse bezigheden toe.

Afgelopen jaar ontmoette ik een jonge vrouw, die stewardess is bij de KLM, maar die zeker belangstelling heeft voor het werk van het Leger des Heils. Ze heeft voor verpleegster gestudeerd, maar wist nog niet zo goed welke richting ze wilde uitgaan. Ik heb haar uitgenodigd eens samen met mij een Strijdkreten-wijk te doen en daar ging ze op in. Zulke dingen vind ik heel leuk, iemand een beetje wegwijs maken en laten delen in mijn ervaring.

Soms komt er iemand bij me met een probleem dat juist ik goed zou kunnen behandelen, omdat ik nog veel contacten heb en door mijn bekendheid ook meer zou kunnen bereiken. Een half jaar geleden werd ik benaderd door een vrouw van een jaar of vierenveertig, een psychiater van beroep. Ze was nog niet zo lang geleden teruggekeerd in Nederland, na een verblijf van drie jaar met haar man in Indonesië. Hij was voor zijn werk uitgezonden naar Celebes en daar was ze in verwachting geraakt. Vlak voor de bevalling moest hij weer terug naar Nederland en hier is hun dochtertje Sabine geboren. Daar was ze ontzettend blij mee, want daarvoor had ze een aantal miskramen gehad. Op Celebes had ze al gezegd: 'Als dit kindje gezond is, dan wil ik God daarvoor bedanken door het te laten dopen.'

Eenmaal in Nederland benaderde ze diverse kerken, maar er was geen enkele kerk waar ze Sabine kon laten dopen. Dat kwam omdat zij zelf nooit was gedoopt en haar man ook niet. Zij wilde zich wel laten dopen, maar dan moest ze daarna nog minstens een half jaar wachten en catechisatielessen volgen, voordat haar kindje ook gedoopt zou kunnen worden.

Uiteindelijk kwam ze mij om hulp vragen. Ze kende mij, omdat ik een tijdje contact heb gehad met haar moeder. Zelf kon ik het kindje niet dopen: ik ben immers geen dominee en de doopplechtigheid is bij het Leger des Heils geen gebruik; bij ons worden kinderen van Leger des Heils-officieren en heilssoldaten 'opgedragen'. Maar ik vond dit nou precies een probleem waarvoor ik misschien wel een oplossing kon vinden, omdat ik veel mensen uit de verschillende kerken goed ken. Het liefst wilde ze Sabine laten dopen in een katholieke kerk, want met de katholieke missie op Celebes had ze altijd een heel goed contact gehad. Nadat ook ik nul op rekest had gekregen bij een paar kerken, kwam ik ineens op de gedachte de rooms-katholieke kerk van het Begijnhof te vragen. De man die daar priester is, is tegelijkertijd de directeur van het sociale informatiecentrum het Houten Huis op het Begijnhof. Hij was, zo bedacht ik, misschien wat minder gebonden aan de regels van de kerk. De katholieke kerk van het Begijnhof heeft namelijk geen eigen parochie en is wat ruimdenkender. Die priester was meteen bereid om de doopplechtigheid te houden. Ik mocht het kindje de kerk binnendragen en ben door de ouders ook gevraagd om meter, peetmoeder, te worden.

Zoiets vind ik heel bijzonder om te doen; het was mooi dat ik daar bij kon zijn. Vooral voor de moeder was ik erg blij dat het was gelukt en dat het allemaal goed was afgelopen. Een geval als dit kan ik beter zelf doen. Dat hoef ik niet aan het maatschappelijk werk van de Goodwill te geven, want je weet niet of zo'n jonge maatschappelijk werker helemaal aanvoelt hoe hij of zij dit moet oplossen en hoe belangrijk het is voor zo'n vrouw.

Er komt van alles op mijn weg. Hoewel ik moeilijk 'nee' kan zeggen, werk ik niet overal aan mee. Ik vraag me altijd eventjes af: 'Is het verstandig hieraan mee te doen?' Zo heb ik wel meegewerkt aan een reclamespot voor het plastic betaalmiddel Eurocard/Mastercard, daar zag ik verder geen kwaad in. Het geld dat ik daarmee heb verdiend, is netjes in de pot van het Leger des Heils terechtgekomen. Maar onlangs werd ik gebeld door iemand die vroeg of ik wilde meewerken aan een programma over schoonheidsbehandelingen. Ze wilden mij zo'n hele metamorfose laten ondergaan. Mijn haar zou een nieuwe coupe krijgen en mijn gezicht werd helemaal opgemaakt. Vervolgens wilden ze mij in burgerkleding hijsen en dan waarschijnlijk een foto maken. Majoor Bosshardt vóór en na de behandeling, dat idee. 'Lijkt u dat niet vreselijk leuk?' zei die juffrouw. 'Nee, daar lijkt me helemaal niks aan,' heb ik geantwoord. 'Ik gebruik nooit make-up, dat heb ik nooit gedaan ook, ik hou er niet van. Niemand kent me zo. Ik ben geen christelijk animeermeisje, zoek daarvoor maar een ander.'

Kort geleden hing ook de VPRO aan de telefoon, om me uit te nodigen voor een programma dat 'Brutale meiden' heette. Ten eerste is dat al geen programmatitel die me aanspreekt. Bovendien moest ik al dezelfde week, een paar dagen later, naar de studio komen. 'Er is zeker een andere gast uitgevallen, dat jullie mij op het laatste moment bellen,' zei ik. 'Sorry hoor, maar ik heb het veel te druk.' Dat zijn van die dingen die ik echt niet doe. Maar er zijn misschien wel meer televisieprogramma's waaraan ik wel wil meewerken. Eind april, kort voor de Tweede-Kamerverkiezingen, zat ik in een programma van Ivo Niehe en Andries Knevel, van de TROS en de EO, op verzoek van CDA-voorman Jaap de Hoop Scheffer. Dat vind ik wel goed om te doen. Ik heb wel duidelijk gezegd dat ik niet aan een politieke partij gebonden wil zijn en dat ik geen andere politici zou gaan afkraken. Als ik bijvoorbeeld Wim Kok van de PvdA hoor praten, denk ik vaak:

'Man, jij hebt ook wel een beetje gelijk,' en dat geldt ook voor veel andere politici. Hoewel ik bij de VVD het idee heb dat die partij er echt is voor de wat beter gesitueerden in het land. Het gaat mij vooral om de christelijke grondslag van het CDA. En ik ben het er wel mee eens dat het gezin de hoeksteen is van de samenleving, de beste basis voor stevige mensen in de toekomst.

Dat heb ik immers zelf ervaren door mijn werk voor het Leger des Heils. Ik heb zo veel mensen meegemaakt uit gebroken gezinnen, die het toch heel moeilijk hadden en met wie het verkeerd liep. Of mensen die in een moeilijk gezin opgroeiden, als kind mishandeld waren of weinig liefde hadden gekregen. Dat heeft mij tot de conclusie gebracht dat een stabiel gezin, waar de ouders hun kinderen normen en waarden bijbrengen, de meeste kans geeft op een geslaagd leven en daarmee op een vreedzame maatschappij. Dat hoeven niet eens per se de normen en waarden van de kerk te zijn, maar een samenleving die is gebaseerd op de goddelijke richtlijnen lijkt mij de meest positieve. De maatschappij is de laatste jaren wel erg verhard. Dat baart me behoorlijk zorgen; vroeger was er ook wel eens wat, maar ik krijg toch het idee dat er meer agressie en criminaliteit is gekomen. Jonge mannen als Joes Kloppenburg, die zonder aanleiding wordt doodgeschopt in de Voetboogsteeg, of Meindert Tjoelker, die op dezelfde manier aan zijn einde komt in Leeuwarden, dat is onaanvaardbaar. Ik moet mezelf steeds voorhouden dat het grootste percentage van de Nederlandse jeugd zich wél netjes gedraagt.

Ik heb persoonlijk geen slechte ervaringen met jongeren. Mijn optreden in Villa Felderhof van de NCRV heeft vooral de jeugd heel erg aangesproken. Daar hoor ik de mensen nu nóg over. Zelf vond ik het helemaal niet zo bijzonder om samen met Herman Brood in die villa in Saint Tropez te logeren. Ook niet om Herman in bad te doen en af te drogen. Daar kreeg ik achteraf nog commentaar op vanuit het Leger, maar dat vond ik niet terecht: ik heb in mijn leven al zo veel mannen en vrouwen onder de douche moeten zetten in het Goodwillcentrum en daar heb ik ze nooit over horen klagen. Ik kijk nergens meer van op. Eigenlijk was ik wel blij dat ik samen met Herman Brood in de uitzending zat. Dat heb ik liever dan dat ze mij confronteren met een of andere hooggeplaatste intellectueel of een grootheid uit de literaire wereld, die praat over zaken waarvan ik geen verstand heb.

Ik vind Herman Brood als mens heel erg aardig, zoals ik alle mensen in principe aardig vind. Soms is hij een beetje zielig, maar daarvan speelt hij ook veel. Nu en dan spreek ik hem in Amsterdam, meestal in café Dante in de Spuistraat, waar hij woont en werkt. Als hij een nieuwe expositie heeft, ga ik ook altijd even naar de opening. Herman gaat bijna elke dag eten bij zijn vrouw en kinderen, maar daar woont hij niet meer bij. Er valt met die man blijkbaar niet samen te leven. Tijdens ons verblijf in Villa Felderhof zal hij ook wel drugs hebben gebruikt, maar daar ben ik niet bij geweest. Wel had hij steeds zo'n vierkante drankfles voor zich staan, die aldoor heel snel leeg was. Dat begon in de auto al, onderweg van de luchthaven van Nice naar de villa. De man van de NCRV die ons kwam ophalen, moest bij benzinestations en winkels op zoek naar een fles drank voor Herman en de NCRV moest dat denk ik ook allemaal voor hem betalen. Wat dat betreft hadden ze aan mij een goedkopere gast. Ik heb alleen wat ansichtkaarten en postzegels gekregen om naar mijn familie in Nederland te sturen en ik heb er natuurlijk gegeten. Elke avond gingen we uit eten in Saint Tropez, maar ik vond dat Franse eten niet geweldig. De toetjes waren het lekkerst: 'Doe mij maar twee toetjes, dan hoef ik verder niets,' zei ik tegen Rik Felderhof.

Herman is daar ook nog aan het schilderen geweest. In een kwartier heeft hij een schilderij af, dat kan hij verkopen voor een paar honderd gulden! Ik heb er een paar van hem meegekregen, maar ik vind zijn schilderijen niet zo prachtig. Soms zie ik niet eens wat het voorstelt. Ik kreeg kort daarna mensen op bezoek die er wel helemaal weg van waren. Toen heb ik ze maar meegegeven, want wat moet ik er zelf mee? Ze passen niet bij de inrichting van mijn huis, tussen de tekeningen van Anton Pieck en mijn eigen borduurwerk.

Ik heb wel twee schilderijen hangen van mijn eigen pleegbroer, Jan Pennings. Een portret van mijn moeder en een afbeelding van een bloeiende Oost-Indische kers. Veel van mijn meubels zijn nog afkomstig uit mijn ouderlijk huis. Toen ik ging verhuizen van de Oudezijds Voorburgwal naar dit appartementje, heb ik misschien wel duizend boeken weggegeven en stapels oude papieren verscheurd. Alles wat ik een jaar of langer niet had gebruikt, heb ik weggegooid.

Als ik voor een lezing cadeaus krijg, geef ik die meestal ook weer weg, als ik er een ander een plezier mee kan doen. Vroeger gaf ik de bossen bloemen die ik kreeg aan de prostituees in de buurt. Nadat ik mijn autootje had geparkeerd vroeg ik altijd: 'Wie is er aan de beurt voor de bloemen? Joke, Pia of Betsy?' Ik geef ze nu ook vaak mee aan mijn chauffeur, voor zijn vrouw, omdat die de hele avond alleen heeft gezeten.

Kort geleden is een buurvrouw van me uit de Goodwillburgh hier vlak voor de deur aangereden door een auto en overleden. Ik was nog bij haar op bezoek geweest toen ze eenentachtig jaar werd en ze was nog heel gezond en goed bij de tijd. Zoiets kan mij natuurlijk ook gebeuren, elke dag weer. Je hebt het niet voor het kiezen, maar een half jaar doodziek op bed liggen en aan kanker overlijden is misschien nog wel veel erger, al kun je de nabestaanden hiermee moeilijk troosten.

Ik zie er helemaal niet tegen op om dood te gaan, omdat ik weet dat ik in de hemel kom en geloof in het eeuwige leven. Maar ik heb er ook geen haast mee. Ik ben vast van plan om eerst het jaar 2000 nog mee te maken en daarna zal er wel eens iets gebeuren. Nu en dan moet ik naar de dokter om mijn hart te laten controleren, want een paar jaar geleden heb ik een heel lichte aanval gehad. Vorig jaar heb ik even in het ziekenhuis gelegen omdat ik een kwaal aan mijn darmen had, maar die is nu zo goed als over. Het Leger des Heils was even bevreesd dat ik het ziekenhuis niet meer uit zou komen. Ze hebben toen alvast mijn complete adressenbestand, van alle contacten die ik in de loop der jaren heb opgebouwd, in de computer gestopt. Meer dan duizend adressen waren het, van mensen die een bericht moeten krijgen als ik zou komen te overlijden.

In april dit jaar ging ik voor een week naar Haaksbergen, waar ik op persoonlijke titel was uitgenodigd voor een congres over 'Bejaardenzorg in 2010'. Persoonlijk vind ik de bejaardenzorg in Nederland, ondanks de kritiek die daarop is, van een redelijk hoog niveau. Als ik kijk hoe de ouderen vroeger moesten leven en wat ze nu allemaal kunnen, zijn ze er wel op vooruitgegaan. Hoewel de AOW-uitkering aan de lage kant is. Als ik geen aanvullend bedrag kreeg van het Leger des Heils zou er, na het betalen van de huur en de andere maandelijks lasten, niet zo veel overblijven voor iets extra's. Voor mij is het genoeg. Ik zeg altijd: 'Ik heb de mentaliteit van voor de oorlog en het geld van na de oorlog en daar ben ik heel dankbaar voor.'

Voorlopig wil ik gewoon doorgaan met al mijn bezigheden, zolang ik alles nog kan. Afgelopen voorjaar ben ik ook nog voor twee weken naar Los Angeles en San Diego in de Verenigde Staten geweest, op bezoek bij een hulpverleningscentrum, waar ik een aantal lezingen heb gehouden. Het zou best kunnen dat dat de laatste keer was dat ik zo'n verre reis heb gemaakt. Een uitnodiging om volgend jaar weer te komen heb ik afgeslagen, want ik kan niet meer beloven dat ik echt kom. Je weet immers niet hoe lang ik het allemaal nog kan volhouden. Vroeg of laat zal ik ook met mijn Strijdkreten-verkoop moeten stoppen, als het lopen niet meer gaat. Dat is jammer, maar het ligt nu eenmaal in de lijn der verwachting als je ouder wordt.

Niet iedereen beseft dat ik inmiddels niet alles meer kan doen. Misschien wek ik zelf een beetje de indruk dat ik alles nog aanpak, maar er zijn grenzen. Ik word ook wel eens een beetje overschat. Met Pasen afgelopen jaar kreeg ik van een krant het verzoek een artikeltje te schrijven over het paasfeest. Met het verzoek of ik mijn tekst kon aanleveren op floppy! Ze denken toch niet echt dat een vrouw van vijfentachtig jaar nog een computercursus gaat volgen en weet hoe dat allemaal werkt? Ik heb gewoon pen en papier gebruikt.

Vorig jaar belde mij een vrouw uit Emmen, die vroeg of ik daar een kerkdienst kon leiden. Dat wilde ik op zich wel doen, maar de bedoeling was dat ik vooraf een dienst in de openlucht zou houden. 'Dat kan ik niet meer,' zei ik haar. Toch bleef ze aanhouden. 'Als ik buiten moet spreken voor mensen, kan ik de eerste vier uur daarna geen woord meer uitbrengen omdat ik zo hard moet praten,' legde ik nogmaals uit. 'Ik ben vierentachtig, dat kan ik niet.' Ze hield stug vol. Op een gegeven moment zei ze zelfs: 'Ja, maar God vraagt het van u.' Waar ze het vandaan haalde weet ik niet. Voordat ik de hoorn op de haak hing, zei ik: 'Dat moet dan een communicatiestoornis geweest zijn, want ik heb niet gehoord dat God dat tegen mij heeft gezegd.'

Hoofdstuk 2

'Niet rijk, maar wel gezellig'

Tijdens lezingen die ik in het hele land heb gegeven over mijn werk in de rosse buurt, waren er altijd wel mensen die me vroegen: 'Vond u dat nou nooit eng, op de Wallen, tussen al die prostituees?' Dan antwoordde ik wel eens voor de grap: 'Ik wist in het begin helemaal van niks. Mijn moeder zat ook altijd voor het raam, te wachten tot mijn vader thuiskwam!'

Ik ben een echt zondagskind, geboren op zondag 8 juni 1913, in de Nachtegaalstraat 44 in Utrecht. Mijn vader en moeder hadden hier een kruidenierszaak. Toen de verpleegster mij al in de wieg had gelegd – een blauwogige baby met een plukje blond haar – kwam de dokter pas aan de deur. Hij was speciaal voor de bevalling, een spoedgeval, van het voetbalveld gehaald, maar ik had niet op hem gewacht. Van mijn drie jaar oudere broertje Henk hoorde hij al dat er een zusje geboren was. 'Zus', zo werd ik meestal genoemd.

We hadden een leuk gezin, niet rijk, maar wel gezellig. Mijn ouders waren beiden afkomstig uit een Nederlands-hervormde familie, maar een echt religieuze opvoeding kregen we niet. Ze gingen zeker niet elke zondag naar de kerk en er werd niet veel over het geloof gesproken. Ik ben wel gedoopt in de hervormde kerk, we moesten bidden voor het eten en ik ging soms naar de zondags-school, maar alleen als ik een vriendinnetje had dat daar ook heen ging. Daarmee hield het wel op.

Mijn vader heette Lambertus Bosshardt; hij werd in 1885 geboren in Utrecht. Toen hij negen jaar was, overleed zijn vader, Hendrik Antoni Bosshardt, en een paar jaar later volgde zijn moeder, Marretje Barger. Hij was toen bijna dertien en wilde eigenlijk verder leren. Maar daar was na het overlijden van zijn moeder geen geld meer voor. Hij was de op een na jongste zoon. Samen met zijn jongste broer Wijnand is hij min of meer opgevoed door zijn oudste zuster, mijn tante Dina.

De familie Bosshardt stamt af, zo is ooit door een neef van me uitgezocht, van een Zwitserse huursoldaat uit de buurt van Zürich, Hans Heinrich Bosshardt, die zich in 1795 in het Noord-Brabantse Steenbergen vestigde. Hij kreeg verkering met een Nederlands meisje, Maria Batenburg uit Utrecht, met wie hij is getrouwd. Zij begonnen in Nederland een manufacturenzaak. Ik stam dus af van een huursoldaat, terwijl ik zelf anderhalve eeuw later heilssoldaat werd.

De familie van mijn vader was vrij degelijk en Nederlands-hervormd. Grootvader Bosshardt had ook een manufacturenzaak – dat zat blijkbaar in de familie – in de Utrechtse Twijnstraat, die door mijn vaders oudste broer Hendrik werd overgenomen toen hij overleed. Een twee jaar oudere zuster van mijn vader, tante Marie, is in 1912 als onderwijzeres naar Indië uitgezonden, voor de Salatiga-zending. In 1924 en 1934 is ze nog even terug geweest in Nederland voor een bezoek, daarna nooit meer. Ze is in 1945 in Indië van de honger omgekomen in een jappenkamp, tijdens de oorlog. Toen ik begin jaren tachtig in Indonesië was, heb ik de erebegraafplaats bezocht in Semarang, wat ik een heel bijzondere ervaring vond.

Alle zoons, dus ook mijn vader, kregen een kruidenierszaak of een manufacturenzaak. Als jonge jongen ging mijn vader als bediende werken in de kruidenierszaak van een oom in Gouda, vlak bij de Grote Markt, om daar het vak te leren. In Gouda leerde hij mijn moeder, Wilhelmina Dieuwertje Teeling, kennen. Zij was van 1881, vier jaar ouder dan hij, en kwam ook uit een Nederlands-hervormd, maar niet uitgesproken godsdienstig gezin dat op de Goudse Turfmarkt woonde.

Moeder heeft in Gouda nog op de kweekschool voor onderwijzeres geleerd, maar eigenlijk zag ze het lesgeven niet zo zitten omdat ze geen orde kon houden. Wel heeft ze op de zondagsschool lesgegeven en deed ze iets in de wijkverpleging. Ze trouwde in 1909 met mijn vader in de Sint-Janskerk in Gouda, die mooie hervormde kerk met die gebrandschilderde ramen. Met vakanties gingen wij nog wel eens naar die kerk kijken.

Ze betrokken een woning in de Utrechtse Nachtegaalstraat. Hier werd mijn broer Henk – Hendrik Antoni – geboren. Voordat ik geboren werd, kwam er nog een pleegbroer in huis, Jan Pennings, die vijftien jaar ouder was dan ik. Hij was de zoon van een nicht van mijn vader, wij noemden haar tante Lies. Zij was met haar man, een onderwijzer die Pennings heette, naar Egypte vertrokken om daar een weeshuis te stichten. Toen deze man in Egypte overleed, kwam tante Lies met hun vijf kinderen terug naar Nederland. Ze gingen in Utrecht wonen in de Haagstraat, maar na twee jaar is zij overleden aan tbc. Het was in die tijd dan gewoonte dat de kinderen werden verdeeld over de familie. Voor de meeste kinderen van tante Lies kwam vanzelf een oplossing. Mijn nicht Mien was al achttien, die ging in een ziekenhuis werken en verbleef daar intern. Een zoon, Piet, studeerde al. Dan had je nog een zoon die heette Adelbert, die ging bij de marine. Sjaantje had ook tbc, die ging naar een sanatorium in Beekbergen. Jan bleef over en die kwam bij ons wonen.

Mijn vader werkte indertijd als kruidenier, maar van zaken doen had hij eigenlijk niet zo veel kaas gegeten. Tijdens de Eerste Wereldoorlog, van 1914 tot 1918, moest hij onder de wapenen en runde mijn moeder in haar eentje de winkel. Ze werd daarbij geholpen door de buren, een handelaar in paraplu's, die tijdens de oorlog toch niet veel te doen had, en een bloemist, die in die jaren natuurlijk ook niet veel vraag naar bloemen had. Mijn broers en ik, zodra ik daarvoor de handigheid had, hielpen mijn moeder al met boontjes afhalen en kersen pitten. Het was druk in de winkel, want door de oorlog begonnen mensen te hamsteren. In 1918 kwam vader terug, maar toen gingen de zaken niet best meer. Toen ik zeven jaar was, zag hij het faillissement van zijn winkel al aankomen. Voordat het zover was, deed hij de zaak van de hand. Hij werd vervolgens vertegenwoordiger in koffie, thee, bier en koek. 'Kantkoek', werd dat genoemd. Het waren van die heel lange, droge koeken die in repen werden gesneden. Wij hielpen hem daar 's avonds mee. De volgende dag zette hij een grote mand op zijn fiets en ging hij kantkoek verkopen.
    Ook handelde hij een tijdje in Grolsch-bier. Aan de Oudegracht was een opslagplaats. We gingen wel eens met hem mee en dan moesten we bijvoorbeeld een hele schuit pils lossen. Het waren heel arme jaren voor ons gezin. Mijn vader kon niet zo goed met geld omgaan. Als hij drie gulden had, gaf hij er vier uit, bij wijze van spreken. Maar mijn moeder was heel serieus. Die legde elk dubbeltje dat ze overhad opzij en zorgde ervoor nooit in de schulden te

raken. Ze had altijd nog wel wat geld tussen de lakens liggen. Wanneer er niet genoeg geld was voor eten, aten we havermout-pap met water in plaats van melk. Als ik eens ging zwemmen, had ik geen geld voor een ijsje, maar eigenlijk heb ik het nooit erg gevonden. We hadden wel wat speelgoed: knikkers, borduurkarton, spelletjes en een diabolo waar ik heel erg gek op was.

Ik weet nog wel dat ik op mijn vijfde een soort zeepkist had, een zogenaamde 'vliegende hollander'. Dat was een kar, die je met een hefboom kon voortbewegen. Op een dag ben ik met dat ding helemaal van Utrecht naar De Bilt gereden. Omdat ik de weg niet meer terug wist, kwam ik uiteindelijk op het politiebureau terecht. Mijn vader moest me daar komen ophalen met de fiets. Hij dacht dat ik, die kleine meid, wel helemaal overstuur zou zijn. Maar die politieagenten gaven me brood met stroop en een kop koffie; dat had ik thuis nog nooit geproefd, dus ik had het erg naar mijn zin. We gingen samen op de fiets naar huis. Ik bij mijn vader achterop de fiets, mijn 'vliegende hollander' voorop in de mand. Die heeft mijn vader later aan een neefje gegeven, zodat ik er niet meer mee vandoor kon gaan.

Mijn vader was toen net terug uit militaire dienst. Ik heb nog een mooie pop van hem gekregen, met een stenen hoofd. De eerste dag dat ik daarmee speelde, liet ik 'm al van de trap vallen. Hoofd kapot, niets meer aan te doen.

Toen ik zeven jaar was, ging ik naar de openbare meisjesschool aan het Pieterskerkhof. Maar daar heb ik niet lang op gezeten, want mijn ouders besloten een tijdje uit Utrecht weg te gaan en te verhuizen naar Driebergen. Ze hoopten allebei dat dat misschien beter was voor moeders gezondheid. Ze had het vaak benauwd en in Driebergen was meer ruimte en meer frisse lucht. Maar binnen twee jaar waren we alweer terug in Utrecht, zonder dat moeders gezondheid er echt op vooruit was gegaan. Zij bleek gewoon een zenuwachtige aard te hebben, dat verklaarde haar gezondheids-klachten. In Driebergen heb ik het wel erg naar mijn zin gehad. Ik ging daar met Henk naar de dorpsschool in de Wilhelmi-nastraat en in de zomervakanties verhuurden mijn ouders een paar kamers. Er kwam dan een familie, ik meen de familie Blom, uit Den Haag. Die hadden ook twee kinderen, twee jongens, daar hebben we heel veel mee gespeeld en dat was heel erg leuk. Toch hebben mijn ouders dat huis weer verkocht en zijn teruggegaan naar Utrecht.

We gingen aan het Ondiep wonen. Dat was een echte arbeiders-
wijk met goedkope en slechte woningen. Het was kort na de Eerste
Wereldoorlog en er heerste nog woningnood. In januari 1922
vierden mijn ouders daar hun twaalfeneenhalfjarig huwelijks-
feest. Dat was voor mijn moeder een heel bijzondere dag, want
toen kreeg ze een eigen koperen kraan in de keuken. Een koperen
kraan voor haar koperen bruiloft. Voor die tijd was er alleen een
kraan in onze tuin, die met vier huishoudens moest worden
gedeeld. In die arbeidersbuurt gingen we weer naar een andere
school.

Toen had ik eigenlijk al een beetje genoeg van het leren. Liever
banjerde ik wat rond in de buurt. Mijn moeder wilde het liefst dat
ik mooie jurken droeg en een strik in mijn haar, zoals ik vaak op
jeugdfoto's sta afgebeeld. Maar als het even kon, trok ik Henks
matrozenpakje aan. Ik was nogal kwajongensachtig, kwam vaak
thuis met scheuren in mijn jurk of zonder schooltas, omdat ik die
was kwijtgeraakt. Op een dag ben ik tot grote schrik van mijn
moeder en de hele buurt op het dak geklommen en zat vanuit de
dakgoot naar de mensen te zwaaien. Vaak zwierf ik een beetje
over straat. Je had daar een braakliggend terrein, waar ik wel eens
heen ging met mijn vriendinnetje Tini Lambeek, de dochter van
een van moeders vriendinnen uit Gouda, die toevallig ook in
Utrecht was gaan wonen. Op een dag hadden we een emmer
meegenomen, die we volstopten met slakken. Onnodig te zeggen
dat mijn moeder niet erg blij met deze 'buit' was.

Ik mocht na zessen niet meer op straat spelen en mijn broer
wel. Dan riep ik boos: 'Was ik maar een weeskind!' Want vlak bij
ons huis had je het Utrechts weeshuis en die kinderen mochten
altijd in de Breedstraat spelen of op het Janskerkhof. Dat waren
van die brede straten met zo'n middenberm tussen de rijbanen,
waarover in die tijd natuurlijk veel minder verkeer reed. Toen ik
wat ouder was, bleken mijn ouders toch wel erg tolerant. Ik kreeg
gewoon een sleutel mee en schreef op het randje van de krant
waar ik naartoe was.

Mijn ouders wilden het liefst zo snel mogelijk verhuizen, weg van
het Ondiep. Moeder was in feite dol op verhuizen. Ze was altijd
op zoek naar een huis dat nog beter was. Mijn vader grapte wel
eens: 'Ik ga nu naar mijn werk en ik zie wel waar we vanavond
wonen.' Verhuizen ging in die tijd anders dan nu. Vader en
moeder gingen 's ochtends op pad om een huis te zoeken en wij

werden op zo'n dag geparkeerd op de Amsterdamsestraatweg in een soort koffiehuis. Daar kregen we grote bekers chocolademelk. Als ze ons aan het einde van de dag kwamen ophalen, hadden we ineens een ander huis. We kwamen via de Voorstraat, waar we boven een zuivelwinkel woonden, uiteindelijk terecht aan het Janskerkhof, in een heel leuk hoekhuis. Het staat er nog, het is tegenwoordig een bankkantoor, naast de IJssalon van Venetië. Om voor extra inkomsten te zorgen hebben mijn ouders hier ook nog kamers verhuurd. Voor mij timmerde vader op zolder een apart kamertje.

Nadat ik uit huis ben gegaan op mijn twintigste zijn mijn ouders nog een paar keer verhuisd. Eerst kochten ze een huis in de Van Humboldtstraat. Een heel huis kostte in die tijd nog zevenduizend gulden. Dat konden ze toen betalen, omdat mijn opa van moeders kant gestorven was en ze geld hadden geërfd. Later kochten ze ook nog een huisje op de Adriaen Beyerkade, toen hebben ze dat andere huis verhuurd. Er heeft nog een tante in gewoond, tante Alie, een zus van mijn moeder. Uiteindelijk zijn ze zelf weer in de Van Humboldtstraat gaan wonen, daar is mijn vader ook gestorven. Mijn tante woonde toen in dat huis aan de Adriaen Beyerkade. Toen mijn moeder is gestorven, heeft mijn broer die twee huizen verkocht. Tante Alie is teruggegaan naar een bejaardenhuis in Gouda.

Tante Alie Teeling was net zoals ik vernoemd naar mijn grootmoeder, haar moeder, Alida Margaretha Teeling-Vuurens. Tante Alie was niet getrouwd en werkte meer dan veertig jaar van haar leven als onderwijzeres in Boskoop. Ze had altijd de eerste klas en gaf op een gegeven moment les aan de kleinkinderen van haar eerste leerlingen. Het was een heel zelfverzekerde, secure tante. Voor ons gevoel was ze rijk, zij had nooit geldgebrek zoals mijn ouders. Als onze schoenen versleten waren en mijn moeder geen geld had voor nieuwe of om ze te laten maken, stuurde ze ons uit logeren bij tante Alie. Tien tegen een dat we dan terugkwamen met gerepareerde schoenen. In 1963 haalde ik mijn rijbewijs, in de week van mijn vijftigste verjaardag. Toen kreeg ik van tante Alie mijn eerste autootje cadeau, een klein Fiatje 500, voor 3950 gulden. Ook mijn broer kreeg toen geld van haar, zo was ze: als een van de kinderen iets kreeg, kreeg de ander ook wat. Met dat autootje ging ik regelmatig bij haar op bezoek, in Gouda. We gingen vaak samen een ritje maken naar Moordrecht. Daar woonde haar vroegere huishoudster. Die had jarenlang bij tante Alie in huis gewoond, maar op latere leeftijd kwam ze toch nog aan de man. Ze is met hem getrouwd en in Moordrecht gaan wonen en daar gingen we dan op visite.

De sfeer bij ons thuis was ondanks de geldzorgen altijd goed. Mijn vader was een heel spontane, gemakkelijke man. Hij was nooit ergens over in de war. Mijn moeder had altijd meer dat gevoel van 'als dit maar niet gebeurt, als dat maar niet gebeurt.' Ze stond altijd 's avonds aan de deur, of achter het raam, te wachten tot hij thuiskwam. Dat heeft ze ook nooit afgeleerd. Ik herinner me één ruzie tussen mijn vader en moeder, dat was toen mijn vader thuiskwam zonder hoed en zonder fiets. Die hoed was in de gracht gewaaid en zijn fiets had hij ergens neergezet, maar hij wist niet meer waar. Laconiek als hij was, reageerde hij met de woorden: 'Ach, wat is nou een hoed en een fiets?'

Men zegt wel eens dat ik het karakter van mijn moeder heb, omdat zij zo zorgzaam was. Dat zorgzame zou bij mij dan tot uiting komen in mijn keuze voor het Leger des Heils. Maar als ik zo zenuwachtig zou zijn geweest als mijn moeder, was er van mijn loopbaan bij het Leger des Heils waarschijnlijk niet veel terechtgekomen. Ik denk zelf dat ik meer op mijn vader lijk; nuchter, optimistisch, een karakter van: 'We zien wel weer wat er morgen gebeurt.' Mijn broer Henk had wel meer dat ongeruste, nerveuze karakter van moeder, die maakte zich ook altijd overal druk om. Het enige dat ik echt van mijn moeder heb overgenomen, is haar zuinigheid. Net zoals zij heb ik er altijd voor gezorgd nooit bij iemand in de schuld te staan.

Toen ik twaalf jaar was, vertelde mijn vader thuis dat hij zich wilde bekeren tot het rooms-katholieke geloof. Het was 10 augustus 1925. Ik kan me dat goed herinneren; toen hij begon te vertellen, kleurde de lucht buiten inktzwart en werd het echt noodweer. Die dag is het dorp Borculo verwoest door een orkaan. Je zou hierin een slecht voorteken kunnen zien, maar ik ben gelukkig niet bijgelovig. Mijn vaders nieuwe geloofsovertuiging was geen enkel probleem in ons gezin. Mijn moeder accepteerde hem zoals hij was. 'Het is een goeie man. Hij is er eerder beter van geworden dan slechter, alleen maar aardiger, gezelliger en christelijker,' zei ze altijd als ze zich tegenover anderen moest verdedigen. 'Hij is nu tenminste vaker thuis, bij zijn gezin.' Het nieuws sloeg bij anderen in als een bom. Vooral de familie van mijn vader, die behoorlijk vroom leefde, was er vreselijk boos over. Mijn moeders familie was daar wat makkelijker in.

Begin december dat jaar deed mijn vader zijn eerste communie. Dat was een van de weinige keren, zo niet de enige keer, dat mijn moeder met hem meeging naar de katholieke kerk. Vlak voor Kerstmis werd mijn vader ontslagen, vanwege zijn overstap naar de rooms-katholieke kerk. Hij kreeg van zijn baas als dank voor bewezen diensten nog een kratje Grolsch mee naar huis. 'Is dat niet geweldig?' zei hij toen hij thuiskwam met dat bier. Maar mijn moeder was boos, ze vond dat die baas beter een doos levensmiddelen had kunnen geven. De familie van mijn moeder nam het vader wel kwalijk dat hij, in hun ogen, zijn gezin niet goed kon onderhouden. Hij had nu nauwelijks inkomsten meer. Ik vermoed dat mijn opa en oma van moeders kant de huur van ons huis aan het Janskerkhof wel eens betaalden, omdat ze niet wilden dat mijn moeder in een krot terecht zou komen.

In 1932 schreef mijn vader een boekje over zijn bekering, *Eindelijk... In veilige haven,* dat is uitgegeven bij het Geert Groote Genootschap in de serie 'Zoekende Zielen'. Ik heb er nog maar één exemplaar van, maar ook het originele manuscript. In dat boekje beschrijft hij zijn zoektocht naar een geloof waarbij hij zich thuisvoelde en waarom hij zich zo aangetrokken voelde door de rooms-katholieke kerk, veel meer dan door het calvinisme. *Dit steeds vuriger verlangen naar vastheid was het roepen van God, die niet losliet. Hij bleef roepen, door in mijn binnenste het verlangen naar het Heilig Altaarsacrament steeds sterker te doen worden. Bij dat Sacrament vond ik dan ook altijd rust,* schreef hij.

Mijn moeder verklaarde zijn overstap naar het katholieke geloof vanuit mijn vaders liefde voor muziek. In de hervormde kerk hadden ze daar nooit zo veel aandacht aan besteed. Als hij een keer een stuk muziek hoorde, kon hij dat naspelen op het kerkorgel. In de katholieke kerk kon hij na een tijdje organist worden, daar verdiende hij honderd gulden per jaar mee. Ik ging wel eens met hem mee naar de kerk, ik vond het heerlijk om hem te horen spelen. Hij had zelf echt het idee dat het rooms-katholieke geloof het beste geloof was. Hij vond in dit geloof zijn innerlijke, geestelijke rust. Volgens moeder is hij in zijn hart altijd protestant gebleven. Want hij vergat wel eens dat hij op vrijdag geen vlees mocht eten. Dan zetten wij hem stiekem toch vlees voor en grinnikten daarna: 'Betrapt, je moet gaan biechten, want jij mag geen vlees.' Dat deden we gewoon uit balorigheid, niet omdat we zijn geloof niet accepteerden. En hij ging daarna ook echt biechten. Later ging hij af en toe een weekeinde in retraite, in een katholiek klooster. Heerlijk vond hij dat, hij kwam altijd helemaal uitgerust terug.

Toen mijn vader katholiek was geworden, kwam de dominee van de hervormde kerk wat meer bij moeder langs. Hij wilde toch een oogje op ons gezin houden, dat in zijn ogen nog steeds bij zijn kerk hoorde.

Ik zat in 1925, ten tijde van vaders bekering, op een protestants-christelijke school en daar vonden ze het ook maar niks, dat mijn vader katholiek was geworden. Op school vonden ze mij sowieso een lastig kind. Ik was vaak ziek en als ik dan weer terugkwam op school, wierp de onderwijzeres me toe: 'Jammer dat je terug bent, het was net zo lekker rustig.' Toen ik zes of zeven jaar was, moest ik worden geopereerd aan mijn rechteroog. Vanaf dat moment kon ik met dat oog nog nauwelijks iets onderscheiden, alleen licht en donker en wat schimmen. Ik geloof dat ik verder alle mogelijke ziektes heb gehad: tyfus, Engelse ziekte, noem maar op. Terwijl ik tegenwoordig vrijwel nooit ziek ben. Zelfs op een reis door India in 1995, voor de hulpverleningsorganisatie 'Tearfund', was ik de enige die niet ziek werd, de rest lag allemaal met maag- en darmklachten in bed.

Op die christelijke school werkten twee tantes van mijn vader, tante Wijnanda en tante Hendrika. Zij wisten natuurlijk precies wat er was gebeurd bij ons thuis. Toen mijn vader katholiek was geworden, ging ik wel eens met hem mee naar de katholieke mis. Hoewel ik het Latijn niet kon verstaan, vond ik het wel mooi in die kerk, vooral als er een trouwerij was. Een van die tantes, mijn juffrouw, vroeg op maandag wel eens in de klas: 'Zijn hier nog kinderen die gisteren naar de katholieke kerk zijn geweest?' Keurig stak ik mijn vinger op. Prompt kon ik die dag nablijven. Nou was ik ook niet helemaal op mijn achterhoofd gevallen en ik dacht: 'Het gaat jullie eigenlijk helemaal niets aan wat ik op zondag doe.' Toen ik weer een keer had moeten nablijven, kwam ik boos thuis en stelde mijn ouders voor het voldongen feit: 'Ik ga van die school af.' Mijn ouders begrepen dat wel, maar ze wilden dat niet op mijn school gaan vertellen. Vader had al te maken met een boze familie en wilde liever niet met die tantes worden geconfronteerd. Ook mijn moeder vond het bezwaarlijk. Ik heb pas achteraf begrepen dat die tantes mijn schoolgeld, of een gedeelte daarvan, betaalden. 'Dan zeg ik het zelf wel,' reageerde ik eigenwijs. 's Middags ging ik naar school en vroeg om mijn pokkenbriefje – je had een bewijs van inenting nodig op school – en mijn gymschoenen, omdat ik niet van plan was terug te komen. Ze hebben me gewoon laten gaan. Ik ben vervolgens zelf op zoek gegaan naar een nieuwe school. Uiteindelijk kwam ik op een openbare school in de Hamburgerstraat terecht, waar meester Pronk directeur was. 'Mag ik hier op school komen, want ik heb geen school meer,' zei ik hem. Dat was natuurlijk heel vreemd, een twaalfjarig meisje dat zelf naar een school liep te zoeken. Meester Pronk begreep wel dat er iets niet klopte, maar hij liet mij toch in de vierde klas plaats nemen en ging dezelfde avond nog bij mijn ouders langs om de zaak te bespreken.

Het bleek dat meester Pronk mijn moeder nog kende van vroeger, ze hadden samen op de kweekschool in Gouda gezeten om voor onderwijzer te leren. Het contact was daarom direct goed en ik kon gewoon op zijn school blijven. In mijn achtste leerjaar ben ik definitief van school afgegaan. Het leren stond me niet aan en het schoolbestuur zei: 'Laat haar maar gaan, want ze gaat straks toch trouwen.' Jaren later, in 1959, zag ik meester Pronk terug in de televisie-uitzending 'Anders dan Anderen' van Bert Garthoff, waarin ik toen de hoofdrol vervulde. 'Had u niet gedacht hè, dat ik het nog eens zover zou schoppen,' heb ik gezegd.

Trouwen is er nooit van gekomen. Ik had als jonge meid niet veel belangstelling voor jongens. Ik kreeg wel mannelijke aandacht: Jan, een vriend en klasgenoot van Henk op de hbs, raakte smoorverliefd op me. Een keurige jongen, helemaal niets op aan te merken, maar ik geloof niet dat ik verliefd op hem was. We zijn wel eens samen uit geweest, maar toen kwam ik op het feestje waar we heen gingen een vroeger vriendinnetje tegen, met wie ik bijna de hele avond heb gepraat. Ik was toen al heilssoldaat en dat vond hij eigenlijk maar raar. Hij wilde zelf in geen geval bij het Leger des Heils. Hij heeft wel heel lang volgehouden. Zelfs na de oorlog, toen hij terugkwam uit Indonesië, is hij naar mijn moeder gegaan om te vragen of ik misschien toch nog belangstelling voor hem had. Maar hij wilde nog steeds niets weten van het Leger des Heils en ik dacht er niet over eruit te stappen voor hem.

Uiteindelijk is hij met een andere vrouw getrouwd. Ik ben nog wel eens bij ze thuis geweest en stelde me dan voor dat ik daar zou zitten. Nee, dat was toch niks voor mij geweest, ik vond het een beetje een saaie boel in zo'n gezin. 'Daar ben ik veel te gehaaid voor,' zei ik altijd als me werd gevraagd of ik niet op zoek was naar een echtgenoot.

Toen ik van school was, ging ik mijn moeder helpen in de huishouding. Daarnaast vond ik werk voor halve dagen in een manufacturenzaak als inpakster aan de kassa. Later mocht ik ook nog zomen stikken in lakens en slopen aan de hand-naaimachine, dat soort werk. Ik wilde eigenlijk verpleegster worden, maar in het Utrechtse ziekenhuis werd ik niet aangenomen vanwege dat slechtziende oog en mijn algehele gezondheidstoestand, die volgens hen slecht was. Ik was zogenaamd te zwak. Nou, ik leef nog.

Ik verdiende een rijksdaalder per week, waarvan ik een dubbeltje zelf mocht houden. De rest ging naar mijn moeder. Dat dubbeltje moest trouwens ook gespaard worden. Met Sinterklaas werd van dat spaargeld een nieuwe trui gekocht.

Mijn vader is naderhand journalist geworden, zoals hij eigenlijk altijd al graag had gewild. Toen hij nog handelsreiziger was, schreef hij al stukjes voor kruideniersvakblaadjes. Daarmee verdiende hij wat bij. Hij kreeg voor die stukjes uitbetaald per regel. Mijn moeder telde voor hem de regels. De kunst was om haar een zetje te geven als ze bijna klaar was met tellen, dan kon ze weer overnieuw beginnen. Zulke klieren waren we.

Mijn vader ging als stadsverslaggever werken, eerst voor het Utrechts Weekblad, later voor de katholieke Utrechtse Courant. Hij schreef veel over muziek en kunst, maar ook over het nieuws uit de stad. Ook mijn broer Henk belandde in de journalistiek. Mijn moeder had daar een hard hoofd in, omdat ze bang was dat Henk dan te veel zou gaan drinken. Mijn vader dronk ook wel eens een slokje, hoewel hij slechts zelden echt aangeschoten thuiskwam. Moeder was dan helemaal van de kaart, vooral omdat het haar ook nog geld kostte. In een keukenkastje had moeder een flesje rum staan, voor de pudding. Ze betrapte Henk op een dag dat hij daar een slok uit nam. 'Zie je wel, nog een dronkaard in de familie,' riep ze wanhopig. Henk mocht daarom geen journalist worden. Mijn ouders zagen liever dat hij ging studeren. Hij begon een studie wis- en natuurkunde, maar toen hij zijn kandidaatsexamen had gedaan, wilde hij nog steeds journalist worden. 'Goed dan, als je maar voor jezelf kunt zorgen,' zei vader toen. Henk ging werken voor de Gooi- en Eemlander tot de oorlog begon. Volgens zijn verhaal was die krant in de oorlog een beetje verkeerd. Tijdens de oorlog is hij om die reden bij de Provinciale Zeeuwse Courant, de PZC gaan werken. Daardoor moest hij verhuizen naar Vlissingen. Begin jaren '50 is hij toch weer teruggekomen bij de Gooi- en Eemlander en daar heeft hij tot aan zijn pensioen gewerkt. Hij had een heel leuk huis van de Gooi- en Eemlander in Laren, dat tevens diende als verdeelpunt voor de kranten. Hier is zijn dochter Mieke geboren, met wie ik nog goed contact heb. Ze is dan ook mijn enige echte nichtje. Haar moeder was Henks eerste vrouw; hij is later van haar gescheiden en hertrouwd. Zijn tweede vrouw was Elly van der Linden, een weduwe met een zoon, wier man in de oorlog in Amersfoort is gefusilleerd. Zij hebben samen verder geen kinderen gekregen. In 1990 is Henk overleden.

Mijn pleegbroer Jan Pennings werd vioolleraar. Eigenlijk wilde hij graag naar de kunstacademie, hij vond namelijk dat hij erg goed kon schilderen, hoewel ik zijn werk altijd een beetje vaag heb gevonden. Jan nam, als pleegzoon, binnen ons gezin een aparte positie in. Hij was natuurlijk ouder en noemde mijn ouders bij hun voornaam. Henk en ik vonden altijd dat hij een beetje werd voorgetrokken, maar of dat werkelijk zo was, dat denk ik eigenlijk niet. Ik weet nog dat hij af en toe apart wilde eten, dan kocht hij voor zichzelf brood en at dat op zijn kamer op. Misschien voelde hij zich bezwaard, omdat we het natuurlijk niet breed hadden.
    Mijn vader vond schilderen geen vak, dus Jan kreeg geen toestemming om naar de kunstacademie te gaan. Nu was Jan ook vrij muzikaal, daarom mocht hij wel naar het conservatorium om viool te studeren; dat was goedkoper dan piano. Hij gaf onder anderen vioolles aan Willy Dillen, op wie hij erg verliefd werd. In 1931 zijn ze getrouwd en in Delft gaan wonen. Daar pakte Jan zijn kunstenaarschap weer op. Een heel modern gezin vormden ze: Jan bleef thuis om te schilderen en daarnaast voor het huishouden en de drie kinderen te zorgen, terwijl Wil kostwinner was. Ze had een leuke baan als doktersassistente.
    Mede dankzij deze Willy Dillen kreeg mijn leven een heel andere wending. Willy was, toen ze nog in Utrecht woonde, heilssoldate bij het Leger des Heils. Jan, verliefd als hij was, ging regelmatig met haar mee naar de openlucht-samenkomsten op

het Janskerkhof of naar de korpszaal in de Weissstraat – die heet nu de Mgr. van de Weteringstraat – hoewel hij zelf nooit bij het Leger des Heils wilde. Op een dag was hij ziek en vroeg Willy of ik soms zin had mee te gaan. Ik was toen achttien jaar. Wat ik op die samenkomst hoorde, sprak me eigenlijk meteen aan: ik kwam dolenthousiast thuis. 'Zeg, daar maak je toch geen gewoonte van,' vroeg mijn moeder ongerust. 'Nou ben ik hervormd, vader is katholiek, de jongens zijn eigenlijk niets en als jij nou nog naar het Leger des Heils gaat, wat zal de familie dan wel niet zeggen? Wat hebben we toch een raar gezin.'

Ik bleef de samenkomsten echter bezoeken. Daar werd over God gesproken, alsof het tegen mij persoonlijk was. Een godsdienstbeleving die vrome woorden werkelijk omzet in daden, dat sprak me enorm aan. Na een paar keer ben ik neergeknield bij de zogenaamde 'zondaarsbank' en heb me bekeerd tot God. Ik wilde vanaf dat moment niets liever dan bij het Leger des Heils horen. Mijn ouders zagen dat beiden niet zitten en stimuleerden mij hier niet in. Er zijn mensen geweest die me vroegen of ik dat mijn ouders niet kwalijk heb genomen, dat ze mij niet meer hebben gesteund en gestimuleerd in mijn geloof. Maar je moet bedenken dat het Leger des Heils vroeger nog lang niet zo populair was en zo werd gewaardeerd als tegenwoordig. Ik nam mijn ouders helemaal niets kwalijk.

Het Leger des Heils, dat was een organisatie waar ook ouwe Daantje Brinkerink kwam en dat was een vieze man. Voordat hij zich bekeerde, verkocht hij schunnige ansichtkaarten en was hij aan de drank. En de visboer, die altijd zo naar drank en vis stonk, was ook bij het Leger des Heils gegaan. Ook toen hij van de drank af was, bleef mijn moeder het een griezelige man vinden. Het was toch niets voor haar dochter om met zulke mensen om te gaan. 'Als je dan toch iets met het geloof wilt doen, ga dan eens praten met de dominee en met de pastoor,' vond vader. 'Dan kom je wel van die meisjes-gril af.' Ik was toen bijna negentien en had thuis laten weten dat ik heilssoldate wilde worden. Maar noch de katholieke, noch de hervormde kerk, had op mij dezelfde uitwerking als het Leger des Heils. Ik ben nog een tijdje bij de hervormde kerk geweest, zelfs nog als zondagsschooljuffrouw. Maar zodra ik daar vandaan kwam, zat ik weer bij het Leger.

De dominee begreep mijn gevoel wel. Hij zei: 'Het Leger des Heils doet de vuile was, de kerk hangt hem te drogen.' Ik wilde liever die vuile was doen. 'Dan ga ik wel eens met je ouders praten en dan moet je de stap maar wagen,' vond de dominee. 'Als het je teleurstelt, kun je altijd nog terugkomen.'

Op 19 juli 1932, amper negentien jaar, tekende ik de zestien zogeheten krijgsartikelen. De eerste twee krijgsartikelen luiden:

> *Aangezien ik met mijn gansche hart het Heil, mij door Gods teedere genade aangeboden, aangenomen heb, verklaar ik hier en nu openlijk, dat God de Vader mijn Koning, God de Zoon, Jezus Christus, mijn Heiland, en God de Heilige Geest mijn Gids, Trooster en Kracht is en dat ik met Zijn hulp dezen Drie'eenigen God voor tijd en eeuwigheid zal liefhebben, dienen, aanbidden en gehoorzamen.*
>
> *Gelovende, dat het Leger des Heils door God verwekt is en door Hem onderhouden en bestuurd wordt, verklaar ik hiermede, dat het mijn vast besluit is, om met Gods hulp tot aan mijn dood toe een trouw soldaat te zijn van het Leger des Heils.*

Mijn vader kocht toen voor mij een uniform en een hoed. Ik was heilssoldate geworden.

Als overtuigd katholiek kwam mijn vader ook heel veel bij de zusters Augustinessen op de Oude Gracht in Utrecht. Voor die tijd waren de zusters van deze orde, gesticht door pater Van Nuenen, vrij modern. Terwijl andere kloosterordes altijd maar binnen zaten, gingen de zusters Augustinessen iets dóén. Ze zitten ook op de Warmoesstraat in Amsterdam en doen eigenlijk hetzelfde werk als het Leger des Heils, maar dan vanuit hún overtuiging. Mijn vader heeft een keer tegen me gezegd: 'Je gaat nu in het Leger, maar ik heb altijd gehoopt dat jij, mijn enige dochter, ook katholiek zou worden en in het klooster zou gaan.' Bij de zusters Augustinessen, dat had hij graag gewild. Maar ik koos toch voor het Leger des Heils en toen is hij er ook nooit meer over begonnen. En ik heb het idee dat ik bij het Leger een grotere vrijheid heb dan ik ooit bij de kloosterorde gehad zou hebben. Zij zaten veel meer in een keurslijf, moesten op vaste tijden bidden en toestemming vragen voor alles wat ze wilden ondernemen. Het enige verschil is dat zij veel beter werden verzorgd; wij moesten zelf maar zien hoe we aan de kost kwamen.

In de Lange Nieuwstraat in Utrecht was een 'slumpost', later barmhartigheidspost genoemd, van waaruit het Leger des Heils zich inzette voor de mensen uit de arme buurten. Daar kwam ik als kersverse heilssoldate terecht in het kindertehuis, dat onder leiding stond van kapitein Van der Werff. Ik sliep in dat tehuis, of bij gezinnen tussen de kinderen, bij de moeders en zelfs bij bejaarden, als het moest op de grond. Mijn ouders waren het daarmee helemaal niet eens, maar ze lieten me aanvankelijk mijn gang gaan. 'Die is zo weer thuis,' moet moeder hebben gedacht. 'Ze is veel te veel gehecht aan haar eigen kamertje.' Maar dat duurde toch nog tot het einde van dat jaar. Op oudejaarsavond 1932 kwam mijn vader me ophalen en ben ik op aandringen van mijn ouders toch maar weer thuis gaan wonen. Ik sliep weer op mijn oude kamer terwijl ik overdag voor het Leger werkte.

Want het werk voor het Leger des Heils gaf ik niet op. Ik trok er regelmatig enthousiast op uit met een handkar of een bakfiets. Als er iets gehaald of gebracht moest worden, was ik al weg. Het contact met allerlei 'vreemde' gezinnen was in het begin wel moeilijk. Kwam ik bij een vriendinnetje thuis, wier vader was weggelopen met een andere vrouw, begon haar moeder mij hele verhalen te vertellen over haar problemen. Terwijl ik zelf nog praktisch een kind was. Dan dacht ik: 'Nu moet ik eigenlijk met haar gaan bidden,' wat ik in het begin nog een beetje vreemd vond. Maar ja, je kunt ook niet weggaan zonder het te doen; dat uniform schept verwachtingen.

Op een dag kwam ik bij een gezin thuis, waar de vrouw des huizes net was bevallen. 'Hoeveel kinderen heeft u, mevrouw?' vroeg ik in mijn onschuld. Ik dacht misschien vijf of zes. 'Ik heb zestien kinderen en dit is de zeventiende,' was het antwoord. Van schrik heb ik rechtsomkeert gemaakt, zonder de eieren en babykleertjes die ik had meegekregen af te leveren. Ik werd door de leidinggevende officier meteen teruggestuurd. 's Avonds kwam de vader van al die kinderen thuis, zoals gewoonlijk dronken. Van de pas bevallen moeder moest ik hem boven naar een kamertje brengen, want zij wilde hem niet meer bij zich in bed hebben. Daar liep ik dan als negentienjarige, een dronken man de trap op sjorrend, die zich ondertussen beklaagde over zijn rotleven.

Ik denk dat ze mij in het begin bij het Leger des Heils een beetje een rare vonden. Ik toonde een enorme werklust en ging er veel op eigen initiatief op uit. Op een gegeven moment was ik 's avonds zo moe, dat ik in slaap viel tijdens de avonddienst. Dat werd me niet in dank afgenomen. 'Laat het niet nog een keer gebeuren!' wees de kapitein me streng terecht. De volgende dag moest ik collecteren in Bilthoven, waar ik een vrouw tegenkwam die vertelde dat ze nog een goeie kinderwagen had staan, die het Leger wel mocht hebben. Ik bedacht me geen moment en haalde het ding meteen op. Met de kinderwagen voortslepend achter mijn fiets keerde ik terug op de post, onder het motto 'Hebben is hebben'. Dan moesten ze toch ook wel weer lachen om mijn eigengereidheid.

Ik zag het Leger des Heils als een roeping, hoewel ik nooit een stem heb gehoord of zoiets dergelijks. Toch voelde ik het aan alsof God mij voor dit werk had bestemd. Heilssoldaat zijn was me daarom niet genoeg, ik wilde echt in vaste dienst komen van het Leger en mijn leven er aan wijden. Dat betekende dat ik naar de William Booth Kweekschool voor Heilsofficieren in Amstelveen zou moeten. Deze school, vernoemd naar de stichter van de Salvation Army in Engeland, was net in 1933 geopend. Inmiddels is dit gebouw alweer verkocht en is de opleiding net zoals het Nationale Hoofdkwartier in Almere gehuisvest. Toen ik mij op de school in Amstelveen wilde aanmelden, was er nog een klein probleempje. Net zoals in het Utrechtse ziekenhuis vond men mij lichamelijk niet sterk genoeg. Mijn vader moest een soort garantie tekenen, dat hij de financiële risico's zou dragen als bleek dat ik het werk niet aan zou kunnen door mijn slechte gezondheid. Dat heeft hij gedaan en ik ben nooit ziek geweest, toen niet en later ook niet.

Op 12 november 1934 kwam ik als kadet in opleiding tot heilsofficier en begon een heel nieuwe periode in mijn leven. Tot op de dag van vandaag heb ik nooit een moment spijt gehad van mijn beslissing.

Alleen toen mijn vader overleed in 1945, een paar dagen na de bevrijding en mijn moeder er alleen voor kwam te staan, vond ik dat ik voor haar moest gaan zorgen. Mijn moeder wilde dat ook graag, ze gaf te kennen dat ze niet alleen wilde zijn. En per slot van rekening was ik de enige dochter en ongehuwd, dus hoe dramatisch het ook voor me was, ik vond dat het mijn taak was. Ik werkte toen in het Amsterdams kindertehuis, dat in verband met de oorlog was verhuisd naar Bussum.

Ik diende mijn ontslag in en moest nog wat taken afbouwen.

In Utrecht zou ik een baan moeten gaan zoeken, want mijn moeder en ik zouden samen niet kunnen rondkomen van het nabestaandenpensioen. Moeder wilde het liefst dat ik meteen bij haar kwam, maar dat was praktisch onmogelijk, ik had een opzegtermijn. De directrice van het kindertehuis, majoor Raven, stelde toen voor dat mijn moeder voorlopig in het kindertehuis kwam logeren, dan kon ze meteen een handje helpen. Ik kreeg een kamer waar ik samen met moeder kon slapen. In de weken dat ze bij ons in Bussum logeerde, in afwachting van mijn feitelijke ontslag, hoorde ze van de anderen dat het eigenlijk wel jammer zou zijn als ik weg moest gaan. Ik hield zo veel van het Leger des Heils en mijn werk, dat mocht ze mij toch niet zomaar afnemen. Enfin, dat zag moeder dan ook wel in. Ze was natuurlijk behoorlijk in de war door het overlijden van mijn vader en nog bezig met haar rouwproces, maar daar werd in die tijd nog niet op die manier over gesproken. Op een bepaald moment kwam ze met de suggestie dat ze ook wel in een bejaardenhuis van het Leger des Heils zou willen wonen. Als ze maar wel een kamer voor zichzelf kreeg. Dan kon ik toch bij het Leger blijven.

Dit hebben we uiteindelijk allemaal kunnen regelen. Moeder kon een eigen kamer krijgen in Huize Avondzon in Hilversum. Met het geld van vaders pensioen kon ze in de middelste klasse terecht, zoals die vroeger nog bestond. De goedkoopste bejaardenwoningen kostten 45 gulden, de duurste 85 gulden per maand – dat waren in onze ogen echt rijke bejaarden – en mijn moeder betaalde 65 gulden voor een leuk, knus kamertje. Ik liet het Hoofdkwartier opgelucht weten dat alles was opgelost en dat ik toch geen ontslag zou nemen. Nou, dat was nog niet zo eenvoudig om dat weer terug te draaien, ze zaten er helemaal niet op te wachten. Ze zeiden zelfs: 'Je had ook geen ontslag moeten nemen, maar op God moeten vertrouwen, dat hij alles wel zou regelen.' Misschien speelde ook nog mee dat de oorlog net was afgelopen en dat er niet genoeg plaats was voor alle werknemers. Gelukkig besloten ze uiteindelijk dat ik toch kon blijven, maar dan moest ik wel op het Hoofdkwartier in Amsterdam komen werken op de administratie.

Een groot deel van de inboedel van mijn ouderlijk huis werd door mijn moeder aan het bejaardenhuis gegeven. Daardoor zag ze haar eigen bestek steeds terug tijdens de maaltijden. Ik heb later nog een aantal meubelstukken meegenomen naar Amsterdam, zoals een kastje, de hangklok en wat koperwerk. Mijn moeder heeft tot oktober 1955 in dat bejaardenhuis in Hilversum gewoond; toen is ze overleden.

Ik vond het niet leuk om het kindertehuis te verlaten, maar orders zijn orders. Je had toen nog de regel dat je, als je was overgeplaatst, een half jaar niet op je oude post mocht komen. Waarom dat zo was, heb ik nooit goed begrepen, misschien was het Hoofdkwartier bang dat je heimwee kreeg en daardoor niet goed zou functioneren op je nieuwe post. Met Kerst dat jaar ben ik toch naar Bussum gegaan voor een bezoek, want dat halve jaar was op een paar weken na voorbij. Tot mijn verbijstering werd ik teruggestuurd. Daar was ik heel verdrietig over. Ik had inderdaad heimwee, dat kwam mede doordat mijn moeder naar Avondzon ging en er dus geen ouderlijk huis meer bestond. 'Ik heb geen thuis meer,' dacht ik in mijn verdrietigste momenten. 'Geen eigen bed, geen eigen tafel waar ik mijn benen onder kan leggen.' Maar ik kon niet anders dan me bij de situatie neerleggen.

Mijn vader miste ik natuurlijk ook heel erg, ik vond het verschrikkelijk dat hij uitgerekend met de bevrijding was overleden. Wij waren de oorlog juist goed doorgekomen, de hele familie was compleet gebleven. Daar schaamde ik me bijna voor, want anderen hadden zo veel leed en er waren zo veel mensen omgekomen. Toen ik het hoorde, dacht ik: 'Dus wij zijn toch nog aan de beurt.' Hij was in de oorlog ook nog aan het werk als journalist en bemoeide zich met allerlei dingen die niet mochten. 's Avonds ging hij gewoon de straat op, ondanks de avondklok. Wat hij precies deed en of hij echt in het verzet zat, weet ik eigenlijk niet. Dat hebben we later ook nooit meer uitgezocht.

Hij vertelde mijn moeder niets over wat hij deed, want dan zou ze zich alleen maar ongerust maken. Vijf dagen voor de bevrijding in mei 1945, is hij op een avond thuisgekomen met een wond aan zijn been, een schotwond. Hij was helemaal versuft, mijn moeder heeft hem op bed gelegd. Ze dacht nog: 'Is hij tenminste veilig thuis.' Op 5 mei heeft ze hem gezegd dat we waren bevrijd. 'O, dat is fijn,' moet hij hebben geantwoord, maar volgens mijn moeder was hij er niet helemaal bij. Hij vroeg haar ook waarom ze hem naar een ziekenhuis had gebracht, terwijl hij gewoon in zijn eigen bed lag. De dokter had wat van zijn bloed afgenomen voor een onderzoek en daaruit bleek naderhand dat hij een of ander vergif had binnengekregen, waarschijnlijk door dat schot. De tiende mei is hij gestorven en de zestiende begraven. Later zei de dokter dat het maar goed was, want als hij was blijven leven, was hij geestelijk nooit meer de oude geworden, door dat gif. We zijn er nooit achteraan gegaan wat er nu eigenlijk was gebeurd. Daarmee kregen we vader toch ook niet terug.

Ik vind het vooral jammer dat hij niet meer heeft kunnen meemaken wat ik uiteindelijk allemaal heb bereikt bij het Leger des Heils. Want dat had hij toch wel prachtig gevonden, dat weet ik zeker.

Hoofdstuk 3

'Nou begint het pas'

Voor mijn eerste examen 'bijbelkennis' op de kweekschool voor het Leger des Heils kreeg ik een dikke onvoldoende, een één. Ik had er de grootste moeite mee alle oudtestamentische koningen uit mijn hoofd te leren. Liever zat ik in de tuin van dat mooie nieuwe gebouw in Amstelveen of deed ik allerlei klusjes, zoals de post wegbrengen. Toch schrok ik wel van dat slechte resultaat; als ze me maar niet van school zouden sturen. Omdat ik per se officier wilde worden, vond ik voor God de kracht om ijverig verder te blokken. Mijn uiteindelijke beoordeling luidde dan ook 'Zeer Goed'.

De cursus 'Kampvechters', zoals de naam van mijn opleiding was, begon 12 november 1934. Commandant Beekhuis had de leiding op de school. Een aardige man, die rekening hield met je persoonlijke aard. Je zat daar intern, ik mocht eens in de zes weken naar huis. Behalve godsdienstonderwijs, rekenen en taal kregen we ook les in praktische zaken. Bidden, preken, maar ook het 'veldwerk'. In een boekje moest je bijhouden wat je allemaal had gedaan in een week. 'S.K. verkopen', Strijdkreten verkopen, daar was ik goed in, nog steeds trouwens. Het onderdeel 'Zielen bekeerd' heb ik nooit ingevuld. Als er al zielen werden bekeerd, dan vond ik niet dat ik dat had gedaan. Dat kan ook niet. Iemand wordt niet van de ene op de andere dag diep gelovig, bij de meeste mensen sluimert dat geloof in God al langer. Er zijn allerlei omstandigheden die maken dat een mens de weg naar God werkelijk kan terugvinden en het is mooi als het Leger des Heils een positieve bijdrage kan leveren. Die vakjes bleven allemaal leeg in mijn boekje. We moesten tussen de lessen door zelf de school schoonhouden: dweilen, schrobben en wassen.

Met mijn medekadetten, we waren met dertig vrouwen en vijftien mannen, had ik een heel goed contact. Inmiddels zijn er nog maar een stuk of tien in leven. Om de vijf jaar houden we een reünie, die altijd door mij wordt georganiseerd. De volgende reünie, als die er nog komt en gesteld dat ik nog in staat ben die te organiseren – iemand anders doet het niet – is gepland voor het jaar 2000. Niet iedereen is bij het Leger des Heils gebleven, sommigen zijn eruit gegaan, bijvoorbeeld omdat ze gingen trouwen met een partner van buiten het Leger. Een aantal werd dement en zit in een verpleeghuis. Het clubje wordt steeds kleiner.

De opleiding duurde toen nog acht maanden. Daarna zouden we allemaal worden geplaatst bij verschillende Leger des Heils-afdelingen, maar welke standplaats je zou krijgen, dat hoorde je pas op de allerlaatste dag. Je verloor op dat moment je zelfbeschikkingsrecht en ontving de zogeheten 'farewell-orders'. De plechtige bevordering vond plaats op 9 juli 1935, in het Concertgebouw in Amsterdam. We pakten van tevoren onze koffers en tijdens die plechtigheid hoorden we waar we waren geplaatst. Mijn ouders kwamen ook naar het Concertgebouw. We zongen daar het lied van de 'Kampvechters', waarvan het refrein was:

Kampvechters zijn wij in dienst van den Heer
Niets voor onszelve begeren wij meer
Fier klinkt de leuze: Op voor het recht!
Ons wacht de zege in 't Kampgevecht!

Zo waren wij in Amstelveen geschoold: je mocht niets voor jezelf begeren. Met heel je hart werken en dienen, maar geen liefde terug verwachten. Je komt niet bij mensen op huisbezoek om gezellig thee te drinken, maar voor een geestelijk doel. Toch heb ik nooit het gevoel gehad dat ik mezelf aan het opofferen of wegcijferen was. Ik vond mijn werk daarvoor gewoon veel te leuk.

Commandant Bouwe Vlas, de oprichter van de kweekschool in Nederland, vertelde aan het einde van de avond waar de kersverse officieren werden verwacht. Voor mij werd het Rotterdam II, een evangelisatiepost in de Bentheimstraat, die tegenwoordig 'Rotterdam-Noord' heet. Vlak voordat ik zou vertrekken, werd ik overmand door heimwee en verdriet. Ik zag er heel erg tegenop zo ver van huis te gaan, hoewel ik op de kweekschool ook intern had gezeten. Maar ik had heel sterk het gevoel: 'Nu gaat het beginnen, mijn jeugd is voorbij.' Gelukkig duurde die depressie maar kort en vertrok ik vol goede moed naar mijn nieuwe werkkring.

De bevelvoerend officier in Rotterdam was een wat oudere vrouw, adjudante Eggers. Ik werd haar assistente. Tussen ons klikte het van het begin af aan niet zo goed. Ze vond me waarschijnlijk onbeholpen en onhandig. Ik kon aardig Strijdkreten verkopen, ging netjes naar de zangrepetitie, zorgde dat de zaal en ons huis schoon waren en maakte het eten klaar. Ik deed vreselijk mijn best. Maar ik was bijvoorbeeld geen ster in koken. Ze heeft me een keer het kookvocht laten opdrinken van de andijvie, die ik in veel te veel water had gekookt. Ook irriteerde het haar hevig dat mijn hallelujahoedje altijd scheef leek te staan. Tijdens een samenkomst draaide zij zich midden onder de preek om en gaf me een harde klap tegen mijn hoed. 'Waarom kan iedereen die hoed recht op zijn hoofd zetten en staat hij uitgerekend bij mijn 'luit' scheef?' zei ze bits.

Adjudante Eggers was weduwe geworden en had geen kinderen. Nu ik er achteraf over nadenk, moet het wel een teleurgestelde vrouw zijn geweest. Ze was vaak ziek en nogal chagrijnig, er was altijd wel wat. Psychisch was ze waarschijnlijk niet zo sterk. Ze deed niet echt lelijk tegen me, maar liep ook weer niet van de daken te roepen dat ze zo blij met me was.

Wat ik het ergste vond was dat ik op haar kamer, bij haar in het tweepersoonsbed moest slapen, dat ze nog had uit haar huwelijk. We waren toen behoorlijk arm ook, moet ik erbij vertellen, de crisisjaren waren immers net aangebroken. Er was niet voor iedereen een eigen kamer en een eigen bed. Die eerste nacht liet ze weten dat ik als eerste moest opstaan en dat ze absoluut de wekker niet wilde horen. Die had ik dus veilig onder mijn kussen gelegd, zodat zij kon doorslapen tot acht uur, terwijl ik de huiskamer deed en het ontbijt klaarmaakte. Maar met z'n tweeën in een bed liggen... ik was dat thuis helemaal niet gewend. Ik kon de slaap niet vatten en lag maar wat te woelen. Wat denk je dat er gebeurt? Midden in de nacht vallen ineens de planken uit de bodem van het bed. De wekker viel met een klap op de grond en liep als een gek af. Ik schrok zo erg dat ik meteen niets meer durfde te zeggen. Woest was ze, ze bleef maar op me mopperen.

De volgende dag heb ik meteen mijn vader geschreven of gebeld, of hij zo snel mogelijk mijn eigen bed met Van Gend en Loos naar Rotterdam kon laten komen. Ik dacht: 'Dan zet ik dat wel hier op zolder neer, laat haar maar lekker op d'r eigen kamer slapen met haar tweepersoonsbed.' Dat had ik mooi bekeken, na een paar dagen kon ik weer fijn in mijn eigen bed liggen. Ik kan niet zeggen dat ze iets misdaan heeft in bed, maar ik vond het niks op die manier.

Ik kon de schuld van het ongemak wel bij mezelf gaan zoeken, maar ik denk dat het met niemand heeft geklikt bij adjudante Eggers. Van een mijn voorgangsters vond ik in de kast nog wat broekjes, van een ander een cape, alsof ze hals over kop waren vertrokken. Die kleren heb ik maar afgedragen, want weggooien was ook zonde. Zo veel hadden we nu ook weer niet in die tijd, twee broeken misschien en een hemd en een onderjurk, dan was je al blij.

Volgens mijn ouders zag ik er in mijn Rotterdamse tijd slecht uit. Ik was nog maar weinig gewend, omdat ik natuurlijk nog heel erg jong was. Gelukkig heb ik niet alleen nare herinneringen aan Rotterdam: ik spreek nog wel eens mensen die ik daar heb leren kennen en als we over vroeger praten, valt er nog wel wat te lachen ook. Op een zondag, toen adjudante Eggers ziek was, kwam de chef-secretaris van de commandant naar een van onze samenkomsten, een hele 'hoge' in het Leger des Heils dus. Hij kwam oorspronkelijk uit Denemarken en sprak voor ons in het Engels. Dat werd 's ochtends tijdens de hoofdsamenkomst, de eerste kerkdienst, nog in het Nederlands vertaald door kapitein Nijman. Deze kapitein was een beetje op het vrijerspad. Hij zou gaan trouwen met een meisje uit het Leger, dat werkte in een tehuis voor ongehuwde moeders en hun kinderen en daar wilde hij 's middags graag naartoe. 'Dan doe ik de vertaling wel,' stelde ik tot zijn grote vreugde voor. 's Middags heb ik de korte preek van die man vertaald, terwijl ik nauwelijks Engels sprak. Want ik was op mijn veertiende al van school gegaan en kende alleen een beetje Engels van de straat. Hij preekte over 'Zijn naam, Gods naam, de naam van Jezus Christus', een heel verhaal in het Engels en ik preekte ook over 'de naam van Jezus'. Maar ik geloof dat mijn vertaling van het tussenstuk niet helemaal heeft geklopt. Niemand had dat in de gaten, want ze konden allemaal geen Engels. De korpssergeant-majoor kwam later lachend naar me toe: 'Jij bent ook een mooie!' Hij was de enige die het dus toch had gemerkt.

Adjudante Eggers is op een gegeven moment wel acht weken achter elkaar ziek geweest en ging logeren bij een of andere vriendin in de buurt van Den Haag. Dat heb ik niet tegen de divisie-officier gezegd, ik nam haar werk gewoon over. Maar na een week of vier, vijf, stapte ik naar hem toe met de vraag of we niet eens gastsprekers konden krijgen. Ik wist namelijk op het laatst niets meer om over te preken. 'Wat, is alles dan al op uit je bijbel?' kreeg ik van die divisie-officier te horen. Ik antwoordde: 'Dat denk ik niet, maar ik kan het niet meer vinden. Er moet maar eens iemand anders komen preken.' Toen kwam de aap uit de mouw: hij bleek helemaal niet te weten dat adjudante Eggers ziek was en dat ze uit logeren was gegaan. Dat had ze blijkbaar niet verteld en ik vond niet dat het mijn taak was om het te melden. Ach, ik was zelf nog een groot kind, ik was pas tweeëntwintig en net heilsofficier. En dan meteen in je eentje zo'n hele gemeenschap leiden. Dat waren toch wel zo'n tweehonderd mensen. Ik werd overgeplaatst naar het Rotterdamse kindertehuis op de Schiekade. Niet omdat ik het zo slecht deed bij adjudante Eggers, maar het Hoofdkwartier vond wel dat zij een wat oudere en stevige assistente nodig had. In dat kindertehuis ben ik een week of acht geweest, van november tot januari 1936.

Ik werkte daar een poosje op de babykamer, dan moest je 's ochtends voor achten al twintig kinderen hebben gewassen. Maar goed, dan begonnen we ook al om half zes. De directrice die daar de leiding had, kon ruiken of we de kinderen met rooie zeep hadden gewassen. Een soort ontsmettingszeep was dat. Dan kwam ze 's ochtends op de zaal, gaf de kinderen een zoentje en zei vervolgens: 'Oh, jullie zijn met de rooie zeep gewassen.' Dat mochten we van haar niet gebruiken voor de baby's, als we dat dan toch hadden gebruikt bij de kleintjes rook ze het meteen.

Dit verhaal over die paar maanden in Rotterdam sla ik in interviews meestal over. Dan vertel ik gewoon dat ik na de kweekschool direct in Amsterdam ben geplaatst, anders wordt het zo ingewikkeld.

In januari werd ik overgeplaatst naar het kindertehuis de Zonnehoek in Amsterdam op het Rapenburg. 'Wil je niet liever hier blijven?' vroeg adjudante Eggers me nog. Daar begreep ik niets van, maar blijkbaar vond ze me op een of andere manier toch wel aardig. Ik antwoordde, opgelucht dat ik dat kon zeggen: 'Nee, dat hebben we toch afgesproken in het Leger? Als het Hoofdkwartier je een bevel geeft, moet je dat accepteren zoals het is.' En dat was ook zo: het Hoofdkwartier was zo'n beetje de leiding die werd gestuurd door God. Hoewel ik niet zo gelukkig was in

Rotterdam, heb ik zelf nooit overplaatsing aangevraagd, want dan had er een ander naartoe gemoeten en dat wilde ik ook niemand aandoen. Maar nu ik overplaatsing had gekregen, was ik niet van plan te vragen of ze dat wilden intrekken. Dat vond ik nu ook weer niet nodig.

In Amsterdam was ik direct op mijn plaats. Het kindertehuis stond op het Rapenburg, in de jodenbuurt, ongeveer op de plek waar nu de brandweerkazerne en het politiebureau staan, tegenover café De Druif. Ik woon daar nu op een steenworp afstand vandaan, in de Goodwillburgh. In januari 1936 ben ik in de Zonnehoek begonnen en ik voelde me meteen stukken beter dan in Rotterdam.

We sliepen daar op de zaal van de kinderen. Ik lag meestal op de jongenszaal samen met een andere zuster. Onze twee bedden waren afgeschermd door een gordijn. Ik heb er jarenlang geslapen met majoor Sjaan Heeres. Ik weet nog wel dat zij altijd zei: 'Jij doet 's nachts dat ene oog niet dicht, ik heb het vannacht maar dichtgedrukt, het was zo'n raar gezicht.' Mijn rechteroog is nagenoeg blind, die kwaal liep ik op in mijn jeugd. Of ik dat oog echt altijd open hou als ik slaap, weet ik niet. Ik denk eigenlijk van niet, want dan zou ik er misschien toch wel meer last van hebben.

Achter het gordijn hadden we een kastje, een wastafelkastje met een lampetkan en een kom en onder in dat kastje kon je je ondergoed opbergen. Daarmee was het wel klaar, verder hadden we niets. We hadden een gemeenschappelijke huiskamer. Ik weet nog goed dat ik twee pyjama's had toen ik aankwam. Een hele mooie, die had ik van mijn moeder gekregen en die namen ze in beslag. Want je mocht geen pyjama's dragen, dat was blijkbaar niet zedelijk. Ik kreeg van het huis twee nachthemden en ik heb nooit geweten wat ze met mijn twee pyjama's hebben gedaan. Ik durfde het niet eens tegen mijn moeder te zeggen. Ik accepteerde het wel allemaal, het was voor de Heer, daar had ik nu eenmaal voor gekozen.

Ik ben bijna tien jaar, tot kort na de oorlog, met vreugde bij dat kindertehuis geweest, ik vond het heerlijk. Soms had ik de school-kinderengroep, een heel enkele keer de babykamer, maar daar vocht iedereen een beetje om. De diensten werden vaak gewisseld, zodat je overal wat kon leren. Sommigen liepen te huilen als ze de babykamer niet kregen, maar ik vond de kinderen die konden praten en met wie je een beetje een gesprek kon voeren eigenlijk veel leuker. Die bracht je naar school en daar overlegde je wat mee, je hielp ze met hun huiswerk, ik maakte kerstboomversieringen met ze. Meestal was het wel een groep van twintig of dertig kinderen, jongens en meisjes. De jongens moesten volgens de regels van de Kinderbescherming op hun twaalfde worden overgeplaatst naar een jongenshuis in Amersfoort. Ook als ze in het tehuis met zusjes zaten; dat vond ik eigenlijk jammer. Het waren kinderen van onvolledige gezinnen met problemen. We hadden in totaal zo'n honderd kinderen en daarnaast een stuk of veertig moeders, die om uiteenlopende redenen in ons tehuis werden opgenomen. Ongehuwde moeders, vrouwen van wie de man was weggelopen of die zelf met de kinderen bij hun man waren weggegaan, vrouwen die alcoholproblemen hadden of die in de gevangenis hadden gezeten en via de reclassering bij ons werden geplaatst. In de oorlog kregen we veel joodse kinderen. De meesten lieten we zo snel mogelijk onderduiken, bij elkaar gedurende de oorlogsjaren misschien wel honderd.

Onze kinderen bracht ik dagelijks naar een christelijke school op het Rapenburg, de kleintjes naar een kleuterschool in de Barndesteeg. De baby's en peuters bleven beneden in een soort peuterzaal, daar was majoor Heeres meestal bij. Hoewel veel kinderen uit zogeheten 'zwak-sociale' gezinnen kwamen, vond ik ze niet moeilijker dan andere kinderen. Ik kon heel goed met ze overweg, vooral met de schoolkinderen. Zij vonden mij denk ik ook leuk. We waren niet al te streng voor ze, de kinderen mochten best veel. Ik heb jaren later nog een groot aantal teruggezien. Omdat ik een beetje bekend werd in Nederland, konden ze me gemakkelijker vinden. De meesten zijn gelukkig goed terechtgekomen.

Voor de heilssoldaten en -officieren was het Leger des Heils in die tijd veel strenger dan tegenwoordig. Ik mocht bijvoorbeeld niet eens alleen naar het postkantoor vanuit het kindertehuis. Soms ging ik, eigenwijs als ik was, stilletjes door de voordeur en riep dan nog snel om de hoek: 'Ik ben even naar de post hoor, daag!' Het postkantoor zat maar op drie minuten lopen van het kindertehuis, vlak bij de Schippersgracht, bij die bocht van de Prins Hendrikkade. Ik had geen zin om te vragen of ik even een brief naar huis mocht posten, maar ik had ook weer niet de moed om zonder iets te zeggen weg te gaan. Dan deed ik het maar zo: voordat ze er wat van konden zeggen, was ik al weg. Ik schreef een keer per week een brief naar mijn vader en moeder en die móest op de post, want als er op woensdag geen brief van me in de bus lag, werd mijn moeder meteen ongerust.

Maandagmiddag hadden we altijd vrij tot zeven uur, dan mocht je buiten de deur gaan eten als je wilde, bij kennissen of vrienden. Ik kon ook net even op en neer naar Utrecht. Als ik in het weekeinde vrij had – eens in de zes weken – en naar mijn ouders wilde, ging ik op de fiets of liftend van Amsterdam naar Utrecht. Je had dan vanaf zaterdagmiddag drie uur vrij en moest de andere dag voor tien uur 's avonds terug zijn. Voor sommigen was het beleid echt te streng, die zijn om die reden uit het Leger des Heils gegaan. Ik had er niet zo'n weet van, voor mijn gevoel hoorde het er gewoon allemaal bij.

In die jaren bij het kindertehuis raakte ik helemaal thuis in Amsterdam en ging ik echt van de stad houden. Ik was bovendien de 'buitenzuster', wat inhoudt dat ik alle klusjes buitenshuis mocht doen en dat gaf me toch een zekere mate van vrijheid. Ik deed de boodschappen, ging collecteren en als iets moest worden geregeld bij het bevolkingsregister of bij de gemeente, deed ik dat, omdat ik er het meest bedreven in was.

Ik ging trouw drie keer per week met de bakfiets naar de groenteveiling in de Jan van Galenstraat. Zes uur 's ochtends moest ik de deur uit. Het gebeurde wel eens dat ik om vijf over zes nog even op het toilet zat. Dan kreeg ik van de directrice, majoor Oijen, te horen: 'Misschien wil je dat in je eigen tijd doen, voor zessen?' 'Ja maar,' zei ik, 'hij was steeds bezet en ik moet naar de wc voordat ik de deur uitga.' We hadden een wc voor alle twaalf zusters, dus dat kon gebeuren.

In de eerste jaren, voor de oorlog, had ik nog geen bakfiets maar een handkar. Daar liep ik nog wel op klompen achter, omdat er geen geld was voor schoenen. Mijn schoenen liet ik maken bij een schoenmaker in de Oude Hoogstraat. Dan liet ik mijn linkerhak onder mijn rechterschoen zetten en mijn rechterhak onder de linkerschoen, zodat ik ze weer recht kon lopen en daarna weer scheef. Een kwartje kostte dat. Ik moest erop wachten, want ik had maar één paar schoenen. En ondertussen maar hopen dat niemand me zag, want je schoenen laten maken onder werktijd mocht eigenlijk niet.

De bakfiets had ik gekregen van mijnheer Insinger, de directeur van een handelskantoor op de Nieuwezijds Voorburgwal, bij wie ik wel eens langsging. Zijn bedrijf, dat nu nog bestaat, handelde met Indië, in koffie, thee en cacao. Hij vond het sneu dat ik altijd zo'n eind met de handkar moest lopen en bood me geld voor een bakfiets aan. Ik vroeg hem geen geld te geven, want dat zou majoor Oijen onmiddellijk hebben uitgegeven aan kistjes vet of levensmiddelen en dan ging die bakfiets aan mijn neus voorbij. 'Koopt u voor mij dan een bakfiets bij Helmstad op de Roetersstraat,' stelde ik voor. Het leek me stukken gemakkelijker dan de handkar en het was drie kwartier lopen van het Rapenburg naar de groenteveiling. En de terugweg, met een volle kar, duurde nog langer.

Hoe die bakfiets werkte wist ik helemaal niet. Ik kon alleen remmen door tegen een stoeprand op te rijden, totdat iemand me erop wees dat dat die hendel tussen mijn benen diende om te remmen. Wist ik veel.

Op de dag van de Nederlandse capitulatie, 14 mei 1940, had ik telefonisch contact met mijn vader. 'Fijn hè, dat het voorbij is,' zei ik. Maar hij wist beter: 'Lieve kind, nu begint het pas,' antwoordde hij.

Wij hadden een joodse bloemist, een joodse schoenmaker en misschien wel een joodse bakker. Een heleboel joodse buurtgenoten zijn in de oorlog weggevoerd. Onze joodse apotheker pleegde aan het begin van de oorlog zelfmoord. 'Waarom heeft hij dat nu ineens gedaan?' vroeg ik verbaasd aan zijn vrouw. Die apotheker kwam uit Duitsland, hij was in de jaren '30 al naar Nederland gevlucht toen Hitler daar aan de macht was gekomen en het mis dreigde te gaan. Daardoor moet hij geweten hebben wat de joden te wachten stond. Ik heb daar in die tijd nooit veel weet van gehad, zeker niet van de gaskamers en de concentratiekampen. Ik dacht dat de joden ergens werden gebracht waar ze heel hard moesten werken, maar dat ze werden omgebracht in gaskamers, daarvan hadden we geen idee. Ook later, toen er meer verhalen kwamen over de vernietigingskampen, kon ik me nauwelijks voorstellen dat dat allemaal echt waar was.

In de Rapenburgerstraat zat ook het joodse weeshuis, dat werd bij het begin van de oorlog al leeggehaald. Misschien dat ze die kinderen nog op tijd hebben kunnen laten onderduiken, dat heb ik nooit kunnen achterhalen. De juffrouw van de joodse school verdween, joodse leerlingen werden weggehaald. Veel joodse ouders brachten hun kinderen bij ons. Van de ondergrondse kregen we allerlei onderduikadresssen, waar de kinderen zo snel mogelijk heen moesten. Hun namen mochten nergens geregistreerd worden, voor het geval de Duitsers onze administratie zouden komen controleren. Achteraf hebben ze dat nooit gedaan, maar je moest het zekere voor het onzekere nemen. Voordat de kinderen naar hun onderduikadres gingen, lieten we ze altijd eerst onderzoeken door een bevriende arts, die te vertrouwen was. Eén van de kinderen, Floortje, kreeg op een gegeven moment geelzucht en moest onder een valse naam naar het ziekenhuis worden gebracht. Met medewerking van die bevriende kinderarts kon zij clandestien worden opgenomen en zo heeft Floortje de oorlog gelukkig overleefd.

Op een dag, in het eerste oorlogsjaar, kwam er een jonge joodse vrouw aan de deur met een zoontje dat toen misschien een half jaar oud was. Robbie, heette hij. Zij zou met haar man gaan onderduiken, maar ze vonden het onveilig de baby mee te nemen, want die trok met zijn gehuil te veel aandacht. Ze overhandigde me het jongetje en daarbij een heel mooi, zelf geborduurd lakentje waarop zijn naam stond. Ik moest ervoor zorgen dat dat lakentje altijd bij hem zou blijven, als hij op een onderduikadres werd gebracht. Toen ze weg was hebben we daar nog wel om gelachen. Een van de zusters zei al: 'Ik heb even een stukje verband nodig, geef dat lakentje eens?' Als het tussen het wasgoed zou belanden – van honderd kinderen en veertig vrouwen – zou het onherroepelijk kwijtraken. Ik wikkelde het daarom in een stukje papier en legde het in een kast, totdat Robbie naar zijn onderduikgezin zou gaan.

Ik moest het hummeltje achterlaten op de stoep van een huis in Laren. Aanbellen en meteen weglopen, zonder omkijken. Het was hartje winter, ik had hem dik ingepakt en het lakentje bij hem gestopt. Toen ik later ging kijken was hij weg en moest ik maar hopen dat hij goed was terechtgekomen. Zeker vijfentwintig jaar later heb ik pas de afloop van dit verhaal gehoord, van de moeder en Robbie zelf. Zij was met haar man ondergedoken in het oosten van het land en op een zomerse avond in 1944 zaten ze in de tuin te praten met hun gastgezin. 'We hebben eigenlijk ook een zoontje, hij zal nu een jaar of vier zijn,' vertelde de joodse moeder. Waarop de vrouw des huizes antwoordde: 'Ik weet toevalllig dat een gezin hier even verderop een joods jongetje in huis heeft van die leeftijd.' Toen zijn ze gaan vragen of bij dat jongetje ook een lakentje was meegegeven. En ja hoor, het was hem. Via Laren en andere onderduikgezinnen was Robbie toevallig ook in het oosten van het land terechtgekomen en het lakentje was altijd bij hem gebleven.

Ik heb ook eens een joods kindje in een mand meegenomen op de fiets en kreeg op een gegeven moment een lift van een Duitser met een vrachtwagen. 'Wat zit er in die mand?' vroeg de chauffeur. 'O, dat is heel breekbaar, doe maar voorzichtig,' antwoordde ik. Hij dacht waarschijnlijk dat het eieren waren. Bang was ik niet, maar ik bad God uit de hemel dat het kindje niet zou gaan huilen. Veel joodse kinderen konden wij op deze manier redden. Na de oorlog heb ik er nog een aantal ontmoet, zoals de zusjes Ter Horst, Floortje de Slechter en haar zusje Doortje, Klaartje Lindeman en de kinderen Samson en Hoevenaar. Met sommigen heb ik nu nog vrij regelmatig contact. De kinderen Ter Horst, vier meisjes en een jongen, zijn nooit ondergedoken, die bleven gewoon bij ons. Ik geloof zelfs dat ze met een gele jodenster op hun kleren hebben gelopen. Zij hadden een katholieke vader en een joodse moeder en waren al voor de oorlog bij ons gebracht, omdat er problemen waren in het gezin. Die jongen is op zijn twaalfde bij een oom gaan wonen, omdat hij geen zin had naar het jongenshuis in Amersfoort te gaan. De vier zusjes werden na de oorlog met hun ouders herenigd, maar het ging nog steeds niet zo goed. Hun oma van vaders kant vond dat ze niet terug moesten naar het Legertehuis, maar dat ze naar een katholiek kindertehuis in Amstelveen moesten. Later heb ik van ze gehoord dat het daar veel strenger was dan bij ons; vooral Roos, de jongste, had er erg onder te lijden. Hun broer is later geëmigreerd naar Canada en heeft daar een leven opgebouwd. Als hij naar Nederland komt, komen ze met z'n vijven bij me op bezoek.

De eerste jaren was er nog niet veel honger in de oorlog. Ik wist ook wel overal eten te organiseren. Op de groenteveiling zorgde ik ervoor dat ik een beetje gevarieerde groenten meekreeg. Op een dag reed ik met die bakfiets door de stad toen plotseling het luchtalarm ging. Ik liet hem staan op straat en dook de schuilkelder in bij het postkantoor achter de Dam. In de kelder zaten ook lijkbezorgers, die hadden hun lijkkoets met kist en al op straat laten staan, naast mijn bakfiets. Een heel merkwaardig gezicht. Ik dacht nog, als er maar niemand met mijn groente, of erger, met die lijkkist vandoor gaat! Stom natuurlijk, want er was helemaal niemand op straat.

Majoor Oijen is aan het begin van de oorlog gestorven aan kanker. Met een aantal officieren en een groepje kinderen zijn we naar haar begrafenis geweest in de Achterhoek, waar ze vandaan kwam. Daar ging een wereld voor ons open. De kinderen, die we hadden gehuld in keurige blauwe broeken en rokken en witte bloesjes, hadden het gevoel dat ze op een feest terechtkwamen. Ze kregen, als 'arme Amsterdamse schoffies', alle aandacht en werden verwend met krentenbollen en chocolademelk. Tijdens de tocht van de kerk naar het kerkhof hadden we eigenlijk meer aandacht voor al het vlees dat we in de etalages van slagers zagen hangen, dan voor de begrafenisplechtigheid zelf.

Hoe langer de oorlog duurde, hoe moeilijker het werd het hoofd boven water te houden. Er was gebrek aan alles. We haalden houtblokjes uit de rails van tramlijn 7 voor in de kachel. Een van de jongetjes uit ons kindertehuis overleed en moest naar zijn laatste rustplaats worden gebracht per kolenwagen, omdat er een groot gebrek was aan lijkkoetsen. Ik heb zelfs nog eens een overleden baby'tje achter op de fiets naar het kerkhof in Amsterdam-Noord gebracht. De vader fietste met me mee terwijl de moeder nog ziek in het kraambed lag. Dat waren trieste gebeurtenissen. In de Zuiderkerk werden ook veel doden gebracht, die nog moesten worden geïdentificeerd. Ik werd daar vaak heen gezonden om, samen met een priester en nog wat kerkelijke mensen, geestelijke steun te verlenen aan de familieleden.

Het Leger des Heils werd in 1941 door de Duitsers verboden. Alle gebouwen die eigendom waren van het Leger en al het geld namen ze in beslag; het Leger bestond eenvoudigweg niet meer. Het Leger des Heils werd gezien als liefdadigheidsinstelling, niet als kerkgenootschap. Bovendien was het ook nog van Engelse oorsprong. Na de oorlog is het Leger meteen een kerkgenootschap geworden, zodat dit niet nog eens zou kunnen gebeuren. Wij mochten geen uniform meer dragen en ook niet meer collecteren. Ons onderkomen werd eveneens in beslag genomen, hoewel we er voorlopig in mochten blijven als particuliere instelling. Om toch te kunnen doorgaan met het werk, zijn alle kindertehuizen van het Leger veranderd in particuliere tehuizen. We wilden onder geen beding onderdeel worden van Winterhulp, een door de bezetters ingestelde hulporganisatie. Het Hoofdkwartier had geen geld meer en stuurde het bericht rond dat de officieren die financieel in nood kwamen een andere baan mochten gaan zoeken, omdat het geen enkele financiële garantie meer kon geven. Van de twaalf heilsofficieren die in de Zonnehoek werkten, waren er al snel zes weg.

Ik kon als huishoudelijke hulp gaan werken bij een mevrouw die ik kende van de collectes, ik was daar regelmatig aan de deur geweest. Zij gaf me te eten en ik moest wat kleine klusjes in huis doen, zoals koper poetsen. 's Middags en 's avonds mocht ik van haar gewoon in het kindertehuis werken. Lang ben ik niet bij die mevrouw geweest, want kort daarna besloot Sociale Zaken dat we, als particuliere instelling, een vergoeding kregen voor de mensen die we in huis hadden, waarmee we onszelf weer aardig konden redden. Het kindertehuis kreeg per inwonende vrouw een gulden per dag en twintig tot vijfendertig cent voor de kinderen die in ons tehuis zaten. Dat bedrag daalde naarmate er meer kinderen uit hetzelfde gezin kwamen. We zeiden daarom dat we allemaal kinderen van verschillende ouders hadden; dat leverde het meeste geld op. In de loop van de oorlog zijn de vrouwen die we in huis hadden bijna allemaal ergens anders ondergebracht. Bij familie, of bij een werknemer, zodat het kindertehuis minder magen te vullen had. We aten nog maar twee keer per dag. De kinderen stonden zo laat mogelijk op en kregen dan een laat ontbijt en aan het einde van de middag nog een maaltijd, waarna we ze weer vroeg naar bed stuurden. Dat scheelde weer een hoop eten.

Ons vertrouwde pand op het Rapenburg moesten we een jaar later toch verlaten, omdat de Duitsers het voor de Winterhulp hadden bestemd. Met de kinderen, een stuk of zeventig in die tijd, verhuisden we naar de Resedastraat in Amsterdam-Noord. Daar waren drie huizen die het Leger des Heils huurde van de gemeente. De bejaarden die hierin hadden gewoond, waren overgebracht naar een andere wijk. Ik vermoed dat ze daar in woningen terecht konden waarin joden hadden gewoond, er stonden inmiddels al ontzettend veel van die huizen leeg. We braken de tussenmuren uit en trokken er met onze kinderen in. Uit het oude kindertehuis mochten we niet alles meenemen. We moesten tachtig dekens achterlaten voor de Duitsers. We hebben toen veertig dekens doormidden geknipt, die halve dekens gaven we aan de Duitsers zodat we zelf meer hele dekens konden meenemen. Dat ging vrij gemakkelijk. Zij zaten aan de ene kant van het huis te drinken en te praten, terwijl wij zakken vol closetpapier meenamen en extra kolen. Dat hadden ze toch niet door. Omdat ik de sleutel bewaarde, kon ik later altijd weer stiekem naar binnen om te kijken of er nog wat bruikbaars lag.

Naast ons huis in Amsterdam-Noord woonde een gezin met elf kinderen. In juli 1943, we woonden er nauwelijks een jaar, kwamen zeven van die kinderen om bij een hevig bombardement. De bommen vielen om ons heen en raakten de Rosakerk, waar net een feestelijke plechtigheid aan de gang was waar dat gezin ook bij was. Vreselijk was het. Die ouders hadden zo veel verdriet, terwijl onze kinderen, die als door een wonder aan de ramp ontsnapten, bijna allemaal geen ouders meer hadden. Het was heel erg onrechtvaardig, hoewel ik natuurlijk wel blij was dat wij gered waren. We zijn dezelfde middag nog geëvacueerd. Met een hele groep kinderen gingen we naar het Centraal Station. Omdat we zo veel mogelijk wilden meenemen, kleedden we de kinderen dik aan. Hun winterjas over hun zondagse goed, een handdoek, washandje en stuk zeep in een pakketje onder hun arm. Zelf namen we het geld mee en de bonnen. Woedend waren ze, de kinderen, want het was snikheet.

We kwamen met de trein terecht in Hilversum, van waaruit we steeds van het ene naar het andere onderkomen moesten verkassen. We hebben wat afgesjouwd met die kinderen, in totaal langs meer dan tien verschillende adressen in Het Gooi. De kinderen vonden het eigenlijk wel spannend, zo van: 'Ha, weer verhuizen, waar zullen we nu weer terechtkomen?'

In Hilversum zaten we bijvoorbeeld een tijdje op de Loswal, bij het Havengebouw. Ik wist tot die tijd niet eens dat er een haven was in Hilversum. Daar waren we ondergebracht in tenten op het terrein van een aannemersbedrijf. De kleintjes sliepen op de zolder in het huis van de eigenaar. Levensgevaarlijk, want daar zaten van die tuimelramen in het dak.

In die tijd begon ik ook weer met collecteren, hoewel dat was verboden. We belden gewoon aan bij mensen en legden uit dat we eigenlijk van het Leger des Heils waren en geld nodig hadden voor de kinderen. In Beverwijk, dat bij ons rayon hoorde, kwam ik aan de deur bij een rijke freule. Wat ik toen nog niet wist was dat haar dochter lid was van de NSB. Hoogstwaarschijnlijk heeft die dochter bij de Duitsers gemeld dat ik liep te collecteren voor het Leger des Heils. Ik werd door de Grüne Polizei opgepakt en opgesloten in het oude huis van de familie Dreesmann in Bussum, dat door de Duitsers als politiepost werd gebruikt. Na de oorlog is het een politiebureau gebleven en nu is het, meen ik, een gebouw van de brandweer. Het kindertehuis was op dat moment ook weer verhuisd naar Bussum, het zat praktisch tegenover de plek waar ik gevangen werd gehouden. De leiding had echter geen idee waar ik was. Een paar weken zat ik opgesloten in een kamertje met een vastgespijkerd bed en een tafeltje. Soms kreeg ik een krant en het eten was er goed, misschien wel beter dan in het kindertehuis.

Elke dag werd ik verhoord door de Duitse commandant. Dat was helemaal niet zo'n onaardige man, die had ik na de oorlog nog best eens willen ontmoeten. Gewoon, om te vragen hoe hij die tijd had ervaren. Niet alle Duitsers waren slecht, dat vond ik toen al. Zij zaten in een systeem en waren daar eigenlijk ook slachtoffer van. Hij vroeg steeds of ik had gecollecteerd voor het Leger des Heils. Ik antwoordde steevast: 'Ik ben lid van het Internationale Leger des Heils. Het is in Nederland dan wel geliquideerd en verboden, maar in andere landen bestaat het nog steeds. Daar hoor ik ook bij. Als de oorlog is afgelopen, trek ik mijn uniform gewoon weer aan.' Ik werd niet slecht behandeld. Het ergste vond ik het dat mijn ouders niet wisten waar ik was, die bleken ook vreselijk ongerust te zijn.

Na enkele weken liet de commandant me, na het zoveelste verhoor, alleen achter in dat kamertje. Met de deur open. Ik denk dat hij wilde dat ik ervandoor ging, misschien wist hij ook niet meer wat hij met me aanmoest. Heel rustig ben ik naar buiten gewandeld, om zo min mogelijk aandacht te trekken. Zodra ik op straat kwam, ging ik een fietsenwinkel binnen, daar vlak in de buurt. 'Ik moet uit Bussum weg, voordat ze me te pakken krijgen,' dacht ik. De eigenaar van de fietsenmakerij heeft ervoor gezorgd dat ik met iemand kon meeliften naar Hilversum.

Het eerste wat ik deed toen ik in Hilversum aankwam, was achteraf erg lachwekkend: ik kocht een bosje bloemen. Ik kan de bloemenzaak nog aanwijzen. Ja, ik had zo lang vastgezeten, ik vond dat ik wel een bloemetje had verdiend. Het geld had de directrice, majoor Raven, in de zoom van mijn jurk gestopt, in geval van nood.

Het kindertehuis was helemaal niet zo blij met mijn terugkeer. 'Je brengt ons allemaal in gevaar,' vond majoor Raven, die verwachtte dat de Duitsers elk moment voor de deur zouden staan om mij weer op te pakken. Ik was immers ontvlucht. Ik had geen idee waar ik heen moest gaan. Ik geloofde eigenlijk niet dat ik gevaar liep, maar majoor Raven stuurde me weg. Het enige wat ik kon bedenken, was naar Beverwijk te gaan, waar ik nog niet klaar was met collecteren. Daar vond ik onderdak bij een kennis, de heer Ledeboer, die directeur was bij de Hoogovens. Hij begreep dat ik een beetje problemen had, want zelf lag hij ook in de clinch met de Duitsers. Dat had waarschijnlijk iets te maken met zijn werk voor de Hoogovens.

Ledeboer was een jonge weduwnaar, misschien tien jaar ouder dan ik, in de veertig. Wellicht was dat de reden dat ik er overdag wel mocht zijn, maar dat ik 's nachts het huis uit moest, om geen rare praatjes te krijgen in de buurt. Hij kreeg 's nachts ook wel eens huiszoeking, dus het was voor mij niet veilig daar te slapen. Het was juli 1944, een warme zomer, dus ik ging 's nachts de duinen in en overnachtte daar. Ik had een slaapzak en een stukje zeildoek, het ging prima. 's Ochtends kwam ik terug bij mijn gastheer, waar ik van zijn oude huishoudster een ontbijt kreeg en me kon wassen. Omdat ik me vreselijk verveelde, heb ik ook de collectebus maar weer opgepakt en ben weer langs de deuren gegaan. Achteraf klinkt het allemaal heel erg onlogisch, maar het was oorlog en je wist ook niet zo goed wat wel of niet verstandig was om te doen.

Van Ledeboer hoorde ik dat die NSB-dochter van de freule mij waarschijnlijk had verraden. Ze was inmiddels directrice geworden van een kindertehuis van Winterhulp in Naarden, dat was nota bene een kindertehuis van het Leger des Heils geweest. Na de oorlog werd me nog gevraagd of ik haar niet wilde laten vervolgen. Ik wist wie ze was en geloofde wel dat zij erachter zat, maar ik heb haar niet aangegeven. De oorlog was toch afgelopen en ze zal, omdat ze lid was van de NSB, haar straf hoe dan ook wel hebben gekregen.

Na een week of vijf was het voor mij niet langer veilig in Beverwijk. Ledeboer had er lucht van gekregen dat die NSB-vrouw me weer aan het verklikken was. Ik was het op dat moment toch zat om in de duinen te slapen, de zomer liep op zijn einde en ik besloot terug te gaan naar het kindertehuis in Bussum. Met een trein van de Hoogovens, die niet stopte in Beverwijk – de Duitsers stonden daar te controleren – belandde ik in Amsterdam. Van daaruit ben ik met een ouwe fiets naar het kindertehuis gereden en daar weer gewoon aan de slag gegaan. Kort na mijn terugkeer werd op een avond aangebeld. Majoor Raven, die nogal bang was uitgevallen, riep meteen zenuwachtig: 'Daar heb je het al, ze komen je halen, ik doe mooi niet open.' 'Oké,' zei ik, 'dan ga ik wel met ze mee, want ik heb ook geen zin nog langer onder te duiken.' Ondertussen bleef de bel maar gaan en er werden steentjes tegen de ruiten gegooid. Majoor Raven dacht nog dat er met hagel op de ramen werd geschoten. Toen ik me had aangekleed ging ik de deur open doen en zag tot mijn verbazing een kapitein van het Leger des Heils voor me staan. Hij kwam ons vertellen dat zijn vrouw was bevallen van een tweeling en had maar staan bonzen en bellen, omdat die lui van het kindertehuis maar niet opendeden. Hij had ons dringend nodig, want met die tweeling ging het niet zo goed. Ze lagen in een couveuse en werden af en toe helemaal blauw. Een van de twee is gestorven, de andere heeft het wonderwel overleefd. Zo speelden gevoelens van opluchting en van verdriet vaak door elkaar heen.

Tijdens de hongerwinter ben ik er op mijn ouwe fiets met houten banden talloze keren opuit getrokken om op het platteland voedsel voor de kinderen bijeen te scharrelen. Het lukte me goed, soms kwam ik met wel honderd eieren thuis. Ik kreeg vaak ergens sigaretten, die ik bij een ander weer ruilde voor aardappelen. Dat vertelde ik maar niet tegen majoor Raven, want die had de aardappelen meteen in het vuur gegooid. Het Leger des Heils was fel tegen roken, dus mocht ik van haar ook geen sigaretten aannemen. Ook niet als ik ze ruilde voor eten, want dan had zij het gevoel dat de kinderen daar nog dood aan zouden gaan. Ik heb het daar nog eens met mijn vader over gehad in onze briefwisseling. Hij schreef: 'In de oorlog moet je de dingen een beetje anders zien,' en dat vond ik eigenlijk ook.

Het klinkt misschien vreemd, maar de oorlogstijd heb ik overwegend als een spannende tijd ervaren, niet zozeer als een nare periode. Ik was natuurlijk in de bloei van mijn leven en zat vol energie. Je leefde van dag tot dag en we kregen heel veel steun uit allerlei hoeken. De oorlog gaf een gevoel van saamhorigheid onder de mensen, men was sociaal en aardig. Eigendom telde lang niet zo veel mee als tegenwoordig; als je iemand blij kon maken met je laatste hemd, dan gaf je dat weg, dat maakte allemaal niet uit. Ondanks de moeilijke situatie heb ik nooit een hekel gekregen aan de Duitsers. Dat er nu zelfs jongeren zijn die zeggen dat ze een hekel hebben aan Duitsers, daar kan ik echt niet bij. Ze hebben de oorlog niet eens meegemaakt en bovendien waren heus niet alle

Duitsers verkeerd. Adolf Hitler en zijn trawanten beschouw ik wel als werktuigen van de duivel, ze hebben zo onstellend veel leed aangericht. En toch, als ik ooit de kans had gehad, zou ik best met Hitler hebben willen praten. Ik zou hem hebben gevraagd: 'Ben jij wel helemaal goed bij je hoofd,' wat hij natuurlijk niet was. Ook Jezus praatte met iedereen, daarom zou ik ook met niemand een gesprek kunnen weigeren.

Door vitaminegebrek of misschien toch ondervoeding, kreeg ik tegen het einde van de oorlog last van open benen, ze waren helemaal blauw. Ik dacht eerst dat het vuil was en zat er uren op te boenen. Op een avond in mei zat ik bij de dokter, die binnenkwam in zijn kamerjas. 'Ze zeggen dat het vrede is,' vertelde hij opgetogen. Het was vier mei 1945, in Amsterdam bleek het feest al een beetje aan de gang te zijn. De volgende dag hebben we meteen onze uniformen weer aangetrokken.

Omdat mijn vader kort na de bevrijding was overleden, bleef ik een tijdje bij mijn moeder in Utrecht. Zij kon uiteindelijk, zoals gezegd, in een bejaardenhuis van het Leger des Heils gaan wonen, Avondzon in Hilversum. Ik ben in juli op het Hoofdkwartier aan de Prins Hendrikkade in Amsterdam gaan werken, op de afdeling Vrouwen Maatschappelijk Werk, dat onder leiding stond van kolonel Haman en kort daarna van kolonel Crok, met wie ik een heel goeie band had. Ik moest onder meer ouders opsporen van kinderen die in onze kindertehuizen waren ondergebracht.

Het eerste half jaar werd ik tevens aangesteld voor de wederopbouw. In Bergen op Zoom, dat eerder was bevrijd, stond een schoolgebouw vol met spullen uit Canada, Amerika en Zweden. Ik moest zorgen dat alles netjes werd verdeeld over de verschillende Legerposten in het land. Van alles was er: meubels, kleding, babygoed, dekens, sjaals, speelgoed, noem maar op. 's Ochtends om zes uur meldde ik me bij het verhuisbedrijf van Van Soelen dat door het Leger was ingehuurd voor het vervoer van al die spullen. Op de zijkanten van de vrachtwagen waren grote logo's van het Rode Kruis aangebracht. Met de chauffeur bezocht ik dagelijks wel vijf of zes afdelingen. Ledikantjes voor Rotterdam, dekens voor de bejaarden in het noorden, poppen voor de kindertehuizen. En overal kregen we koffie, wel twintig bakjes op een dag. Ik kreeg het ervan aan mijn maag. Dan zei ik: 'Geef nu eerst maar eens een boterham!' De dokter bereidde me er al op voor dat ik geopereerd moest worden, maar omdat ik stopte met koffiedrinken is dat niet nodig geweest. Ik drink nu nog steeds geen koffie, alleen thee, melk of gewoon water.

De oorlog is beslist niet verkeerd geweest voor de organisatie van het Leger des Heils. Het werd wat moderner en beter georganiseerd. De jongens- en meisjestehuizen werden gemengde kindertehuizen, wat meer gericht op de gezinssituatie. De Zonnehoek is nooit teruggekeerd in Amsterdam, het kindertehuis ging uiteindelijk op in een nieuw kindertehuis in Hilversum, het tegenwoordige Trompendaal. De officieren kregen na de oorlog een betere maatschappelijke opleiding. Mijn cursus op de kweekschool duurde acht maanden, terwijl de opleiding nu zes jaar duurt, kun je nagaan. Bij ons moest je het meeste in de praktijk leren, het was zwemmen of verdrinken. De officiersopleiding is onder meer aangevuld met een uitgebreide cursus maatschappelijk werk, die ik pas later heb gevolgd op de sociale academie. Helaas voor het Leger bestaat er niet meer zo veel animo om de opleiding aan de kweekschool te volgen. Afgelopen jaar (1997) meldde zich niet één kandidaat aan, waarover men terecht heel verontrust is. Als die ontwikkeling doorzet, zijn er straks te weinig heilsofficieren die geestelijk leider kunnen worden van de verschillende afdelingen in Nederland. Als je heilsofficier wordt, verlies je je zelfbeschikkingsrecht. Ik denk dat jongeren zich vooral daar niet meer door voelen aangesproken. Je kunt niet zelf bepalen waar je gaat werken, het Hoofdkwartier bepaalt welke afdeling je nodig heeft. Maar ook met een gewone opleiding maatschappelijk werk, zoals de sociale academie, kun je bij het Leger des Heils werken en dan kun je wel zelf je standplaats uitkiezen. Wat ook zal meespelen is het feit dat een heilsofficier alleen mag trouwen met een andere heilsofficier, dus beiden moeten de opleiding volgen. Ik heb begrepen dat bij het Hoofdkwartier stemmen opgaan om die regel af te schaffen of te versoepelen, zodat het weer aantrekkelijker wordt die opleiding te volgen.

Ik ben na de oorlog allerlei opleidingen gaan volgen, omdat ik veel theoretische kennis niet had. Op het Hoofdkwartier kwamen wel eens stagiaires, die meer kennis hadden dan ik. Tot mijn vijftigste heb ik naast mijn werk gestudeerd; elke ochtend tussen zes en acht uur zat ik boven de boeken. Ik haalde eerst mijn diploma Kinderbescherming A en B. Ik mocht die opleiding volgen zonder middelbare schoolopleiding, omdat ik tien jaar in het kindertehuis had gewerkt. Ook volgde ik een driejarige opleiding tot catecheet, godsdienstonderwijzeres, om mijn bijbelkennis te vergroten. Vervolgens ging ik naar de sociale academie voor een urgentie-opleiding maatschappelijk werk, gevolgd door een voortgezette opleiding maatschappelijk werk. Later heb ik nog een cursus staffunctionaris gevolgd en een oriëntatiecursus seksuologie. Hoewel ik vroeger een hekel had aan leren, vond ik het nu ik veel ouder was juist heel erg leuk, omdat ik het geleerde meteen in de praktijk kon brengen.

In Amsterdam vond ik onderdak bij de kweekschool in Amstelveen, maar dat was vrij lastig. Niet alleen omdat ik steeds heen en weer moest fietsen, maar vooral omdat je daar 's avonds voor tienen binnen moest zijn. Ik kwam altijd te laat en moest dan weer mensen wakker bonzen. Later kreeg ik wel een sleutel, maar ik ben toch huisvesting in Amsterdam gaan zoeken. Ik sliep bijvoorbeeld een poosje in het meisjeshuis op de Weesperzijde, op het kantoortje van de kolonel. Voor acht uur 's ochtends moest ik zorgen dat mijn matras was opgeruimd, zodat ze aan het werk kon. Daarna vond ik een kamertje op de Sarphatistraat, vier hoog, bij een heel ongezellige hospita. Ik had alleen een bed en een tafeltje, verder niks. Als ik de huur wilde overhandigen, dertig gulden per maand, bromde ze: 'Leg maar op het keukentafeltje.' Om een gezellig gesprek zat ze niet verlegen. Zo snel ik kon, ging ik daar ook weg. Ik heb uiteindelijk nog een hele tijd in huis gewoond bij mijn chef, kolonel Crok.

Op het kantoor van het Vrouwen Maatschappelijk Werk op de Prins Hendrikkade kwamen vaak mensen uit de binnenstad, die zwaar in de problemen zaten. De ene had een kindje gekregen, maar geen geld voor babygoed, de ander kon geen winterkleren betalen. Ik begon dat allemaal een beetje te regelen en ging ook steeds vaker 's avonds op huisbezoek. Al snel ging ik spreekuur houden en werden de mensen naar mij doorverwezen. Een van de twee toiletten van het Hoofdkwartier richtte ik in als voorraadkastje, want van lieverlee kwamen er ook mensen spullen brengen. Later verhuisde ik mijn voorraad naar een huisje van het Leger des Heils in de Nieuwe Brugsteeg, dat alleen werd gebruikt om zo nu en dan een fiets te stallen. Uit het pand op de Prins Hendrikkade verdween wel eens een jas of een handdoek en dan was het al snel: 'Dat zullen die lui van Bosshardt wel hebben gedaan.'

In die tijd had het Leger nog helemaal geen post in de oude binnenstad. Er waren alleen posten in de Gerard Doustraat voor Zuid, op de Papaverweg in Noord, in de Vrolikstraat in Oost, op het Haarlemmerplein voor West en nog eentje op de Overtoom, dat werd de Centrum-post genoemd, maar die lag natuurlijk ver van de binnenstad vandaan. Omdat er steeds meer mensen met problemen naar mij kwamen, werd langzamerhand het idee geboren ook een post voor de binnenstad op te zetten.

Het gebied rond de Zeedijk, met problemen als prostitutie, alcoholisten, daklozen en gezinnen in armoede, dat was volgens mij bij uitstek geschikt voor het werk van het Leger des Heils.

Hoofdstuk 4

'Middernachtzending'

Bijzondere actie. *De jonge Officieren, werkzaam op het Hoofd-kwartier, hebben zich verenigd tot een brigade, welke eens per week des nachts opereert in donker Amsterdam. Door het houden van openluchtsamenkomsten en persoonlijke gesprekken tracht men het licht van het Evangelie te brengen in de holen van zonde en duisternis en op deze wijze gelukte het onze makkers reeds een aantal meisjes, die om welke reden dan ook, in dit gedeelte van Amsterdam ver-dwaald waren, te bewegen dit stadsdeel te verlaten. Wij waarderen dit initiatief, dat geheel van onze makkers uitging, ten zeerste. Zij tonen hierin de rechte Legergeest en wij geloven, dat God deze poging voor velen tot zegen zal maken.*

Bovenstaand bericht stond in de Strijdkreet van begin januari 1949. Ik heb het altijd bewaard in het dagboek dat ik het eerste jaar van de zogenaamde 'Middernachtzending' heb bijgehouden. Het begint op 8 oktober 1948. Met kapitein Werkman en luitenant Booy, twee gezinsverzorgsters, ging ik deze vrijdagavond voor het eerst 'donker Amsterdam' in om Strijdkreten te verkopen. Kapitein Werkman had de leiding over de barmhartigheidspost Rapen-burg, waar ze samen met luitenant Booy werkte. Zij maakten zich al langer bezorgd over de meisjes in de binnenstad, die aan lager wal dreigden te raken. Het was het idee van kapitein Werkman eens de Wallen op te gaan om de Strijdkreet te verkopen en tegelijkertijd de mensen op te zoeken die ons misschien nodig hadden. In mijn dagboek staat bij deze datum de aantekening:

We verkochten veertig Strijdkreten en hadden heel goede ge-sprekken.

De datum 8 oktober 1948 is later gemarkeerd als het echte, officiële begin van het Goodwillwerk. Dit jaar, in 1998, viert het Goodwillcentrum het vijftigjarig jubileum. Ik mag wel zeggen, zonder onbescheiden te zijn en zonder iedereen die heeft meegeholpen tekort te willen doen, dat ik dit centrum met eigen handen heb opgebouwd. De eerste bezoeken aan de binnenstad vielen precies samen met de officiële orders die ik kreeg van commandant Charles H. Durman, de hoogste leider van het Leger des Heils in Nederland, om in de binnenstad te starten met het 'Goodwillwerk'. Dat bestond nog niet in Nederland, de naam Goodwill – een goeie, neutrale term – was overgenomen uit Engeland.

Een overstroming van de Theems in de nacht van 7 februari 1928 veroorzaakte een ernstige ramp in enkele dichtbevolkte buurten van Londen. Het noodgebied werd bezocht door de journalist Hugh Redwood, die het Leger des Heils aantrof, bezig met het verlenen van hulp. Hij werd getroffen door de paraatheid van het Leger en in plaats van zijn journalistieke werk te verrichten, besloot hij mee te gaan helpen. Hij is korte tijd later zelfs heilssoldaat geworden. Het was Redwood die de naam 'Goodwill' heeft voorgesteld. Over dit eerste Goodwillwerk schreef hij later de boekjes *God in the slums*, ('God in de sloppenwijken') en *God in the Shadows*, ('God in de schaduw').

Ik kreeg honderd gulden mee, een vlag van het Leger des Heils waarop 'Goodwill' stond en een Engelstalig foldertje over wat Goodwillwerk precies inhield. Ik moest verder zelf maar bedenken hoe ik te werk zou gaan. De eerste tien jaar heb ik alles alleen moeten doen. Ik kreeg veel hulp van officieren en vrijwilligers, die ik om me heen verzamelde, maar ik was de hoofdverantwoordelijke. Nu, vijftig jaar later, heeft het Goodwillcentrum vier gebouwen in de binnenstad, een opvangcentrum voor vrouwen en meisjes in Noord en een begeleid-wonenproject voor vrouwen in de Watergraafsmeer. Er zijn tweehonderd mensen in vaste dienst – parttimers meegerekend – en er werken nog eens tachtig vrijwilligers. Ik begon met honderd gulden en toen ik met pensioen ging in 1978 hadden we een begroting van zo'n zeven miljoen gulden en honderdvijfendertig mensen in dienst. Nu, twintig jaar later, schijnt de exploitatie ongeveer dertien miljoen gulden te bedragen.

De nachtelijke bezoeken in de buurt vormden een goed begin van het werk, omdat we veel contacten konden leggen tijdens onze openluchtsamenkomsten. Natuurlijk was er voorheen ook wel eens een heilssoldaat gesignaleerd op de Wallen, maar deze openluchtsamenkomsten, met heilssoldaten die vaandels droegen en geestelijke liederen zongen, dat was nieuw en trok de aandacht. Na de samenkomsten bezochten we de cafés en de bordelen, daarvan waren er toentertijd zo'n zevenhonderd. Ondertussen was ik ook naarstig op zoek naar een eigen kantoorruimte, maar het heeft nog tot 1951 geduurd voordat we in de binnenstad een eigen kantoor konden openen. Tot die tijd hielden we openluchtsamenkomsten en -zangavonden, waarvoor we wekelijks vertrokken vanuit de barmhartigheidspost Rapenburg.

Mijn moeder, die toen nog leefde, was niet zo blij met mijn werk in de binnenstad. Het was voor de meeste mensen een onbekend gebied, dat je alleen kende van verhalen. Een gebied met hoeren, cafés met dronken mensen, asociale gezinnen; geen gebied waar je als fatsoenlijk burger kon komen. Omdat ik al in Amsterdam had gewerkt, in het kindertehuis, wist ik wel een beetje wat er te koop was, maar ik heb toch ook nog een hoop moeten leren. Zo kwam ik in het begin eens bij een café waarboven ze kamers verhuurden, op de Oudezijds Achterburgwal. Ik stond met mijn collectebus even te wachten, want de vrouw achter de bar was met een man in gesprek die blijkbaar een kamer wilde om te overnachten. 'Wilt u een warm bed of een koud bed?' vroeg de dame achter de bar. Dat scheelde enorm veel in geld, zeker honderd gulden. Ik vroeg me af hoe dat kon, ik dacht nog dat ze een warme kruik in bed wilde leggen. Toen die man weg was zei ik verbaasd: 'Wat is dat duur, hoe kan dat nou?' Die vrouw moest erg lachen; een warm bed betekende dat je er een meisje bij kreeg voor de nacht.

Het was misschien een beetje naïef voor een vrouw van mijn leeftijd, rond de vijfendertig jaar, maar wat wist ik nou helemaal. Ik was niet bepaald preuts, maar ik ben door dit werk wel veel wijzer geworden.

We kwamen in de binnenstad zo veel problemen en mensen in moeilijkheden tegen, dat het al na een paar weken duidelijk was: hier lag een ruim arbeidsveld voor ons. In mijn dagboek staat na anderhalve maand, op 23 november '48:

> *Dit werk heeft in ons allen, die mee uitgaan, iets nieuws doen geboren worden. Een liefde voor het verlorene gewekt, het weggedrevene. Hier in deze wijken, 'donker Amsterdam', hier hoort het Leger, met de boodschap van Jezus.*

We voelden ons een beetje als de oprichter van het Leger des Heils in Engeland, William Booth, die met zijn Salvation Army ook de arme wijken van Londen introk, die de daklozen, dronkaards en verschoppelingen van de maatschappij probeerde te helpen op maatschappelijk gebied, vanuit een evangelische grondslag.

William Booth werd in 1829 geboren in Nottingham, in een arm gezin. Zijn vader stierf al toen hij nog een kind was, zodat hij op negenjarige leeftijd de kost moest gaan verdienen voor het gezin. Hij kwam terecht als hulpje bij de bank van lening, een soort lommerd, waar hij veertien jaar heeft gewerkt. Arme mensen uit Nottingham kwamen daar hun spullen belenen, jassen, kleding, klokken of sieraden. Daar heeft hij Karl Marx voor het eerst ontmoet. Marx woonde enige tijd in Nottingham en kwam op een dag zijn jas belenen bij de bank van lening. Booth was toen een jaar of twintig en was al aan het studeren voor predikant. Ze raakten bevriend met elkaar en hebben veel gesproken over het socialisme en het geloof. Daar zat natuurlijk het grote verschil tussen die twee: Marx wilde de wereld verbeteren vanuit het socialisme, Booth vanuit het evangelie. Maar beiden kwamen ze op voor de arme man, voor de arbeiders.

William Booth kwam via een schoenmaker in aanraking met het evangelie. Die man was zeeman geweest en vertelde de jongens die bij hem langskwamen allerlei zeemansverhalen en ook over God. Hij was lid van de methodistenkerk. Op een dag nam hij William mee naar die kerk en daar is hij, op vijftienjarige leeftijd, tot bekering gekomen.

De mensen van de methodistenkerk lieten William bij hen op catechisatie komen en gaven hem een soort lagere-schoolopleiding, want hij was maar twee jaar naar school geweest. Op zijn drieëntwintigste kon hij als hulpprediker in dienst komen. In 1955 trouwde hij met de zeer vrome en sociaal voelende Catharina Mumford – de Legermoeder, wordt zij genoemd – en op zijn dertigste werd hij predikant van de methodistenkerk in West-End in Londen.

Toentertijd was de kerk nog echt iets voor de hogere klasse, er bestond nog geen middenstand; er waren slechts rijke en arme mensen. Alleen de rijken bezochten de kerk. William Booth vond dat hij bij die keurige groep mensen niet zijn ziel en zaligheid kwijt kon. Door de week ging hij met zijn vrouw naar de achterbuurten, naar het Londense East-End, met het idee: 'Daar zitten de mensen die niet geloven, die zouden we moeten bereiken.' Maar hij merkte al snel dat 'hongerige magen geen oren hebben naar het evangelie.' Er was veel meer behoefte aan brood, kleding, betere woningen en zo meer. Booth maakte grote spandoeken waarop hij schreef: 'Soap-Soup-Salvation' ('Zeep-Soep-Zaligheid'). Hij wilde eerst iets gaan doen aan de mensonterende toestanden die hij aantrof in die sloppenwijken, want als die verbeterd zouden worden, zouden de mensen eerder tot het geloof komen. De kerk en de overheid zagen niet veel heil in zijn manier van werken. Maar hij attendeerde ze wel op de wantoestanden en verzamelde al snel een groepje gelijkdenkenden om zich heen. De mensen uit East-End kwamen langzaam maar zeker naar de kerk, wat ook nog een hoop toestanden heeft opgeleverd. Ze mochten van het kerkbestuur alleen door de achteringang in de kerk komen en niet vooraan zitten, waar Booth tegen protesteerde. Dan kwam er eens een dronken man binnen, dan zat er weer een te praten in de kerk, of een vrouw gaf haar kind de borst omdat het zo zat te huilen. Toen, het was rond het jaar 1865, heeft de kerkenraad Booth voor de keuze gesteld: 'Je gaat maar naar je achterbuurten toe en dan ga je daar maar wonen, of je maakt je los van dat gepeupel en komt alleen nog voor ons werken. Die twee groepen verdragen elkaar niet.'

Hij koos voor de achterbuurten en van de paar maanden salaris die hij nog te goed had kocht hij een oude kroeg, The Blind Beggar (De Blinde Bedelaar) heette die. Daar hield hij samenkomsten en overdag gaf hij de mensen koffie, soep en brood. Hij zorgde ervoor dat de arbeiders hun loonzakjes aan het einde van de week bij hem in bewaring gaven, zodat ze hun verdiende geld niet meteen zouden verdrinken.

In 1865 richtte Booth de 'Oost-Londense Inwendige Zending' op, wat dertien jaar later de 'Church Army' werd en weer wat later de 'Salvation Army', omdat de kerk protesteerde tegen de naam 'Church'. Het was geen kerk, vond men.

Vanuit het Londense East-End groeide zijn heilsleger gestaag uit tot een wereldorganisatie. Toen William Booth in juli 1912 op drieëntachtigjarige leeftijd overleed, was zijn heilsleger in al veertig verschillende landen actief. Inmiddels zijn dat meer dan honderd landen. Booth overleed bijna een jaar voordat ik werd geboren. Ik heb me altijd heel verbonden gevoeld met de manier waarop hij te werk is gegaan.

De binnenstad van Amsterdam was geen sloppenwijk, maar we

kwamen op straat toch veel mensen tegen met problemen, die ons soms thuis uitnodigden. We brachten eens een dronken vrouw naar huis, of we bezochten een zieke prostituee in het ziekenhuis, gingen zelfs op zoek naar ander werk voor een vrouw die 'het leven' uit wilde. Het was vaak ook heel triest wat we aantroffen. Tijdens een openluchtsamenkomst, 3 december 1948, stond midden in de nacht, in de stromende regen, een klein jongetje van misschien vier jaar oud met zijn handjes op zijn rug ernstig naar ons te luisteren. Ik vroeg me verbaasd af wat dat kleine ventje midden in de nacht op straat deed. Hij bleek op zoek te zijn naar zijn moeder. Ik liep met hem mee, café in, café uit, tot we zijn moeder vonden, een prostituee die al een behoorlijke hoeveelheid sterke drank op had. 'Wat heeft zo'n kereltje voor toekomst, hoe zal hij zijn als hij straks veertien, vijftien jaar is?' vroeg ik mij af.

Dezelfde nacht zagen we op de Nieuwmarkt een vrouw met twee mannen lopen. Nou ja, lopen... het was meer zwalken, vallen en weer opstaan. Beide mannen wilden dat die dronken vrouw met een van hen mee naar huis ging en daarover liepen ze ruzie te maken. Wij pasten toen het spreekwoord 'Waar twee honden vechten om een been, gaat de derde ermee heen' toe, en wisten die vrouw in een taxi te krijgen. Daar kwam ze een beetje tot rust. Uit het gesprek bleek dat zij de moeder was van een paar kinderen die bij ons bekend waren, omdat ze in een kindertehuis van het Leger waren ondergebracht. We brachten haar naar het opvanghuis voor vrouwen op de Weesperzijde. Kapitein Kattestaart, die hier de leiding had, was meteen bereid haar onderdak te verschaffen.

We stopten haar, nog steeds stomdronken, in bed waar ze in diepe slaap viel. De volgende morgen bleef ze tot half twaalf slapen. Toen ze wakker werd en vernam waar ze was, heeft ze zoiets gezegd als: 'Ben ik bij het Leger? Dan moet ik maken dat ik wegkom. Ik moet mijn goede naam niet te grabbel gooien.' Ze wilde op dat moment niets weten van hulp en zeker niet van het geloof en verliet het pand zonder een adres achter te laten. We hebben nog met de andere officieren gebeden dat God deze vrouw, toch een moeder van een paar kinderen, zou helpen. Gelukkig kregen we haar later zover dat ze haar kinderen af en toe ging bezoeken en uiteindelijk is het met haar wel beter gegaan.

Inmiddels had ik een groepje om mij heen verzameld, dat regelmatig meeging. We kregen van iemand zo'n kofferorgeltje, een harmonium, dat wel eens spottend 'de tranenpers' werd genoemd. Dat wordt nu nog steeds bespeeld op zondag, tijdens de samenkomst in ons korpszaaltje. Op straat zongen we liederen als 'Red de verlorenen, help de verdoolden' en 'Der zondaren Heer kwam op aarde en zocht.' Hoogtepunt van die periode was ons eerste kerstfeest, dat 22 december werd gevierd in een bovenzaaltje in de Barndesteeg, dat we huurden van de school 'Tot Heil des Volks'. Het was een middernachtkerstfeest: het begon half twee 's nachts, omdat we beslist wilden dat de prostituees kwamen. Die werkten toen nog alleen 's avonds en sliepen overdag. Inmiddels is dat ook een vierentwintiguursbedrijf geworden, maar destijds nog niet. Het kerstfeest werd door zo'n 75 mensen bezocht, onder wie 51 prostituees. Dat betekende voor ons een groot succes. De week ervoor waren we de vrouwen persoonlijk gaan uitnodigen. Sommigen zeiden dan wel dat ze zouden komen, maar het was toch afwachten of ze dat meenden. De opkomst stemde ons bijzonder hoopvol.

Emmy Kamp, een officiersdochter die altijd meeging met de straatzang, zong die nacht het lied 'Het Schooiertje', dat ontroerd werd meegezongen. Een van onze gasten op het kerstfeest was juffrouw Annie Hoekendijk, een oudere vrouw die zich als een van de eersten had ingezet voor de prostituees, op wie in die tijd nog heel erg werd neergekeken. Ze moet ten tijde van dat eerste kerstfeest al in de zeventig zijn geweest.

Juffrouw Hoekendijk had een ongelukkig leven achter zich, wat eigenlijk geen goede basis is als je in de hulpverlening wilt werken. Ze heeft in de jaren '50, toen ze al met haar werk was gestopt en in Heemstede woonde, een boekje geschreven over haar ervaringen op de Wallen. *Deze Vrouw*, waarin ze begrip kweekt voor de prostituees door hun levensverhaal op te tekenen. Ook haar eigen levensloop staat in het boekje beschreven. Hoe ze na een eerste ongelukkige liefde in Nederland vertrekt naar Java in Nederlands-Indië, waar ze terechtkomt in het onderwijs. Maar ook daar ontmoet ze mannen die op het eerste gezicht aardig lijken, maar uiteindelijk maar op één ding uit zijn. Of ze zijn getrouwd, of ze willen in ieder geval niet met haar trouwen. Haar grote liefde, een planter, blijkt homoseksueel te zijn en gedesillusioneerd keert ze terug naar Nederland. In 1929 komt ze in Amsterdam terecht, waar ze zich voortaan zal inzetten voor de meisjes en vrouwen die vaak tegen wil en dank in de prostitutie zijn beland.

Juffrouw Hoekendijk was een erg leuke vrouw en ze deed ook goed werk. Op het Singel had ze een kantoortje waar ze spreekuur hield. Haar werk is later voortgezet door stichting De Halte, toen zij al met pensioen was. Ze hielp de vrouwen zo veel mogelijk met hun problemen, vaak zaten ze in de schulden en juffrouw Hoekendijk probeerde dat op een of andere manier op te lossen. Als ze het leven wilden verlaten, hielp ze zoeken naar een manier om een nieuwe plaats in de maatschappij te vinden en dat deed ze vaak met succes. Ik weet nog goed dat ze de vrouwen die de prostitutie vaarwel zeiden altijd een set pannenlappen meegaf: 'De laatste pannenlappen die door mijn moeder zijn gebreid,' vertelde ze daarbij. Zo hebben heel veel vrouwen 'de laatste pannenlappen' gekregen. Toen het Leger des Heils in de binnenstad kwam, was juffrouw Hoekendijk al bejaard en blij dat haar taak min of meer werd overgenomen. Begin jaren '50 ging ze in Heemstede wonen, in een zelfstandige bejaardenwoning, maar tot die tijd verwezen we vaak vrouwen naar haar door en zij stuurde mensen met andere problemen weer naar ons.

Ik wilde niet dat ons werk in de binnenstad alleen op de prostitutie zou worden gericht. Er waren immers zo veel andere problemen ook, zoals alcoholisme en armoede. Er woonden veel gezinnen in veel te kleine woninkjes. Mensen moesten niet het idee krijgen: 'Als je hulp zoekt bij het Leger des Heils, ben je vast en zeker een hoer.' Zo werd namelijk gesproken over de vrouwen die bij juffrouw Hoekendijk aan de deur kwamen. Het Goodwillcentrum moest een geestelijk en maatschappelijk centrum worden voor álle mensen, zonder aanzien des persoons, een hulpverleningscentrum dat uitging van de vraag om hulp. Dat noemde ik een 'supermarkt van diensten'. Het was behoorlijk vooruitstrevend; op de sociale academie, waar ik een aantal jaren later de opleiding maatschappelijk werk volgde, was men het helemaal niet eens met deze vorm van hulpverlening. Daar heerste destijds nog de opvatting dat hulpverlening zo veel mogelijk gespecialiseerd moest zijn. Ik heb nog eens een werkstuk geschreven over de voordelen van een complete manier van hulpverlening.

Het verhaal van onze eerste klanten is al vaak herhaald: het waren twee oude mensen die ergens in de Sint-Olofspoort boven een café woonden, tussen allerlei meisjes die in de prostitutie zaten en op dezelfde etage hun klanten ontvingen. Daar zat dat oude echtpaar zich dagelijks kalmpjes te bedrinken. Het heeft weken, zo niet maanden geduurd voordat ik een bejaardenhuis vond dat deze twee 'zuiplappen' wilde opnemen.

Ik geef op lezingen ook vaak het voorbeeld van Paultje, een man van 79 jaar, dus bejaard. Maar daarbij was hij ook nog thuisloos, had hij last van open benen en was hij verslaafd aan de drank. Bovendien had hij nog een gevangenisstraf van vier maanden te goed.

Paultje gaat naar de dokter voor zijn beenwonden en de dokter zegt: 'U moet rust hebben. Gaat u vannacht maar slapen bij de Hulp voor Onbehuisden, maar pas op, daar moet je voor zeven uur vanavond zijn.' Maar Paultje laat zich leiden door drankzucht en gaat naar de kroeg. Pas 's avonds om elf uur komt hij aan bij de HVO. Dat is te laat, er is geen bed meer voor hem vrij. De volgende dag gaat hij naar een maatschappelijk werkster, die wil dat hij in een bejaardenhuis wordt geplaatst. Maar er is geen bejaardenoord dat hem wil opnemen: zo'n vieze oude man die nog verslaafd is aan de drank ook! Eerst moet hij maar afkicken in de alcoholkliniek. Bij de kliniek vragen ze om Paultjes ziekenfondspapieren, maar die heeft hij niet. Hij heeft namelijk geen vast woonadres, dus daar kunnen ze hem ook niet helpen. Ten einde raad wendt hij zich tot de reclassering, met het idee: 'Ik ga wel een paar maandjes in de gevangenis zitten. Dan heb ik een bed, eten en rust tegelijk. Maar ook dat blijkt niet mogelijk; er is een cellentekort. 'Je hebt nog een kruiwagen nodig om in de gevangenis te raken!' roept Paultje wanhopig uit.

Met dit verhaal in mijn achterhoofd wilde ik alle hulpverlening op één plek concentreren, zodat gevallen als Paultje niet van het kastje naar de muur gestuurd zouden worden. En wij boden ook nog een stuk geestelijke hulpverlening, want volgens mij kan sociale hulpverlening heel goed hand in hand gaan met evangelisatie. Ook als hulpzoekenden geen behoefte hadden aan een gesprek over het geloof, konden ze bij ons terecht. Misschien dat ze vroeg of laat nog eens terug zouden komen om over God te praten en anders maar niet. We waren ook blij als een vrouw de prostitutie verliet zonder over te gaan tot het geloof. De christelijke school voor maatschappelijk werk, waarvoor ik me aanvankelijk had aangemeld, wees mij als leerling af, omdat ik hulpverlening en evangelisatie niet los van elkaar wilde zien. De directrice heeft pas jaren later bekend dat ze er spijt van had dat ik niet bij haar op school ben aangenomen. Maar toen had ik mijn opleiding aan de sociale academie al voltooid.

We besteedden veel aandacht aan de prostituees. We gingen op bezoek in de bordelen en bij de raamprostituees voor persoonlijke gesprekken. Dan hoorde je vaak dat ze er eigenlijk wel mee wilden stoppen, maar dat was in die tijd niet zo gemakkelijk. Als je uit het leven wilde stappen, moest je dat melden bij de politie, die alle vrouwen had geregistreerd. Vervolgens mocht je pas na een half jaar worden ingeschreven bij het arbeidsbureau en zolang je daar niet stond ingeschreven, kwam je ook niet in aanmerking voor een uitkering van de sociale dienst. Op die manier werd het natuurlijk nooit wat. Ik heb uiteindelijk weten te bereiken dat die regels zijn veranderd, zodat een vrouw, als ze wilde stoppen met de prostitutie, ook direct de kans kreeg een andere baan te vinden.

We probeerden in het begin eens een woning te vinden voor een vrouw en uiteindelijk vonden we een kamertje in de Oude Brugsteeg. Zodra de verhuurders, heel onsympathieke mensen, er lucht van kregen dat zij in de prostitutie had gezeten, werd ze van de kamer afgezet. Was ze weer dakloos. Een andere vrouw, die aan tbc leed, was uit het ziekenhuis gezet wegens drankmisbruik. Ze bleek al vier weken op een kamertje te liggen op een ouwe matras, met als gezelschap een vieze straathond. Van haar man, dat wil zeggen, haar pooier, kreeg ze geen warm eten; dat ben ik haar gaan brengen. Uiteindelijk heeft de GGD ervoor gezorgd dat ze opnieuw in het ziekenhuis opgenomen kon worden.

Ik heb wel eens ruzie gekregen met souteneurs – de mannen die de vrouwen voor zich lieten werken – omdat ze vonden dat ik 'hun' vrouwen zat op te stoken. 'Waar bemoei jij je mee,' kreeg ik dan naar mijn hoofd. Maar ik heb het ook wel eens voor die mannen opgenomen. Want zij waren in overtreding als ze een bordeel hadden, de vrouwen die er werkten niet. 'Leven van andermans ontucht,' heette die overtreding volgens de wet. Maar als een vrouw om een of andere reden genoeg had van haar man, gaf ze hem gewoon aan bij de politie. De rechter gaf de vrouwen altijd gelijk en zo'n man moest dan een paar maanden straf uitzitten in Veenhuizen. Hij kon ook niet in hoger beroep. Dat vond ik niet billijk en ik heb ervoor gepleit dat deze regel zou veranderen.

De openluchtsamenkomsten werden goed bezocht, maar nog

altijd hadden we geen eigen plekje in de binnenstad. Voor feestelijke bijeenkomsten, met Kerstmis of Pasen, voor kinderfeesten of anti-dranksamenkomsten, huurden we het zaaltje van het Heil des Volks in de Barndesteeg. Ook konden we terecht in de 'Kaaskerk'. Dat was toen de bijnaam van de St.-Olofskapel aan het begin van de Zeedijk, omdat daar altijd kaasmarkt werd gehouden. Sinds een aantal jaren hoort de Olofskapel bij het Barbizonhotel; hij is heel mooi gerestaureerd.

In 1951 vond ik eindelijk een geschikte ruimte. Het was een heel mooi pand op de Oudezijds Voorburgwal 14. Op een avond zag ik dat de kelderverdieping leeg stond. Er had een café in gezeten, van een zekere meneer Kip. Die had de ruimte in onderhuur van Nicolaas Kroese, de eigenaar van het Hollandse restaurant D'Vijff Vliegghen in de Spuistraat. Kroese wilde op de Oudezijds Voorburgwal ook zo'n mooie zaak hebben, maar het was in zijn ogen te veel een 'loopkroeg' geworden. Daarom was het etablissement inmiddels gesloten. Kroese woonde in de Roskamsteeg, een zijstraatje van de Spuistraat. Daar ging ik bij hem op bezoek om te vragen of wij die ruimte niet konden huren. Het was een heel opmerkelijke, eigenaardige man, die ik wel eens had ontmoet tijdens de Strijdkreten-verkoop.

Hij kwam die avond net thuis van een of andere therapie. Tot mijn verbazing zei hij: 'Goed, ik verhuur het wel aan jou!' Ik ben zo snel mogelijk naar een boekhandel gegaan om daar een modelhuurcontract te halen, dat ik door Kroese liet opmaken. Eigenlijk moest ik eerst toestemming vragen aan het Hoofdkwartier, maar ik was bang dat het dan allemaal te lang zou gaan duren en dat Kroese zich zou bedenken. Er waren immers al kapers op de kust. Drukkerij Sigfried had al gevraagd of het te huur was en ook het rooms-katholieke maatschappelijk werk had er een oogje op. De eerste maand huur werd voorgeschoten door notaris Talsma, die ik kende omdat ik bij zijn dochter op de sociale academie zat in die tijd. Het kostte honderdvijfentwintig gulden per maand; ik geloof dat ik notaris Talsma dat bedrag nooit heb hoeven terugbetalen.

In de kelder richtte ik een kantoortje in en ik ging er tegelijkertijd wonen. Overdag stond mijn matras rechtop in een kast. Na korte tijd kon ik de begane grond erbij krijgen en hadden we eindelijk een echt, eigen kantoor. In het begin huurden we de ruimte van Nicolaas Kroese, maar het pand was toen al eigendom van de vereniging Hendrick de Keyser, een organisatie die monumentale panden in Nederland, waaronder een groot aantal in Amsterdam, beheert en onderhoudt. De Leuwenburgh, zoals de naam van dit pand luidt, is namelijk het oudste stenen gebouw van Amsterdam. Het is gebouwd in 1581 in opdracht van een rijke schipper die vermoedelijk op de Oostzeehavens voer. De Leuwenburgh is altijd het centrale kantoor gebleven van het Goodwillcentrum. Na een jaar of acht gingen we rechtstreeks van Hendrick de Keyser huren en toen was de huur ineens veel lager; Kroese heeft nog goed aan ons verdiend. De eerste verdieping kregen we erbij in 1955, dat werd toen mijn woning. Ik liet in die tijd nog wel eens daklozen in de kelder slapen, als ze echt nergens anders onderdak konden vinden. Daar was het Hoofdkwartier niet altijd even gelukkig mee. Ik zorgde er wel voor dat ze hun sigaretten en lucifers afgaven, want ik was doodsbang dat ze in de kelder gingen roken en dat de boel in brand zou vliegen.

De tweede en derde etage werden gehuurd door een kunstenaar, Gerrit van Net, die hier een woning en zijn atelier had. Aanvankelijk woonde hij daar met zijn vrouw en twee kinderen, maar zij heeft hem uiteindelijk verlaten. Het was ook wel een merkwaardig type, die Van Net. Hij dronk verschrikkelijk veel en kreeg om de haverklap ruzie met zijn vrouw, zodat hij in zijn atelier moest gaan slapen. Zij liet hem er niet in en dan kwam hij bij mij aankloppen met de vraag: 'Mag ik bij u slapen?' Dan bracht ik hem maar weer naar zolder.

Op een dag rook ik dat er brand was, de rook kwam uit zijn atelier op de derde verdieping vandaan. Daar lag hij in zijn bed te slapen, terwijl zijn deken in brand stond! 'Gerrit, er is brand!' riep ik, lichtelijk in paniek. Hij deed een oog open, mompelde iets van 'Je wordt bedankt,' draaide zich om en sliep rustig door. Had 'ie weer op bed liggen roken terwijl hij dronken was. Een haringman uit de buurt wist het vuur grotendeels te doven met wat grote doeken of stukken vloerbedekking, nog voordat de brandweer arriveerde. Wij hadden gelukkig alleen wat waterschade.

Zijn vrouw was naar buiten gevlucht met de waardevolle spullen. 'Ik heb gelukkig de foto's van mijn kinderen gered,' riep ze. 'Maar waar zijn je kinderen zelf?' vroeg ik. Ze was zo in de war, dat ze haar waardevolste bezit, de kinderen, was vergeten. Niet lang daarna is ze met de kinderen ergens anders gaan wonen, het leven met die kunstenaar was niet vol te houden.

Gerrit van Net schijnt wel een goede kunstenaar te zijn geweest. Hij was voorgedragen als docent of hoogleraar aan de kunstacademie op de Mauritskade, maar omdat hij zo veel dronk, is het daar nooit van gekomen. In 1972 liep hij weer eens zat over straat en is toen aangereden door een auto. In het ziekenhuis overleed hij aan zijn verwondingen. We hebben weten te regelen dat zijn woning, die twee verdiepingen en de zolder, aan ons werden verhuurd. Daar kwamen Koos en Hennie Tinga met hun kinderen te wonen. Zij waren ook werkzaam bij het Leger des Heils. Ze woonden op het Hoofdkwartier aan de Prins Hendrikkade, waar Hennie Tinga onder meer voor de koffie zorgde en de boel schoonhield. Koos Tinga werkte op het financiële departement, waarvan hij inmiddels het hoofd is. Maar vanwege de kinderen – ze hadden er al twee en de derde had zich inmiddels aangekondigd – en de ophanden zijnde verhuizing van het Hoofdkwartier van de Prins Hendrikkade naar de Damstraat, vond het Hoofdkwartier het beter als ze ergens anders gingen wonen. Dat kwam dus precies goed uit; zij konden bij ons op de bovenste etages van de Leuwenburgh komen wonen. Tegenwoordig is Hennie Tinga de coördinator van de afdeling Thuislozenzorg van het Goodwillcentrum. Beiden zijn altijd heilssoldaat geweest en kregen later de rang van 'envoy'. Dat betekent dat je weliswaar geen opleiding tot heilsofficier hebt gevolgd, maar vanwege je bekwaamheid en betrokkenheid toch bepaalde bevoegdheden krijgt die een 'gewone' heilssoldaat niet heeft.

In ons nieuwe kantoor werden de eerste bijeenkomsten gehouden van de Gezinsbond, die we oprichtten voor de talloze arme gezinnen uit de binnenstad. Later namen we de huismoeders mee op kamp, bijvoorbeeld naar Lunteren, waar ze even konden uitrusten van al hun beslommeringen. Ook voor de kinderen en bejaarden hebben we talloze boottochtjes en vakantiekampen georganiseerd.

We hadden nu wel een eigen kantoor, maar nog geen ruimte waar we samenkomsten konden houden. Die hielden we nog altijd in de openlucht. Op een gegeven moment, in 1952, stuitte ik op een achterzaaltje van een café aan de Warmoesstraat, met een zijuitgang aan de Oudezijds Armsteeg, nog geen vijftig meter lopen vanaf de Leuwenburgh. De naam van het café ben ik kwijt, maar de eigenaar heette Schüster, het was een Limburger. Dat zaaltje konden we op zondag van hem huren voor vijf gulden, want dan werd het toch niet gebruikt. Door de week werden er duiven en konijnen verhandeld of bruiloften en dergelijke gevierd. We gingen er meteen samenkomsten houden op zondagochtend en een jaar later ook op zondagavond. Eindelijk konden we de mensen eens uitnodigen. Niet alleen voor kerk- en gebedsdiensten, maar bijvoorbeeld ook voor lezingen door gastsprekers. Ik richtte een kinderkoortje en een zangkoor voor volwassenen op en een muziekbandje, we voerden er toneelstukken op of lieten een film zien.

Die Schüster had een stuk of vier kinderen, die sliepen vlak naast het achterzaaltje in een soort grote kast. Als wij er zondagavond een samenkomst hadden, deden ze stiekem de deuren open en zaten eerste rang. Soms kwam hun vader erachter. In zijn boosheid draaide hij de stoppen eruit zodat we in het donker kwamen te zitten en verder moesten met kaarslicht. We hebben zelfs eens helemaal zonder meubilair gezeten. Toen had Schüster de brouwerij vergeten te betalen en die had de boel laten leeghalen. Daar stonden we dan, op zondagmorgen, zonder een stoel om op te zitten.

Het was wel een mooie bedoening, zo vlak naast het café, dat met een klein gangetje was verbonden met ons zaaltje. Er was maar één wc. Zo kon het gebeuren dat er een dronken man na zijn toiletbezoek de verkeerde kant op liep en bij ons binnenkwam, om vervolgens in slaap te vallen op de grond achter het spreekgestoelte. Maar andersom gebeurde het ook wel dat iemand van het Leger des Heils in het café kwam en de aanwezigen bij ons uitnodigde. In het zaaltje hingen van die reclamebordjes met de tekst 'Het bier is weer best', die we op zondag omdraaiden en dan stond er 'God is liefde'. Soms vergaten we ze wel eens om te draaien en keken de bezoekers van de samenkomsten naar de bierreclame, terwijl wij ze daar juist vanaf wilden helpen.

We konden nu ook het kerstfeest vieren in ons eigen zaaltje. Op een van die kerstvieringen heeft tante Pietje Olijven zich bekeerd. Dat was een vrouw van middelbare leeftijd, die ik inmiddels een jaar of tien kende en nooit anders dan dronken had gezien. Volgens loodgieter De Fluiter was het in haar jonge jaren een heel mooie vrouw geweest. Ze was prostituee, maar zat nooit achter het raam of in een bordeel, ze pikte haar klanten op in een kroegje. Ze had een man, Arie, met wie ze samenleefde, maar met wie ze niet getrouwd was. Altijd hadden ze ruzie, omdat ze vond dat hij te vaak dronken was. Terwijl ze zelf nog meer dronk dan hij. De buurt noemde haar 'vieze Pietje', maar dat wilden wij niet, daar maakten we 'tante Pietje' van.

Tante Pietje kwam bijna altijd naar de kerstvieringen, ook voordat ze zich had bekeerd en stopte met drinken. Een jaar voor haar bekering hielden we op tweede kerstdag een soort toneel-voordracht met de kinderen. Het verhaal ging geloof ik over een ziek kind met een dronken vader en een moeder die het alleen niet meer aankon, maar gelukkig kwam er een verpleegster langs met een kapitein van het Leger des Heils; echt uit het leven gegrepen. Tijdens de uitvoering liep ineens tante Pietje de zaal binnen, zo dronken als wat. Ze liep op het toneel af en bemoeide zich met het spel: 'Arme vrouw, is je kind zo ziek en is je man weer dronken? Ik zal je wel helpen, arme stakker.' Het publiek dacht dat tante Pietje erbij hoorde en de kinderen waren bijdehand genoeg om haar dan maar bij hun toneelstuk te betrekken. 'Ha oma, ga lekker zitten,' zeiden ze, waarna het stuk een heel andere wending kreeg.

Tot zover ging alles goed. In de zaal zat ook oom Frits, een man die korte tijd later overleed in een sanatorium. Na het toneelstuk bracht ik de samenkomst tot een einde met wat kerstliederen en de zegen van God, die naar de aarde was gekomen voor ons allemaal. 'Voor de kinderen, alle aanwezigen, voor alle dronk-aards en ook voor tante Pietje en voor oom Frits.' Op dat moment stond oom Frits op en riep: 'Als dat malle wijf in de hemel komt, hoef ik er niet naartoe!' en hij beende boos de zaal uit.

Het volgende kerstfeest kwam tante Pietje tot inkeer. Ze heeft nooit meer een druppel drank aangeraakt, maar haar man Arie bleef drinken en daar kon ze niet meer tegen. Ze werd geen nette heilssoldate, maar kwam bij ons in de Leuwenburgh wel eens huishoudelijk werk doen. Hier kreeg ze ook haar wekelijkse toela-ge, want wij hielden haar geld in beheer. Ze hield van de echte Amsterdamse gein. Op een dag kregen we een pop cadeau, bedoeld voor een kind uit een arm gezin. Die pop werd door tante Pietje op het bureau bij het raam gezet. 'Zo meid,' sprak ze de pop toe, 'ga jij hier maar lekker zitten, misschien breng je dan nog wat geld in het laatje.'

Lange tijd woonde ze met 'die ouwe', haar Arie, in de Van Swindenstraat in Oost, waar hij op een gegeven moment is over-leden. Op verzoek van tante Pietje heb ik de begrafenis van Arie gedaan. Kwam ze de volgende dag een doos gebak brengen: 'Vanwege de begrafenis van Arie, hartelijk bedankt,' zei ze erbij.

Begin jaren '70 is ze zelf gestorven in het verpleeghuis aan de Vondelstraat, waar ze haar laatste jaren woonde. Ik heb haar afscheidsdienst op begraafplaats Sint-Barbara geleid. De mensen uit de buurt zeiden wel eens: 'Goed dat het Leger des Heils hier is gekomen, al was het alleen maar voor tante Pietje.'

Ik had het gevoel dat de buurt echt blij was met het Leger. Toen het Leger des Heils net in Nederland kwam, eind vorige eeuw, werden de eerste heilssoldaten nog vaak weggehoond. De drie pioniers van het Leger des Heils in Nederland waren Ferdinand Schoch, Gerrit Jurriaan Govaars en John Tyler. De eerste kwam uit een aristocratische familie. Hij was militair, opgeklommen tot adjudant, maar nam ontslag uit de militaire dienst om zich te wijden aan het evangelie. Bij de Vrije Evangelische Weteringkerk in Amsterdam leerde hij de jonge onderwijzer Gerrit Jurriaan Govaars kennen, die het zangkoor leidde en optrad tijdens samenkomsten van de evangelisatievereniging 'Emmanuël', waarvan Schoch voorzitter was. Hun zaaltje was gevestigd in de Gerard Doustraat 69. De naam Govaars heeft in het Leger des Heils lange tijd voortbestaan, want verschillende nazaten volgden zijn voorbeeld en werden heilsofficier of heilssoldaat.

John Tyler was een ex-matroos van de Harwich-lijn. Hij had zich bekeerd en was opgeleid tot heilsofficier in Engeland. In 1886 stelde hij William Booth voor met het werk in Nederland te beginnen, aangezien hij ook een mondje Nederlands sprak. De drie pioniers ontmoetten elkaar in Engeland. Govaars werd aangewezen als assistent van Tyler, die stafkapitein werd van de eerste Leger des Heilspost in Nederland. Schoch en zijn vrouw werden de eerste vrijwilligers. Het zaaltje in de Gerard Doustraat werd vanaf 1887 een Legerzaaltje, maar het Hoofdkwartier heeft het niet lang geleden afgestoten. Er zit nu een of andere Indiase godsdienstige beweging in.

De pioniers hielden toespraken in de openlucht, begonnen later een kweekschool en deden reclasseringswerk. Hoewel zij van het begin af aan veel medewerkers kregen en verschillende posten in Nederland konden openen, moesten ze het de eerste jaren nogal ontgelden, zoals uit de oude verhalen blijkt. Het zaaltje werd meermalen met stenen bekogeld. Kroeghouders hitsten hun klanten op om de samenkomsten te verhinderen. In Beverwijk is een zaaltje van het Leger des Heils eens kort en klein geslagen, de officieren moesten vluchten en de kapitein klom angstig in een boom, terwijl hij uitgejouwd werd door het publiek. In Yerseke zijn op een zondag wespen losgelaten in de zaal, zodat degenen die hier een samenkomst wilden bijwonen, een goed heenkomen moesten zoeken. Toch gaven ze de moed niet op. Met steeds meer medewerkers verspreidde het werk zich over heel Nederland; na twee jaar waren er al dertig korpsen.

In de koude winter van 1890 begonnen veel mensen toch anders over het Leger des Heils te denken. De heilssoldaten zetten soeppotten op straat en gaven eten aan de armen en de zwervers. De ruimte van de korpszaal aan het Rapenburg werd 's nachts opengesteld voor de daklozen, zodat ze een warme plek hadden om te overnachten. De kachel brandde er en om wat aangenamer te kunnen slapen, hadden de heilssoldaten stro op de vloer gelegd. Zo werd het werk bekender en oogstte het steeds meer respect. Ik heb tenminste nooit op de Nieuwmarkt in een boom hoeven klimmen! Die eerste soeppotten zijn altijd een begrip gebleven. 'De kerstpotten zijn er weer', staat elk jaar aan het begin van de winter in de kranten, als het Leger des Heils zich weer op de Dam posteert om geld in te zamelen voor het kerstfeest voor de daklozen en andere mensen die onder het bestaansminimum leven. Het geld gaat nog steeds in diezelfde grote pannen die vroeger werden gebruikt voor de soep. Hoewel de moderne tijd niet aan het Leger des Heils voorbij is gegaan; sinds een tijdje kunnen heilssoldaten zelfs met PIN-apparaatjes op stap, zodat mensen rechtstreeks via hun bankpasje en pincode geld aan het Leger kunnen overmaken. De soep wordt tegenwoordig een paar nachten per week – tijdens strenge winters elke nacht – met de 'Soepauto' naar plaatsen gebracht waar veel daklozen rondhangen, zoals het Centraal Station.

Het Goodwillwerk sloeg goed aan, ook onder de mensen van het Leger des Heils zelf. We waren echte pioniers, het was allemaal nieuw en spannend. Op een gegeven moment kwamen er zelfs heilssoldaten van andere posten bij ons Strijdkreten verkopen, omdat ze het hier veel gezelliger vonden. Een van hen was tante Jans, die in Amsterdam zeker net zo bekend is geworden als ik. Ze is twee jaar ouder dan ik, zij is van 1911 en woont nu ook hier in de Goodwillburgh, maar ze raakt een beetje in de war en vergeet erg veel. Drie jaar geleden, toen ze al in de tachtig was, ging ze er net zoals ik nog een paar avonden per week op uit met de Strijdkreet.

Jans Smink-Woudstra ken ik al vanaf mijn achttiende. Ik werkte toen als kersverse heilssoldaat bij de barmhartigheidspost in Utrecht en leerde Jans kennen op samenkomsten in de Legerzaal. Zij is geboren in Friesland, als dochter van een politieman en groeide op in een gezin met zes of zeven kinderen. Toen ze een jaar of twintig was, werkte ze als hulp bij de familie Bouwmeester in Utrecht en in haar vrije tijd als heilssoldate voor het Leger des Heils. Toen ik in 1934 naar de kweekschool in Amstelveen ging, verloor ik haar uit het oog.

Maar in Amsterdam, in het kindertehuis De Zonnehoek, kwam ik haar weer tegen, daar werkte zij ook weer als vrijwilligster. Ze is getrouwd en in 1935 kreeg ze een dochter, Rens. Een paar jaar later kreeg ze ook nog een pleegkind in huis, Elsje.

Na de oorlog, toen ik met het Goodwillwerk begon, was Jans gestationeerd op de afdeling Amsterdam I, dat was in de Gerard Doustraat in De Pijp. Omdat ze mij erg graag mocht, kwam ze vaak bij de Goodwill en van lieverlee ging ze hier in de buurt Strijdkreten verkopen. Daar is nogal wat onrust over geweest binnen de afdeling waar ze eigenlijk werkte. Amsterdam I was niet blij dat ze was 'overgelopen', daar werd gezegd: 'Je was toch van ons?' Dat gaf wel eens gevoeligheden. Gelukkig zijn ze daar later overheen gegroeid, zodat Jans geleidelijk aan bij ons is komen werken.

Het wás bij de Goodwill ook veel gezelliger voor de heilssoldaten. Als ze kwamen afrekenen na de Strijdkreten-verkoop was er na het dankgebed altijd koffie, thee en koek, we praatten wat na, er was altijd iemand die avonddienst had. Heilssoldaten die bijvoorbeeld voor de Gerard Dou werkten, werden na een avond collecteren aan de deur te woord gestaan. Je leverde je collectebus in, werd hartelijk bedankt en mocht direct naar huis. De Goodwill was daarentegen één grote familie, een hechte gemeenschap. Mevrouw Thijssen deed bij ons vaak de avonddienst, die maakte voor iedereen beschuitjes. Er viel meer te beleven: dan kwam dronken Toontje ineens binnenvallen of ome Henk, er gebeurde altijd wel wat geks. De onderlinge band was heel sterk, ik betrok iedereen heel dicht bij het werk. Ik vertelde wat ik ging kopen van het Strijdkreten-geld, overlegde waar we nieuwe bedden zouden kopen... Dat gaat tegenwoordig allemaal via speciale commissies.

Ik woonde daar natuurlijk ook alleen, hoefde voor mijn gevoel niet voor twaalven in bed te liggen. Als alleenstaande kon ik me veel meer permitteren dan anderen. De kapitein, die met zijn vrouw boven de zaal in de Gerard Doustraat woonde, wilde liever rustig samen thuis zijn 's avonds. Voor een Leger des Heils-gezin met kinderen gold dat natuurlijk nog sterker. Daar is ook niks verkeerds aan, maar ik was jong, gezond en sterk en ik zat graag beneden op kantoor.

Jans woonde in die tijd in de Holendrechtstraat en het gebeurde heel vaak dat ze de laatste tram naar huis miste. Hoe vaak ik haar niet heb thuisgebracht. Ook mevrouw Thijssen zat altijd zo gezellig dat ze haar tram miste en die bracht ik dan ook naar huis. Dat kon allemaal, voor ons gevoel. Zo is het nu niet meer. Ik denk niet dat majoor Van Pelt, die nu de leider is van het Goodwillcentrum, 's nachts nog mensen naar huis brengt. Hij woont bovendien niet, zoals ik in mijn tijd, boven het kantoor op de Wallen, maar heeft met zijn gezin een woning in Hilversum.

Een van tante Jans' geliefde bezigheden was het sorteren van de binnengebrachte kleding die in de kelder werd opgeslagen. Onze chauffeur, broeder Frans Tinga – de vader van Koos – haalde overal kleding en dergelijke op, bestemd voor de gezinnen in nood. In het begin gingen ook daklozen die we goed kenden voor ons erop uit met de 'bungjan', een bakfiets die altijd volgeladen terugkwam met oude kleren, kinderbedjes en afgedankte kinderwagens. De kledinginzameling van het Leger des Heils bestaat nog steeds, er wordt in Nederland per jaar meer dan elf miljoen kilo opgehaald. De kleding is bestemd voor daklozen, voor mensen in landen als Polen en Roemenië en ontwikkelingslanden.

Er was heel veel hulp nodig, dat bleek wel uit alle brieven die op het centrum binnenkwamen. En het waren niet alleen vragen om materiële hulp, maar ook vaak om geestelijke bijstand:

'Zeer geachte mevrouw mejoor dame, gaarne een mantel en een sjepon en kouzen...'

'Ik ben al zes jaar weduwe en ik ben al 18 jaar ziek. Ik kom nooit buiten. Zou het mogelijk zijn, dat ik eens een paar dagen naar buiten zou kunnen gaan? Want u begrijpt, hoeveel ik ernaar verlang om er eens uit te gaan...'

'Ik kom tot u omdat ik geen andere uitweg weet, ik heb voor 'n half jaar geleden een ongeluk met lijn 10, nu loop ik op handkrukken

en loop bijna voor spot op straat zou u mij niet aan wat kleren kunnen helpen...'

'Zoud u mij misschien kunnen helpen aan wat kleding voor mijzelf en 2 kinderen plus wat babykleding die ik verwacht. En als u heeft een ledikantje met bedje. En een wagen als u dat heeft. Want ik heeft van alles niets meer...'

'Ja ik heb heel grote zorgen en zit op het ogenblik te huilen nu ik dit schrijf. Weet gewoon niet meer wat ik beginnen moet. Ben weer in verwachting voor de tweede keer. Die jongen was een zeeman en heeft nooit meer iets laten horen. Heb al zo veel spijt gehad dat ik er voor de tweede keer ingelopen bent. Ik ga in de laatste maand en dan sta ik op straat. Want mijn vader weet er gelukkig nog niets van... 's Nachts lig ik te piekeren wat moet ik toch beginnen ik weet het echt niet meer...'

'Majoor daar ik zelf een groot gezin heb. En maar een klein inkomsten heb wou ik u vragen of u mijn kan helpen aan 2 persoons-laken en slopen er boven. En lakentjes voor een ledikantje en wat luiers daar het nog 2 weken voor mijn bevallig is. En als ik alles bij elkaar geprakiseerd heb wist ik geen uitkomst meer. En nu doe ik een roepstem op u. En ik hoop dat u mijn kunt helpen. Want ik heb maar een weekloon van f 72,85. En dat met elf personen daar kan ik niets afhalen...'

Ook 's nachts en in het weekeinde ging de hulpvraag door; ik was vierentwintig uur per dag paraat. Het gebeurde meer dan eens dat midden in de nacht de telefoon ging. Dan kreeg ik bijvoorbeeld een kind aan de telefoon: 'Majoor, me moeder hep pijn in d'r harses. Ken u effe komme?'

Na tien jaar was het Goodwillcentrum bij iedereen bekend in de binnenstad. Het cafézaaltje in de Oudezijds Armsteeg hebben we jarenlang gebruikt. We wilden echter heel graag een eigen zaaltje hebben en waren naarstig op zoek naar een geschikte locatie. Eerst zijn we nog bezig geweest met een boot, die we hier voor het kantoor aan de Oudezijds Voorburgwal in het water wilden leggen. Daar waren we helemaal vol van, we hadden al een model uitgezocht en er waren al werktekeningen gemaakt. De Welstandscommissie van de gemeente wees het plan echter van de hand, omdat het niet mooi zou zijn in de gracht. Terwijl er de meest ouwe en vuile boten in lagen. Op grond van de protesten zou de gemeente onze vergunning na een jaar intrekken en dan moesten we onze boot verhuizen naar de Houthavens. Dat was voor ons veel te ver weg, daar zagen we geen brood in en daarmee was het idee voor een Legerboot weer van de baan.

We kochten een stukje grond op de Zeedijk, op de plek waar ze nu een boeddhistische tempel gaan bouwen. Die grond hebben we zelfs nog officieel gewijd, waarbij we God vroegen ons te steunen bij het bouwen van ons eigen korpszaaltje. Maar later bleek dat er ook grond te koop was op de Oudezijds Achterburgwal 45, waar een oud voddenpakhuis van houthandel Smits stond. Die grond was veel voordeliger, dus de grond op de Zeedijk verkochten we weer. Het duurde tot 1962 voordat ons eigen zaaltje op die plek aan de Oudezijds Achterburgwal, in de Ruytenburgh, openging.

Mensen vragen zich vaak af hoe het komt dat juist ik zo'n 'bekende Nederlander' ben geworden. Een van de redenen is volgens mij dat het werk in de rosse buurt van Amsterdam, toch een spectaculaire omgeving, vrijwel meteen de aandacht trok van de pers. In 1949, toen ik nog geen jaar bezig was met het vervullen van de opdracht die ik had gekregen, kwam er al een team van het blad De Spiegel naar ons toe. Een journalist en een fotograaf gingen een avond mee de binnenstad in en hebben er een artikeltje aan gewijd. Korte tijd later pikte ook Het Parool het op en kregen we een redactrice van die krant mee. De Leeuwarder Courant kwam in 1953 en zo stonden we steeds meer in de belangstelling. In de kelder van de Leuwenburgh liggen tientallen plakboeken vol met krantenknipsels, foto's, kaarten en brieven. Vooral aan de rubriek 'De Dagboekanier' in het Parool hebben we veel bekendheid te danken. Hierin werd regelmatig aandacht besteed aan het werk van het Goodwillcentrum. In een van de eerste berichten stond het verhaal van een kindje, dat ik had gevonden in een oude groentekist. Het had geen kleren, de ouders woonden in een vieze, vochtige kelder. De volgende dag werd ik bijna gek van alle telefoontjes. Iedereen bood kinderkleertjes aan, een ledikantje, eieren, het was bijna niet te doen, want ik moest al die spullen met de fiets gaan ophalen op allerlei adressen in de stad.

In 1959 kwam ik voor de eerste keer op de televisie, in het

programma 'Anders dan Anderen' van Bert Garthoff, bij de VARA. Ik kende die man helemaal niet, want ik had geen televisie en ook geen tijd om televisie te kijken. Toen ik in 1978 met werken stopte en vijfenzestig jaar was geworden, kreeg ik mijn eerste televisie cadeau, van diezelfde Bert Garthoff. Niet dat ik er vaak naar kijk, er hangt een borduurwerk voor het scherm en alleen als ik een programma echt graag wil zien of als ik een videoband wil bekijken, zet ik hem wel eens aan.

Bert Garthoff schijnt mij een tijdje te hebben gevolgd en op straat te hebben gefilmd, zonder dat ik er erg in had. Misschien dat hij in een krant eens iets over mij en het Goodwillcentrum had gelezen en dacht: 'Die moet ik in mijn programma hebben.' Daarvoor had hij eerst toestemming nodig van het Hoofdkwartier. Dat was niet zo eenvoudig. Hij heeft blijkbaar heel lang volgehouden, want zo toeschietelijk waren ze niet. Waarschijnlijk wilden ze mij in bescherming nemen, want ik had nooit iets met televisie te maken gehad. Uiteindelijk gaven ze hem toestemming, ook omdat het zo'n sympathieke en integere man was. Ik mocht van niks weten, het moest een complete verrassing zijn.

Ik kreeg in oktober 1958 een uitnodiging voor een lezing, die ik 19 februari 1959 zou moeten houden in Laren. Voor wie of voor wat, dat was mij niet helemaal duidelijk. Ik kreeg ook geen schriftelijke bevestiging, waar ik normaal gesproken altijd om vraag. Maar 'ze', wie het precies waren wist ik niet, hingen wel regelmatig aan de telefoon en beloofden dat ze me zouden komen afhalen van het station in Hilversum, want ik had in die tijd nog geen rijbewijs. 'Rare mensen,' zei ik tegen mijn medewerkers in het Goodwillcentrum. 'Zeker heel deftig of zo, dat ze denken dat ze iedereen naar hun hand kunnen zetten. Of ze zijn een beetje dom, dat ze zoiets niet zakelijk kunnen regelen.'

Ik heb mijn vriendin kapitein Werkman nog gebeld, omdat ik ergens een vaag vermoeden had dat ze iets met me van plan waren. Maar zij heeft niets losgelaten. Ik ging die avond met de trein naar Hilversum, waar inderdaad een keurige chauffeur op me stond te wachten met een mooie grote auto. 'Zie je wel, deftige mensen,' dacht ik toen ik instapte. Ik mocht achterin zitten, hoewel ik eigenlijk altijd het liefst voorin naast de chauffeur zit. Het was heel chic allemaal. 'Nou ja, dan doen ze hopelijk ook een groot bedrag in de collectebus,' dacht ik.

We reden naar het Singermuseum in Laren, waar ik nog nooit was geweest. Bij de ingang zag ik een bekende fotograaf staan,

Bert Buurman. 'Sterkte,' wenste hij me toe, maar ik begreep niet helemaal wat hij bedoelde. 'Moet jij hier ook zijn?' vroeg ik argeloos. 'Ja, ik kom voor de televisie-uitzending,' was het antwoord. Hij wist waarschijnlijk niet dat het voor mij een verrassing moest zijn.

Nog steeds had ik niet door wat er precies aan de hand was. Ik dacht dat er verschillende zaaltjes waren en dat ik in een daarvan een lezing moest geven, terwijl in een andere een televisieprogramma werd opgenomen. 'Misschien zie ik je straks nog wel,' zei ik tegen Bert Buurman. Op dat moment kwam Bert Garthoff naar me toe en nog wat VARA-medewerkers, maar ik had die hele Garthoff nog nooit gezien. Hij stelde zich voor en vertelde dat hij een televisieprogramma presenteerde. Ik begreep inmiddels dat er van een lezing helemaal geen sprake meer was. 'Straks vragen we iemand uit de zaal of hij of zij iets wil vertellen. U mag wel 'nee' zeggen, maar we vinden het leuk als u 'ja' zult zeggen.' Voor het geval ik niet had willen meewerken, hadden ze een film klaarliggen om het programma te vervangen.

In de zaal zag ik tot mijn stomme verbazing kolonel Crok zitten. 'Weet het Leger hier wel vanaf?' vroeg ik haar. 'Ja,' zei ze. 'Het Hoofdkwartier vindt het goed, als je wilt, mag je meewerken, maar als je het niet leuk vindt, mag je ook weigeren.' Ik besloot mee te werken, als het Leger het goed vond, dan vond ik het ook goed.

Zo kwam ik voor het eerst van mijn leven op een podium voor de camera terecht. Bert Garthoff had allemaal mensen uitgenodigd die mij op een of andere manier kenden. Familieleden, mijn oude vriendinnetje Tini Lambeek – die overigens afgelopen jaar op drieëntachtigjarige leeftijd is overleden –, schoolmeester Pronk uit Utrecht, Jo Manasse van Het Vrije Volk, een van de eerste journalistes die over de Goodwill had geschreven. Maar ook vrouwen uit 'het leven' in de binnenstad. Tante Coba was er, een vroegere prostituee die zich mede dankzij het Leger des Heils had bekeerd, maar ook Nellie, die nog volop in het leven zat.

Het was ergens heel gewaagd van Bert Garthoff, dat hij dit op de televisie wilde brengen. Tienduizenden mensen die het programma zagen, werden plotseling geconfronteerd met hoeren uit de 'verdorven' binnenstad. Maar het pakte heel erg goed uit. Op een gegeven moment liet ik me ontvallen dat we bij het Goodwillcentrum zo'n grote behoefte hadden aan een eigen zaaltje en aan een opvangcentrum waar dak- en thuisloze mensen konden komen om te overnachten, maar dat we daarvoor nog heel veel geld en spullen nodig hadden.

Vanaf dat moment heeft de telefoon in de regiekamer niet stil gestaan. Het begon met iemand die bedden aanbood voor het opvangcentrum, vervolgens bood iemand daarvoor de matrassen, een volgende liet telefonisch weten voor dekens te zorgen en zo ging het maar door. Op het laatst leek het wel alsof mensen tegen elkaar zaten op te bieden en elkaar in gulheid wilden overtreffen. Er keken, zo is mij later verteld, tweeëneenhalf miljoen mensen naar die uitzending. Een stofzuiger, een schilderij, een klok, twintig binnendeuren, toiletzeep, voor alle zalen een vogelkooi met vogel, een televisie, een servies, honderd blikjes leverpastei, een elektrisch broodmes, een verlichte wereldbol, blikken muurverf, een hammondorgel, een brandblusapparaat... je kon het zo gek niet bedenken of het werd aangeboden. Op een gegeven moment heb ik het gironummer van het Leger mogen noemen. Duizenden guldens zijn daarop binnengestroomd.

Het programma ging ondertussen gewoon door, ook al was de zendtijd allang voorbij. Ze hebben er bij de VARA andere programma's voor verschoven, omdat het zo'n indrukwekkende avond was.

Ik werd aan het slot van de avond met een auto van de VARA naar huis gebracht. Ze boden me nog een hotel aan, maar ik dacht: 'Ze weten in Amsterdam vast helemaal niet waar ik blijf.' Ik wist ook niet of ze de uitzending hadden gezien. Daarover waren ze door de VARA ingelicht, maar dat wist ik toen nog niet. Onderweg stopten we bij een tankstation en daar riepen ze meteen: 'Hee, dat is majoor Bosshardt van de televisie!' Het begon pas langzaam tot me door te dringen in hoeveel huiskamers ik was verschenen.

De volgende dag kon ik gewoonweg niet normaal over straat. Overal werd ik aangeklampt en stopten mensen geld in mijn handen. Het werd zelfs bij het Goodwillcentrum naar binnen gegooid. Honderden mensen belden op en zegden nog meer geld toe. Zelfs enkele prostituees kwamen geld brengen, onder wie Nellie, die in de uitzending was geweest. 'Het was de mooiste avond van mijn leven,' vertrouwde ze me toe. Het vervulde me met grote dankbaarheid en ook wel iets van trots: het was een vorm van erkenning, een bekroning op tien jaar hard werken om iets goeds van de grond te krijgen. Wat ik heel belangrijk vond, was dat de belangstelling voor ons werk ineens heel groot werd, dat resultaat was misschien nog wel mooier dan al het geld.

Voor de verbouwing van het voddenpakhuis op de Oudezijds Achterburgwal 45 was ruim anderhalve ton nodig. Op de giro van het Leger was, mede dankzij de uitzending van 'Anders dan Anderen', ruim tweeënzestigduizend gulden binnengekomen en we hadden nog eens voor vijftienduizend gulden aan spullen gekregen. Het Rijk, de provincie en de gemeente Amsterdam zegden subsidie toe en het Gemeentelijk Bureau Monumentenzorg maakte tekeningen voor de noodzakelijke restauratie. Er ontbraken nog enkele tienduizenden guldens.

Daarover kreeg ik nog een beetje ruzie met het Hoofdkwartier. De commandant van dat moment, Åhlberg, vond mijn ongebreidelde dadendrang een beetje te veel van het goede. Ik nam in zijn ogen al veel te veel mensen in dienst. 'Tien is genoeg,' oordeelde hij, maar door de uitbreiding van het werk had ik toch steeds om nieuwe aanstellingen verzocht – en die gekregen. Maar aankoop en restauratie van de Ruytenburgh ging hem te ver, omdat er nog niet genoeg geld binnen was. Ik wilde meteen aan de slag, maar volgens de commandant moest éérst al het geld bij elkaar zijn. Dat kwam vanzelf wel, daarvan was ik overtuigd, maar hij blijkbaar niet. Åhlberg was waarschijnlijk bezorgd dat ik boven mijn krachten werkte en dat het Leger des Heils op een gegeven moment zou blijven zitten met betaalde arbeidskrachten en niet afbetaalde gebouwen.

'Maar al die mensen die geld hebben gegeven en spullen, die willen dat er nu iets gebeurt!' probeerde ik hem te overreden. 'We kunnen het risico niet aanvaarden,' hield hij voet bij stuk. De tranen stonden in mijn ogen, het telefoongesprek liep hoog op. 'Dan moet u het geld maar aan de mensen teruggeven,' wierp ik hem voor de voeten. Hij dreigde zelfs met ontslag, omdat ik me kennelijk niet bij zijn beleid wilde neerleggen. 'Dan stuurt u mijn ontslagbrief maar op,' besloot ik het gesprek bijna huilend.

Die brief heb ik gelukkig nooit gekregen. Ik heb gebeden dat alles goed terecht zou komen. En dat is ook gebeurd. Ik ben maar een tijdje uit de buurt van het Hoofdkwartier gebleven, want ik wilde geen ruzie maken, dat lag niet in mijn aard. Uiteindelijk is al het benodigde geld binnengekomen en er is zelfs geld overgebleven.

Op 14 april 1962 kon ons pand officieel in gebruik worden genomen. De heer H.P. Cloeck, secretaris van de Sociale Raad in Amsterdam, verrichtte de officiële opening. Het was groot feest die dag. Commandant Palstra, die in 1960 de opvolger van Åhlberg was als leider van het Leger des Heils in Nederland, reikte mij deze dag de hoogste onderscheiding van het Leger uit, de 'Orde van de Stichter', wegens bewezen diensten.

We noemden het gebouw 'de Ruytenburgh', naar de oude patriciërsfamilie Ruytenburg uit Amsterdam, die het huis in bezit had gehad. Luitenant Wilhelm van Ruytenburg, die leefde in de eerste helft van de zeventiende eeuw, staat afgebeeld op De Nachtwacht van Rembrandt; hij is de man in het gele geborduurde pak die naast kapitein Frans Banning Cocq staat. In de hal van de Ruytenburgh hangt een reproductie, die we cadeau hebben gekregen van het Rijksmuseum.

Een zwerver heeft het schilderij op een dag gestolen, maar toen hij korte tijd later in het ziekenhuis moest worden opgenomen, werden de verpleegsters toch wel nieuwsgierig wat er in dat grote pak zat dat hij bij zich had. Daar kwam onverwachts De Nachtwacht te voorschijn! Ze kwamen erachter dat het van ons was en zo kon het schilderij zijn oude plek aan de wand weer innemen.

Op de begane grond van de Ruytenburgh kregen we eindelijk onze eigen korpszaal en er was ook ruimte voor twee zaaltjes voor de jeugd. Op de tweede en derde verdieping werd een noodopvang ingericht voor vrouwen en kinderen. Nu wordt de Ruytenburgh niet meer gebruikt als opvangcentrum. In Amsterdam-Noord is vorig jaar een nieuw centrum voor vrouwen en kinderen geopend, de Rosaburgh. Het centrum zit in dat prachtige oude Rosaklooster. Het ene deel is een sociaal pension voor dak- en thuisloze vrouwen en de tweede verdieping is ingericht als crisisopvang voor vrouwen met kinderen.

Het Goodwillcentrum is alleen maar blijven groeien. In 1970 kregen we er nog een gebouw bij: de Gastenburgh, op de Oudezijds Achterburgwal 120, voor dak- en thuisloze mannen. Inmiddels is de Gastenburgh verhuisd naar een veel groter pand, op de Oudezijds Voorburgwal 87-89. In 1991 is dit officieel geopend door prinses Margriet. Het centrum biedt zeventig slaapplaatsen voor zowel mannen als vrouwen, op gescheiden afdelingen. De grote slaapzalen waarmee we begonnen, zijn nu allang afgeschaft; er zijn kamers die door vier mensen worden gedeeld en zelfs een paar eenpersoonskamers. Vijftien bedden zijn bestemd voor ernstig zieke dak- en thuislozen, overwegend mensen die aids hebben. Zij kunnen hier permanent verblijven. In ziekenhuizen of verpleeghuizen zijn ernstig zieke verslaafden of zwervers moeilijk te handhaven. Ze hebben hun dagelijkse portie drugs nodig en als ze die niet krijgen, kunnen ze wel eens heel lastig worden, vooral als ze ook nog psychiatrische problemen hebben. In de Gastenburgh wordt daarover niet zo moeilijk gedaan. Als ze het fysiek kunnen opbrengen, mogen de zieke verslaafden even naar buiten om drugs 'te scoren' en anders krijgen ze methadon, als vervanging voor de heroïne. Ze hebben vaak nog maar kort te leven, moet je ze dan hun verslavingsroes ook nog ontnemen? Als ze in deze situatie zouden moeten afkicken, zouden ze meteen overlijden, zo verzwakt is dat lichaam. In landen als Frankrijk en Engeland is het Leger des Heils lang niet zo vooruitstrevend. Ik ben er wel trots op dat we hier in Nederland zo tolerant en sociaal zijn.

Kort voordat ik met pensioen ging, werd ons vierde gebouw geopend, het wooncentrum voor bejaarden de Goodwillburgh aan de Anne Frankstraat. Het idee een bejaardenoord voor ouderen uit de binnenstad te openen, speelde al heel lang door mijn hoofd. Ik kwam namelijk heel vaak ouderen tegen in de binnenstad die op een klein tweekamerwoninkje op driehoog bleven wonen, omdat ze niet in een bejaardenhuis in bijvoorbeeld Osdorp wilden gaan wonen. Liever trappen lopen, dan uit de binnenstad vandaan. Oude bomen moet je niet verplanten, zeggen ze wel eens en daarmee ben ik het roerend eens. Op de Geldersekade woonde een man op vierhoog, die alleen nog maar voor het raam zat, omdat hij geen trappen meer kon lopen. Volgens de dokter moest hij eigenlijk verhuizen naar een verzorgingshuis, maar dat weigerde hij. De buren zorgden een beetje voor hem en op zijn manier was hij heel tevreden.

Ik heb ook eens een ouder echtpaar geholpen aan een ruimere woning in Amsterdam-Oost. Ze zaten in de binnenstad op een piepklein kamertje, het was geen doen. Maar na een paar weken kwam die man bij me op kantoor met de vraag: 'Kunt u ervoor zorgen dat we onze oude woning terugkrijgen?' Het bleek dat ze doodongelukkig waren in hun nieuwe woning. Hij was zijn loopje door de binnenstad kwijt en zij miste het gezellige praatje met de buurvrouw. Uiteindelijk hebben ze hun ruime woning in Oost met veel plezier geruild voor een veel kleiner woninkje in hun vertrouwde binnenstad. Zo kwam ik op het idee dat er een mogelijkheid moest komen voor ouderen om in de buurt te kunnen blijven wonen.

Een gemakkelijke opgave was dat niet. Het was een project van zo'n zeven miljoen gulden, waarmee ik bijna vijf jaar ben bezig geweest. Een van de problemen was dat er nog huizen bewoond werden op het door de gemeente toegewezen terrein tussen de Anne Frankstraat, de Nieuwe Herengracht en de Rapenburgerstraat. Ik moest voor al die mensen een nette, vervangende woonruimte vinden. Daarvoor heb ik de deur platgelopen bij de Gemeentelijke Dienst Herhuisvesting en de Stedelijke Woningdienst. Bij de Stedelijke Woningdienst aan de Wibautstraat vond ik een heel slimme manier om binnen te komen zonder dat ik kon worden tegengehouden door de portier. Ik ging gewoon naar binnen aan de achterkant, bij de parkeerplaats en de fietsenstalling en kon via de kelder naar boven, rechtstreeks naar het kantoor van de directeur van Volkshuisvesting. Die heeft me overigens wel heel goed geholpen, dat moet worden gezegd.

Op het laatst waren alle bewoners vertrokken, op één man na, een diamantslijper, die nog een garage had aan de Nieuwe Herengracht, die hij niet wilde opgeven. Ik kwam hem wel eens tegen in een café op de Prinsengracht, waar ik met de Strijdkreet liep. Ik heb hem net zo lang bewerkt tot hij ergens anders een garage kocht om zijn auto te stallen. Toen pas kon de bouw beginnen.

De gemeente stond niet te trappelen om een bejaardenhof van het Leger des Heils te subsidiëren. De doelstelling van het Leger omvat immers ook evangelisatie en dat kon de gemeente niet steunen. In de Goodwillburgh kwam namelijk een zaaltje voor een dagelijkse bidstond en een dienst op zondagochtend en dat werd door de gemeente gezien als een kerkelijke activiteit. Een bijdrage hebben we pas gekregen toen het gebouw al bijna af was, opdat we de huurprijs een beetje konden drukken. Het gebouw zelf is voor het overgrote deel door het Leger des Heils zelf betaald uit collectegelden.

Mensen denken wel eens dat het gebouw er alleen maar is voor bejaarde Legermensen, maar dat is niet waar. Mezelf meegerekend wonen er maar acht mensen van het Leger en verder allemaal ouderen uit de binnenstad, iedereen kan zich inschrijven. Het was toentertijd al een heel modern gebouw, met een ruime binnentuin, zelfstandige tweekamerwoningen en een goede service. Na de renovatie van twee jaar geleden is het helemaal aangepast aan de eisen van deze tijd. Bij de opening, op 13 september 1975, ontving ik de zilveren eremedaille voor bijzondere verdiensten van de Stad Amsterdam, uit handen van de toenmalige burgemeester Samkalden. De verhouding met de gemeente was gelukkig weer als vanouds.

De groei van het Goodwillcentrum ging gelijk op met de groei van mijn eigen populariteit. Sinds de televisie-uitzending bij Bert Garthoff was ik een heuse 'bekende Nederlander' geworden. Het succes van het Goodwillcentrum is mede daaraan te danken. Ik werd steeds meer gevraagd voor lezingen en televisieprogramma's, maar ik werd pas echt bekend – zelfs tot in het buitenland – in 1965, toen ik een avond op stap ging door Amsterdam met een heel bijzondere vrouw.

Hoofdstuk 5

'Met Beatrix de straat op:
"Na morgen kan het nooit meer"'

'Koningin van de Zeedijk', dat was de eervolle bijnaam van de waardin van café 't Mandje op de Zeedijk, Bet van Beeren, bij wie ik vaak kwam. Onder die titel is in 1977, tien jaar na haar overlijden, een boekje over Bet van Beeren verschenen, waarin allerlei vrienden en bekenden – zoals Hermine Heijermans, Bets broers en zussen, de acteur Albert Mol en ik – over hun ervaringen met Bet een verhaal hebben geschreven. Ook ik heb de bijnaam 'koningin' wel eens gekregen. 'Koningin van de Wallen', 'een koningin zonder royalty'. Hooggeplaatst heb ik mij echter nooit gevoeld. Ik heb het geluk gehad leden van de koninklijke familie te mogen ontmoeten en ik moet zeggen: je hoeft op deze mensen niet jaloers te zijn. Ze hebben een mooie auto, maar kunnen nooit eens uitstappen waar ze willen.

Kort na de uitzending van 'Anders dan Anderen' ben ik, in september 1960, uitgenodigd bij koningin Juliana in het Paleis op de Dam. Een paar mensen uit de stad mochten hier iets over hun sociale werk in de buurt komen vertellen en ik was de laatste van het groepje. Van tevoren was mij verteld dat het gesprek maar twintig minuten mocht duren, maar het liep nogal uit. Juliana had zich heel goed voorbereid op ons gesprek, dat was aan alles te merken. Ze vroeg van alles over het werk van het Leger, we dronken thee en letten helemaal niet op de tijd. Omdat het zo gezellig was, zei ik haar op een gegeven moment: 'Wat leuk toch, dat u zo gewoon bent gebleven.' Daar was ze nogal verontwaardigd over: 'Hoezo gewoon, ik ben toch ook maar een gewone vrouw, wat had u dan voor ongewoons verwacht?' reageerde ze licht gepikeerd.

Met Juliana heb ik altijd een heel goed contact gehouden. De laatste tijd is dat echter veel minder, ze is nu hoogbejaard. Een paar jaar geleden schreef ze me voor het laatst: 'Je moet maar niet meer schrijven, want ik kan alle post niet meer beantwoorden.' Ik denk dat ze een beetje hetzelfde probleem heeft als ik: dagelijks stapels post en je schuldig voelen als je niet iedereen persoonlijk terugschrijft. Nu stuur ik prins Bernard nog wel eens een kaartje en laat ik de groeten overbrengen aan zijn vrouw.

Met Beatrix heb ik, na onze tocht door donker Amsterdam, een speciale band gehouden. Niet dat we elkaar vaak zagen, maar ik heb toch jarenlang een persoonlijke kerstgroet van haar en prins Claus gekregen, die ik nog altijd in mijn boekenkast heb staan. Het bezoek van Beatrix aan het Leger des Heils, in 1965, is wereld-nieuws geweest. Men vond het blijkbaar heel erg bijzonder, dat een kroonprinses incognito de rosse buurt had bezocht. Ik stond daar op dat moment helemaal niet zo bij stil, maar besefte pas later dat het toch een unieke gebeurtenis is geweest.

Toen Beatrix een jaar of negentien was en studeerde in Leiden, het zal eind jaren '50 zijn geweest, kreeg ik een uitnodiging van een vereniging van vrouwelijke studenten in Leiden, om eens wat te komen vertellen over mijn werk bij het Leger des Heils in het algemeen en het Goodwillwerk in de binnenstad in het bijzonder. Vlak voordat ik zou beginnen kwam een van die dames een beetje zenuwachtig naar me toe met de mededeling: 'Prinses Beatrix zal ook in de zaal zitten, nou, doet u maar net alsof er niets aan de hand is.' Dat was natuurlijk gemakkelijker gezegd dan gedaan, maar ondanks mijn nervositeit kon ik toch mijn verhaal goed vertellen. Na de lezing ontmoette ik Beatrix en we hadden een kort, maar aardig gesprekje met elkaar.

Dat was onze eerste kennismaking. Ik zag haar in de jaren daarna nog een aantal malen. Ik kwam haar nog eens tegen op een lezing, waar het me opviel dat ze veel belangstelling voor het werk van het Leger des Heils aan de dag legde. Een volgende keer zag ik haar op een huwelijksreceptie van een meisje dat bij ons stage had gelopen. Dat bleek een vriendin van de kroonprinses te zijn. Op een avond was ik met de Strijdkreet op pad in de Spuistraat. Op een gegeven moment kwam ik binnen bij het restaurant van Nicolaas Kroese en daar trof ik haar weer. Ze nodigde mij uit aan haar tafeltje. Ik dacht dat het alleen uit beleefdheid was, dat ze zei: 'Ik zou zo graag eens met u mee willen op een rondgang door de buurt, om van dichtbij kennis te maken met uw werk.' 'Een rondgang door de buurt,' zo zei ze het letterlijk. Zoiets kon natuurlijk nooit echt. Ik zei wel tegen de prinses dat ze altijd welkom was, maar dacht tegelijkertijd: daar hoor ik nooit meer wat van.

Bovendien wist ik dat ik voor een bezoek van prinses Beatrix toestemming moest vragen aan het Hoofdkwartier. Ik ben er tegen de toenmalige commandant Palstra nog eens over begonnen, maar die zag het helemaal niet zitten. 'De prinses mee door de buurt, dat is veel te gevaarlijk,' oordeelde hij. 'Wie draagt de verantwoordelijkheid als er iets gebeurt? Stel dat een of andere gek ineens zijn pistool trekt en op Beatrix schiet. Of dat de buurt het je kwalijk neemt dat je de prinses laat zien hoe hier wordt geleefd. Straks breekt er nog een relletje uit. Nee, dat moesten we maar niet doen.' Ik vond het jammer voor haar, want ze was heel overtuigend geweest in haar belangstelling voor ons werk. Ze leek me een maatschappelijk betrokken vrouw. In haar positie kon ze moeilijk 'gewone' mensen ontmoeten, want iedereen bewaart altijd een grote afstand tegenover het koninklijk huis. In plaats van een leuk gesprek te beginnen, kijken mensen of hun schoenen wel goed zijn gepoetst, kortom, ze gedragen zich anders dan gewoonlijk.

In die tijd had je ook die toestanden met prinses Irene die katholiek werd. Daardoor dacht ik dat de koninklijke familie wel wat anders aan het hoofd zou hebben, maar op een dag belde Beatrix zelf op met de woorden: 'Ik zit eigenlijk nog een beetje te wachten op uw uitnodiging.' Ik legde haar uit dat ik moeilijk toestemming kon krijgen van het Hoofdkwartier. Toen moest ze wel lachen, want het bleek dat zij zelf ook heel moeilijk toestemming kreeg. 'Dus zelfs een prinses kan niet doen wat ze wil,' zei ik.

Koningin Juliana en prins Bernard waren niet zo enthousiast over het plan van hun dochter een bezoek te brengen aan het Goodwillcentrum. 'Als je dan toch wilt kennismaken met het werk van het Leger des Heils, kun je toch ook het kindertehuis in Apeldoorn bezoeken?' vonden ze. Maar Beatrix wist uiteindelijk toch haar zin door te drijven. Op een goede morgen werd ik gebeld door professor Schipper, de voorzitter van de Nationale Raad voor Maatschappelijk Welzijn, met de mededeling dat Hare Koninklijke Hoogheid een bezoek aan het Goodwillcentrum wilde opnemen in haar programma voor het voorjaar. Ik zou nog wel horen wanneer en waar ze zou komen. Met commandant Palstra was overeengekomen dat de Nationale Raad de verantwoording zou dragen.

Pas een paar dagen van tevoren hoorde ik de definitieve datum. Dinsdag 28 april – de verjaardag van mijn broer Henk – twee dagen voor Koninginnedag, zou Beatrix komen. Ik mocht er niet te veel ruchtbaarheid aan geven. Wat er precies zou gaan gebeuren, daarvan had ik echt geen idee. Het leek me toch wel leuk als de kinderen van onze jeugdgroep een lied voor haar zouden zingen en haar een bloemetje zouden aanbieden. De leidster van die groep had ik al gevraagd of ze iets wilde instuderen, toen nogmaals werd gebeld met de mededeling dat echt niemand mocht weten van het bezoek. Geen lied, geen bloemen, Beatrix kwam volstrekt incogito. De jeugdleidster had het echter al verteld aan de jongens en meisjes, die later op de dag moesten doen alsof er 'zomaar een juffrouw' langskwam.

Nadat ik mijn huis een beetje had opgeruimd en mijn beste uniform had aangetrokken, ging half vier de bel. Er stond een juffrouw beneden op mij te wachten. Achteraf bezien was de situatie verbijsterend. Beatrix had haar auto geparkeerd bij het Paleis op de Dam en was lopend, een koffertje in haar hand, via het drukke Damrak naar het Goodwillcentrum gekomen. En niemand die haar onderweg had herkend, omdat ze gewone burgerkleding aan had. Ook in het kantoor wist men niet beter of er was gewoon een juffrouw op bezoek die wilde kennismaken met het Leger des Heils. Ze deed alsof ze een middagje zou meedraaien op het kantoor: ze zette koffie voor de zwerver Paultje – oploskoffie van Nescafé, want ze was niet zo handig in die dingen, bekende ze later – en voor tante Riek, een vrouw 'uit het leven'. Na een uurtje kwam ze naar mijn kamer, want er was op het laatste moment afgesproken dat ze bij mij zou eten. Ik was nog snel de stad in geweest om nieuwe soepkommen te kopen, want die ik had, waren niet zo mooi meer.

De maatschappelijk werksters kwamen ook naar mijn kamer, hoewel ze niet wisten wie er bij mij op bezoek was. Beatrix stelde allerlei vragen over de problemen die zij in de buurt tegenkwamen. We praatten heel openlijk over de zwervers, alcoholisten, prostituees, de arme gezinnen en al dit soort onderwerpen. In het begin dacht ik nog even van: gut, ik heb de prinses in huis, maar het was al snel gewoon. We hebben met z'n tweeën een boterham gegeten en ik had tomatensoep gemaakt. Toen deze bescheiden maaltijd was afgesloten, heb ik haar gevraagd: 'Hoe stelt u zich dat nou voor? Ik heb begrepen dat u vanavond met mij over straat wilt, maar bent u niet bang om herkend te worden?' Want ik wist helemaal niet wat ze van plan was en of ze nog voor een bepaalde tijd thuis moest zijn. Ze kwam zelf met het voorstel wat ouderen thuis te bezoeken en een paar grote gezinnen, waarover ze had gehoord dat ze in veel te kleine woninkjes leefden. Ook leek het haar leuk met de Strijdkreet te gaan colporteren. 'Ik wil graag precies hetzelfde programma meedraaien dat u op andere avonden ook heeft,' verduidelijkte ze.

Voordat we op pad zouden gaan, deed ze haar koffertje open. Ik had me de hele tijd al afgevraagd wat ze daar nou in had. Er kwam een pruik te voorschijn, een sjaal, een bril met een donker montuur en een oude regenjas. Voor de zekerheid wilde ze zich vermommen. We hebben nog vreselijk gelachen terwijl ze zich aan het omkleden was. 'Zit die pruik wel recht, staat die sjaal niet een beetje raar?' Naar later bleek, was die vermomming toch niet goed genoeg.

Na een kort bezoek aan het kinderkoor in het korpszaaltje van de Ruytenburgh op de Oudezijds Achterburgwal, waarbij de kinderen dus moesten doen alsof er niets aan de hand was, gingen we op visite bij een gezin met vijf kinderen. Het toeval wilde dat een van die kinderen lid was van onze jeugdgroep. Dat jongetje wist dus dat 'die juffrouw' prinses Beatrix moest zijn. Hij kwam binnenhollen toen wij er al waren en fluisterde zijn moeder enthousiast in het oor: 'Dat is prinses Beatrix!' waarop zijn moeder hem een draai om de oren gaf en hem naar bed stuurde met zijn rare praatjes. Dat zal ze de volgende dag, toen ze De Telegraaf zag en bleek hoezeer haar zoontje gelijk had gehad, wel weer hebben goedgemaakt.

Op straat herkende niemand de prinses. Er moet een wereld voor haar zijn opengegaan, maar ze gedroeg zich gelukkig heel normaal. Terwijl we toch langs de sex-shops en de raamprostituees kwamen, die ze waarschijnlijk nooit van haar leven had gezien. Ze zei alleen: 'Ik heb er veel over gelezen, maar nu ik het zo zie, is het toch weer wat anders...'

In de Koestraat bezochten we het gezin Wong, met vijf kinderen, die op een tweekamerwoninkje zaten. De moeder, Marietje, liet ons de bekrompen toestand zien waarin haar gezin moest leven en de plek waar haar kinderen moesten slapen. Zij was een voormalige prostituee, die samenwoonde met een oudere Chinese man. Ze zijn pas later getrouwd, hoewel ze geen woord met elkaar konden wisselen. Prachtige kinderen hadden ze, half Nederlands, half Chinees. Een van die meisjes, Chefa, zie ik nog wel eens. Ze woont nu samen met een vriendin in Oud-West. Met haar moeder Marietje ging het helaas niet zo erg goed. Ze was ziekelijk en is later ook blind geworden. Ze kon door die ziektes nooit ergens heen, dus toen Chefa eindexamen deed en haar diploma kreeg, ben ik naar de uitreiking geweest.

In de Spinhuissteeg bezochten we een gezin met zes kinderen van wie net de dochter Lidy jarig was. Bij dit gezin heeft de prinses die avond voorgelezen uit de kinderbijbel. Ik heb zelf het gebed gedaan, want dat leek me voor Beatrix een te moeilijke opgave als je niet gewend bent om hardop te bidden.

Na nog een bezoekje aan een bejaard echtpaar, het was inmiddels over negenen, vond ik het tijd met de Strijdkretenverkoop te beginnen. De prinses wilde alles zien, dus ik nam haar mee naar verschillende cafés en een paar bordelen. Op de hoek van de Stoofsteeg was een café-logement waar we niet naar binnen mochten. Ze hadden die avond denk ik niet zo best verdiend en waren slecht gehumeurd. Maar de volgende dag, toen de kroegbazin in de krant had gelezen wie ik die avond bij me had, kwam ze naar me toe: 'Nooit stuur ik jullie weg, en nou had je uitgerekend de prinses bij je! Ik heb er zo'n vreselijke spijt van.' De prinses vond het eerder verrassend dat we in alle andere etablissementen wel werden binnengelaten. In een cafeetje bij het Rusland werden we onthaald door de eigenaar, die wel zin had in een praatje met mij en 'die aardige juffrouw'. Beatrix leek net een echte stagiaire, ze was zelfs beter dan sommige stagiaires die ik heb gehad en praatte zonder schroom met ons mee over de buurt, de hoeren en over het geloof. Ze had zo heilssoldate kunnen worden.

Ook in de bordelen was Beatrix niet verlegen. Speciaal voor haar vroeg ik deze avond wat meer door bij de meisjes, over het hoe en waarom van hun werk als prostituee. De ene vertelde over haar kind, waarvoor ze veel geld nodig had dat ze op deze manier moest verdienen. Een ander vertelde dat ze eigenlijk bij toeval in de prostitutie was beland. Ze wilde er wel weer uitstappen, maar dat kwam er steeds niet van. Er waren ook meisjes die dit werk voor hun vriend deden en vonden dat het gewoon een makkelijke manier van veel geld verdienen was. Het was bewonderenswaardig, hoe Beatrix zo openlijk met deze vrouwen kon praten. Ze vond het ontzettend interessant, wat vanuit haar positie wel is te verklaren, want normaal gesproken kwam ze nooit met deze mensen in contact.

In de cafés verkochten we de Strijdkreet, op dezelfde manier zoals ik dat altijd doe als iemand in burger met me mee gaat. Omdat ik in uniform ben, begin ik achter in de zaak, want dan heeft iedereen al gezien dat iemand van het Leger des Heils binnen is. Beatrix begon steeds vooraan in de zaak. Ze stevende gewoon op de cafébezoekers af met de woorden: 'Wilt u ook een Strijdkreet kopen voor het Leger des Heils?' En als iemand hem kocht, zei ze erbij dat hij het blad wel goed moest lezen, want er stonden heel interessante dingen in. Natuurlijk kreeg ze ook allerlei opmerkingen naar haar hoofd. Zo van: 'De Strijdkreet kost helemaal geen kwartje hoor, pas maar op, anders krijgt u nog ruzie met de majoor.' Een ander vroeg: 'Wat zonde dat zo'n mooi meisje als jij bij het Leger des Heils zit. Ben je morgen vrij, ik wil wel eens met je gaan stappen. Of overmorgen, dan is het Koninginnedag.' Ze reageerde daar heel pittig op, door te zeggen dat ze dat eerst aan de majoor moest vragen. 'Ik ben er nog maar pas bij, ik weet niet of ik morgen wel vrij ben.'

Ze voelde zich heel erg op haar gemak, dat kwam ook omdat niemand haar herkende. We liepen vrolijk kletsend, gearmd over straat. We hadden het over de bijzondere positie waarin een prinses verkeert, dat het moeilijk is je in die positie te wijden aan praktisch sociaal werk en dat je nooit eens alleen op stap kunt gaan. Pas achteraf heb ik gehoord dat er twee rechercheurs ongemerkt achter ons aan liepen, om toch een oogje in het zeil te houden. In de Voetboogsteeg zijn we die, zonder dat we dat zelf wisten, kwijtgeraakt. We gingen daar de club Jamaica binnen, van Gerrie Pelser, een besloten café voor homoseksuelen. Gerrie Pelser was een bekende in de wielerwereld. Hij reed op zo'n motor, een zogenaamde derny, voor de wielrenners uit op de wielerbaan, ik ben later nog wel eens naar hem gaan kijken op de wielerbaan in Sloten.

Die twee rechercheurs werden niet toegelaten bij Jamaica, omdat ze geen lid waren. Ze hebben nog gevraagd of ze dan lid konden worden voor één avond, maar dat was niet toegestaan. Via een zijdeur in dat café kwam je weer terecht in een andere kroeg, met een uitgang aan de Handboogsteeg. De rechercheurs, die voor de deur in de Voetboogsteeg op ons stonden te wachten, hebben ons daardoor die avond niet meer gezien. Maar daar had ik op dat moment allemaal geen weet van.

Ik besloot nog even met Beatrix naar de Spuistraat te gaan, naar café Hoppe, Zwart en de Koningshut, want daar was het altijd lekker druk. Ik was even uit het oog verloren dat dat allemaal echte journalistencafés waren. Achteraf misschien stom, maar ook wel weer leuk, want anders was het geheime bezoek van Beatrix misschien wel voor altijd geheim gebleven.

In café Hoppe was het zoals altijd stampvol. Ik liep weer helemaal naar achteren toe en de prinses begon voorin de Strijd-kreet te verkopen. Na een tijdje zag ik dat er voorin wat deining ontstond. Nou had ik daar de fotograaf Nico Koster al zien zitten met een andere man, die ik niet direct herkende. Deze stond haastig op van zijn kruk, rende naar buiten en bij de ingang werd het rumoerig. Nou gaan we het krijgen, dacht ik verontrust. Ik liep terug naar voren en zei tegen Beatrix: 'We moesten maar eens gaan.' Daar had ze helemaal nog geen zin in. 'Ik ben nog niet klaar,' zei ze verbaasd. Toen ik aandrong begreep ze wel dat het niet goed zat. Een van de mannen merkte op: 'Als de majoor zegt dat je moet gaan, moet je gaan meisje.' Door de zijdeur gingen we naar een ander deel van het café, de zogenaamde 'zit-Hoppe'. Op dat moment zag ik de man weer binnenkomen die even daarvoor naar buiten was gerend, maar nu had hij een fototoestel om zijn nek.

'Dat is Peter Zonneveld!' schrok Beatrix toen ze hem zag. 'Hij zit me overal achterna. Die man zou me bij wijze van spreken nog aan mijn benen kunnen herkennen. Maakt u zich geen illusies, morgen staat onze foto in de krant.' Ik stelde voor de tocht hier maar te beëindigen en naar huis te gaan, er was nog geen foto gemaakt en we konden Zonneveld misschien nog ontlopen. Maar Beatrix wilde van geen ophouden horen. 'Na morgen kan het nooit meer,' zei ze. Daar had ze natuurlijk gelijk in. Ze had de avond van haar leven, ze voelde zich in mijn gezelschap volkomen vrij. Omdat de mensen dachten dat zij bij het Leger des Heils hoorde, kon ze ook op een gelijk niveau met hen praten, van mens tot mens. Maar nu zat die Peter Zonneveld achter ons aan. Hij kreeg samen met Nico Koster nog bijna ruzie met de eigenaar, die ik altijd 'meneer Hoppe' noemde. Hij wilde niet dat binnen werd gefotografeerd. 'Ja, maar Bosshardt is binnen met Beatrix!' riepen de fotografen opgewonden, een opmerking die slechts hoongelach opwekte. Maar ze hadden gelijk...

Wij waren ondertussen via de andere uitgang naar buiten gegaan en liepen een beetje doelloos rond, over het Singel, langs de Munt en door de Reguliersbreestraat. Toen we weer terugliepen via het Singel, liepen we Zonneveld recht in de armen, bij de sigarenwinkel op de hoek bij de Bloemenmarkt. Hij maakte de foto van zijn leven. 'Waarom moet dat nou?' vroeg ik. 'U verkoopt Strijdkreten, ik maak foto's,' antwoordde hij. 'Dat is nu eenmaal mijn vak.' Waarin ik hem ook geen ongelijk kon geven. Zonneveld en Koster bleven maar achter ons aanlopen. In de Doelenstraat passeerde een taxi. 'Die nemen we,' besloot ik. Vreemd genoeg zagen ze niet dat wij in die taxi sprongen, waarschijnlijk omdat op dat moment net een andere auto passeerde. We hadden allebei nog een paar gulden bij ons en vroegen de chauffeur of hij zomaar wat rondjes wilde rijden voor dat geld, omdat we last hadden van een paar mannen. 'Maar majoor, u bent toch helemaal niet zo bang uitgevallen?' vroeg hij verbaasd. 'Nee, ik niet, maar de juffrouw die ik bij me heb is vanavond voor het eerst mee en ze vindt het heel vervelend,' gaf ik maar als antwoord. Zonneveld en Koster kwamen waarschijnlijk tot de conclusie dat wij het Binnengasthuis waren ingegaan. Ze hebben daar, zo bleek later, uren voor de deur staan wachten. Sommige kranten hebben, voordat ik op Koninginnedag een persconferentie hield, geschreven dat Beatrix en ik er samen op een fiets vandoor waren gegaan. Anderen schreven dat we de collectebus hadden opengebroken om een taxi te kunnen betalen – iets dat echt ondenkbaar is. Volgens weer een andere krant hadden we ons verstopt in het Binnengasthuis en waren we ontsnapt door ons op brancards te laten wegdragen. De menselijke fantasie kent soms geen grenzen.

Beatrix wilde nog steeds niet stoppen, hoewel het al tegen half twaalf was. Maar ik wist niet zo goed waar ik met haar naartoe moest gaan. Ik dacht dat de fotografen wel naar de Zeedijk zouden gaan, naar café 't Mandje en andere bekende kroegen waar ik vaak kwam. Later hoorde ik van Bet van Beeren van 't Mandje dat ze diep beledigd was, dat ik niet samen met Beatrix was langs geweest. Terwijl Bet heel erg koningsgezind was. 'Zeker omdat ik lesbisch ben,' zei ze boos. 'Hoeren en pooiers mag de prinses wel ontmoeten, maar een lesbische vrouw is zeker een schande?' Dat was echt niet waar. We waren tenslotte ook in dat homocafé in de Voetboogsteeg geweest. Ik had van tevoren wel bedacht dat 't Mandje misschien niet zo geschikt was om naartoe te gaan, want als iemand de prinses zou herkennen had Bet haar mond toch niet kunnen houden. Maar het ging op dat moment vooral om het ontlopen van die fotografen.

De chauffeur zette ons af op de Kromboomssloot, waar de familie Tinga woonde, een gezin dat ik al een jaar of tien goed kende. Frans Tinga reed altijd een bestelauto voor het Goodwillcentrum en woont tegenwoordig net zoals ik in de Goodwillburgh. Toen ik met Beatrix boven kwam, heb ik eerlijk verteld dat ik de prinses bij me had, omdat ik wist dat dit betrouwbare mensen waren. Frans en zijn vrouw Roos hadden twee kinderen, Koos en Ruud, die toen nog thuis woonden. Het Leger des Heils had in dit gezin ook een meisje geplaatst van een jaar of zestien, Bep, een aanstaande ongehuwde moeder. Dat deed het Leger wel vaker, want zo'n meisje is weer te jong om in het opvanghuis te wonen, tussen al die door de wol geverfde vrouwen. Koos, die later met zijn vrouw Hennie in de Leuwenburgh kwam wonen, zat op dat moment in militaire dienst en Rudi was geloof ik de hond aan het uitlaten, maar Bep was thuis en vertelde de prinses haar levensverhaal, waardoor zij erg ontroerd raakte. Frans Tinga, onze Legerchauffeur, heeft na afloop nog gebeden voor Bep en voor de prinses. Bep heeft later een dochtertje gekregen, Vera. Ik heb Bep een beetje uit het oog verloren. Ze kreeg een relatie met een Turkse jongen en heeft nog een paar kinderen gekregen, die ze bij mijn weten wel altijd bij zich heeft mogen houden. Het bleef echter wel een zorgelijk geheel. Vera heeft eerst nog bij Frans en Roos Tinga gewoond en is daarna nog in een pleeggezin geweest in Heerde, bij een vrouw die ook altijd aan onze kinderkampen meewerkte. Toen Vera een puber werd, is ze daar weggelopen en hoe het precies met haar is afgelopen, zou ik niet kunnen zeggen.

Na het bezoek aan de Tinga's zijn Beatrix en ik nog langs een paar kleinere cafeetjes gegaan, in de Monnikenstraat, de Bloedstraat en de Barndesteeg, nog even op de Oudezijds Achterburgwal en de Voorburgwal, maar niet meer naar de bekende gelegenheden. Om een uur of half twee kwamen we bij het Goodwillcentrum terug, en daar stonden die Zonneveld en Koster weer. Nog steeds met zijn tweeën. Ik had gedacht dat ze al hun collega's wel opgetrommeld zouden hebben. Maar dat was natuurlijk niet zo, ze wilden de primeur hebben, daar had ik niet meteen aan gedacht. Ze vroegen of ze met ons mee naar binnen mochten en wezen op de prinses: 'Dat vrouwtje mag ook wel bij ons slapen hoor, als ze geen onderdak heeft.' Ze vroegen vreemd genoeg niet of het Beatrix was. Ik zei ze dat ik zelf wel onderdak voor de juffrouw zou regelen en dat zij buiten moesten blijven. 'Op dit tijdstip mag ik geen mannen meer binnenlaten,' grapte ik.

Het was nog een probleem hoe Beatrix weer naar huis moest. Haar auto was inmiddels vanaf de Dam naar het Goodwillcentrum gebracht en door de rechercheurs, die ons hadden gevolgd maar waren kwijtgeraakt, voorzien van een ander nummerbord. Het zou namelijk te veel opvallen als er de halve nacht een koninklijk AA-kenteken voor de deur had gestaan. Maar de prinses durfde niet te gaan rijden met dat gewone nummerbord. 'Als er dan iets gebeurt, zit ik echt in de problemen,' legde ze uit. Het was nog een heel gedoe om onopgemerkt die nummerplaten weer te verwisselen. Het liep al tegen drieën toen Beatrix op weg kon naar huis. Krap een uur later, ik was net in slaap gevallen, ging de telefoon. Ik werd opgebeld door Jo Manasse, de Parijse correspondente van Het Vrije Volk, een vriendin van me die ook nog in de uitzending 'Anders dan Anderen' is geweest. Of ik op stap was geweest met de kroonprinses? Ze vroeg het namens Peter Zonneveld, die zijn foto's had afgeleverd bij De Telegraaf. Ik heb haar vraag niet met ja of nee beantwoord. Er bestond op de redactie van de krant nog onzekerheid over de vraag of het nu wel of niet Beatrix was. Zonneveld was er zelf van overtuigd, maar ze hadden een bevestiging nodig. Na mijn telefoontje met Jo Manasse belde ze De Telegraaf terug met de woorden: 'Majoor Bosshardt zegt geen ja, maar ze ontkent het ook niet, dus ik zou die foto maar plaatsen.' Dus de volgende dag stond de foto van Beatrix, die gearmd met mij door de binnenstad loopt, groot in de krant.

Die ochtend had je natuurlijk de poppen aan het dansen zodra de krant bij iedereen in de bus was gevallen. De telefoon stond werkelijk roodgloeiend en er kwamen allerlei journalisten aan de deur. Iedereen wilde weten of het waar was. Beatrix had me daar al op gewezen: 'Je bent er nog niet klaar mee,' had ze gezegd. We hadden samenzweerderig afgesproken dat we geen van beiden commentaar zouden geven. 's Middags moest ik nog voor een lezing naar Doorn, in een bejaardenhuis dat toevallig het Beatrixhuis heette. Daar was het ook het gesprek van de dag. Maar ik liet nog niets los. Het paleis belde me daar op, met de vraag of ik de volgende dag niet alsnog een persconferentie wilde geven voor de radio en televisie. De volgende ochtend kwamen talloze journalisten naar mijn woning in het Goodwillcentrum, waar ik vertelde over mijn Amsterdam-avontuur met de kroonprinses. De uitzending was 's avonds, op Koninginnedag, op televisie. Bert Garthoff was er ook nog, met zijn vrouw Lies, daar heb ik nog foto's van. Ik weet nog dat er veel journalisten waren die wilden weten of ik Peter Zonneveld echt niet van tevoren had gewaarschuwd. Maar ik kende hem niet eens persoonlijk! Bovendien wist ik van tevoren niet naar welke cafés ik zou gaan met Beatrix, we waren maar wat aan het avonturieren.

De foto van Peter Zonneveld is echt de hele wereld overgegaan. Pas jaren later, ik denk dat het al 1980 was, heb ik de foto van hem cadeau gekregen en kon ik hem, mooi ingelijst, in mijn boekenkast zetten. Toen Beatrix in januari 1998 zestig jaar werd, stond de foto uitvergroot op de Dam, dat vond ik toch wel heel mooi, dat al die hooggeplaatste gasten dat nog eens konden zien. Zonneveld heeft me verteld dat hij die avond de mooiste foto van zijn leven heeft gemaakt. Hij zat in café Hoppe zijn vrijgezellenavond te vieren, hij zou de volgende dag trouwen. Op zijn bruiloft heeft hij natuurlijk nergens anders over gesproken. 'Zeg nooit dat iets niet waar kan zijn,' was de wijze les die hij als fotograaf aan de gebeurtenis overhield. 'Beatrix loopt op straat met majoor Bosshardt en verkoopt Strijdkreten. Het lijkt zo onwaarschijnlijk, maar toch wist ik zeker dat zij het was.' Onlangs kwam ik bij café Dante in de Spuistraat, waar ik door een van de obers werd aangesproken. Het bleek de zoon van Peter Zonneveld te zijn. De wereld is toch maar klein.

Het bezoek van Beatrix heeft het Goodwillcentrum veel goed gedaan. Voor haarzelf was het ook heel goed, mensen hadden veel bewondering voor wat ze had gedaan. Er sprak een stuk betrokkenheid uit dat heel positief werd gewaardeerd. Ze was niet alleen maatschappelijk betrokken, maar ook heel gelovig, bleek die avond. Om met mij en anderen over God te praten op een manier waarop ze dat normaal gesproken nooit kon doen, dat had haar erg geraakt.

Ruim twee maanden na onze ontmoeting in Amsterdam werd haar verloving met prins Claus bekendgemaakt. In het Havengebouw aan het IJ was ik een van de genodigden die het koninklijke stel als eersten mochten feliciteren. Ik vond het heel erg naar voor haar dat ze haar huwelijk met prins Claus niet rustig kon vieren in Amsterdam. Ze trouwden in 1966, een jaar na haar geheime bezoek aan de binnenstad. Al die rellen die in de stad uitbraken, de brandbommen en scheldpartijen op Claus... Vanaf die tijd is het eigenlijk misgegaan in Amsterdam, vooral in de binnenstad. De hippies die op de Dam sliepen waren op zich geen slechte mensen, hoewel ze er toen door de mariniers uit Den Helder nog met grof geweld afgeslagen zijn. De hippies probeerden ook de Wallen tot hun domein te maken, maar de prostituees en hun souteneurs zaten natuurlijk helemaal niet te wachten op hasj rokende jongeren die beslist geen potentiële klanten waren. Het kwam wel voor dat de souteneurs knokploegen vormden, die die jongeren de binnenstad hebben uitgeslagen. De politie hield die knokploegen ook niet actief tegen. De sfeer in de buurt werd heel agressief en gewelddadig, er brak duidelijk een ander tijdperk aan. Voor die tijd werden er wel drugs gebruikt in de binnenstad, maar eigenlijk alleen door de Chinezen. De Chinese gemeenschap leefde erg op zichzelf en van het bestaan van de 'opiumkits' wist niemand wat af. De politie had in die tijd zelfs geen idee wat het was, opium, zo heeft de toenmalige rechercheur Appie Baantjer me wel eens bekend. Daarin kwam eind jaren '60 verandering. Het werd een tijdperk van drugs en harde criminaliteit, die in de jaren '70 en '80 de buurt een nog slechtere naam bezorgden dan hij al had.

De uitspraak van Beatrix: 'Na morgen kan het nooit meer', bleek ook in dat opzicht van voorspellende waarde. Na al die rellen en toestanden had Beatrix ook nooit meer toestemming gekregen voor een bezoek aan de binnenstad, ook al was ze in een nog betere vermomming gegaan. Ik ben blij dat ik haar nog voor die tijd heb kunnen laten zien waarmee het Leger des Heils bezig was en een bijdrage heb mogen leveren aan 'een van de meest waardevolle avonden van haar leven', zoals ze later meermalen heeft benadrukt.

Nu hoor je mensen wel eens over haar afstandelijkheid, maar zo ken ik haar niet. Omdat ze haar zestigste verjaardag in eigen kring wilde vieren, zou ze ineens hooghartig zijn en te ver van het volk afstaan. Dan denk ik bij mezelf: 'Mag ze alsjeblieft haar verjaardag vieren zoals ze dat zelf wil? Ze heeft het al druk genoeg met al die verplichtingen.' Ik maak het ook elk jaar opnieuw mee. Komen ze weer met voorstellen voor een groots verjaardagsfeest, maar dat wil ik echt niet. Sinds mijn vijftigste verjaardag zorg ik ervoor dat ik de deur uit ben op 8 juni. Mijn mooiste verjaardagscadeau is als ze me die hele dag eens met rust zouden laten.

Nog minstens een keer per week is er wel iemand die over mijn tocht met Beatrix door donker Amsterdam begint. In het begin ging dat van: 'Zo majoor, wie heb je vanavond weer bij je? Irene, of Claus?' Nu vragen ze nog wel eens of ik niet met prins Willem-Alexander op stap zou willen. Maar het gaat er niet om wat ik wil. Beatrix wilde het toentertijd zelf en ik vond het erg leuk, maar niet bijzonder. En hoe zouden we Willem-Alexander in een vermomming moeten krijgen?

Hoofdstuk 6

'In het leven'

In principe heb ik voor ieder mens respect. Natuurlijk vind ik ook niet iedereen even aardig. Soms hangt iemand een uur een verhaal tegen me op aan de telefoon, zodat ik denk: ik wou dat je je mond maar eens hield. Maar ik heb aan niemand een hekel. Bewondering heb ik voor mensen die trouw zijn aan zichzelf, aan hun standpunten, aan hun werk. Mensen die goed en secuur werken en hun eigen taak vervullen. Zo heb ik zelf ook altijd geprobeerd te leven en daar ben ik, al zeg ik het zelf, goed in geslaagd. Ik kijk op niemand neer en ik kijk ook tegen geen mens op, iedereen is voor God gelijk, dus ook voor mij.

Op de prostituees werd en wordt vaak nog steeds neergekeken. Nou keur ik prostitutie ook niet goed. Ik zou geen prostituee willen zijn en als ik een man had gehad, zou ik niet willen dat hij er eentje bezocht. Omgekeerd zijn er ook niet veel prostituees die in mijn plaats de Strijdkreet zouden willen gaan verkopen, maar ik meen toch te mogen zeggen dat mijn leven leuker is geweest dan dat van de meeste vrouwen uit het leven.

Vrouwen die dat werk doen, doen dit niet omdat ze de weg naar God kwijt zijn, maar omdat ze zichzelf niet kunnen aanpassen in hun rol als vrouw, is altijd mijn opvatting geweest. Het is niet Gods bedoeling geweest dat een vrouw elke dag haar seksuele diensten verleent aan tien verschillende mannen, tegen betaling en anoniem, daarvan ben ik stellig overtuigd. Noch als christen, noch als een zichzelf respecterende vrouw kan iemand haar lichaam aanbieden tegen betaling.

Prostitutie is in mijn ogen niet de ergste zonde die er is. Een zonde is een zonde, maar als je puur naar de feiten kijkt, wordt er niemand mee geschaad. De vrouw mag, als ze meerderjarig is, dat werk doen en de man gaat er vrijwillig heen en is ook niet strafbaar. Alleen de derde, die weer geld krijgt van de prostituee voor de huur van haar kamer, die is volgens de wet strafbaar. Althans, dat was vroeger zo, tegenwoordig is dat allemaal aan bepaalde regels gebonden. Als een man vroeger een paar huizen had, werd hij eerder aangepakt dan iemand die maar één vrouw voor zich had werken. Maar ze waren hoe dan ook in overtreding, terwijl de vrouw en haar klant vrijuit gingen. Een dubbele moraal, vond ik. Want als die vrouw het mag doen en die klant mag er gebruik van maken, dan moet er toch ook een plek zijn waar ze het kunnen doen, ze kunnen toch moeilijk achter een boom gaan staan? Bovendien ontvangt de Staat ook belasting van de prostituees, dus die profiteert net zo goed van andermans ontucht.

Het Leger des Heils heeft de vrouwen die als prostituee werken nooit veroordeeld, maar ze wel altijd gestimuleerd uit het prostitutieleven te stappen. Ook als ze het leven niet uit wilden of konden, gingen wij bij de vrouwen op bezoek. Ik kende ze stuk voor stuk. Bijna allemaal vonden ze het prettig te praten met iemand over gevoel en eventueel over geloof. Ik denk dat ik voor veel vrouwen een soort moederfiguur ben geweest, een vertrouwenspersoon. Een moederfiguur die in veel gevallen heeft ontbroken in het leven van die vrouwen. Geloof me, er is geen vrouw te vinden die zegt: ik vind dit een goed beroep. Ze schamen zich allemaal voor hun kinderen, als ze die hebben, of voor hun familie. Daarom nemen ze ook vaak een andere naam aan voor hun werk. Een tijd geleden kwam hier in de Goodwillburgh, waar ik woon, een vrouw binnen die ik van vroeger kende. Ze had in het leven gezeten. 'Hee, dag Kathinka!' riep ik haar toe. 'Ssst,' was het antwoord. 'Zo heet ik nu niet meer. Dat was mijn hoerennaam, nu heet ik weer gewoon Rita.'

Niemand wil als de hoer sterven. Geen vrouw wil ook dat haar kinderen in de prostitutie terechtkomen. 'Ik sla hun benen stuk als ze dat doen' en 'Ik breng ze nog liever naar het kerkhof,' zijn reacties die ik altijd heb gehoord.

Prostituees kregen zelden kinderen van een klant, omdat ze altijd condooms gebruikten. De kinderen die ze kregen, waren meestal van hun eigen man of vriend. Ze konden niet altijd goed voor hun kinderen zorgen, want sommige vrouwen waren verslaafd aan drank of drugs. Het Leger des Heils heeft vaak kinderen in een kindertehuis opgevangen of – dat gebeurde in de loop der jaren veel meer – in een pleeggezin geplaatst. Ik kreeg een keer een meisje op kantoor, dat als kind ook bij een pleegmoeder was ondergebracht, omdat haar eigen moeder in de prostitutie zat. Toen ze nog klein was en van haar pleegmoeder iets gedaan wilde krijgen, zei ze altijd: 'Als ik het niet krijg, dan ga ik wel naar m'n hoerenmoeder.'

Inmiddels was ze oud genoeg om zelfstandig te kunnen wonen en ze wilde gaan trouwen met haar vriend. Haar pleegmoeder was het daar niet mee eens. Zij was zelf inmiddels een alleenstaande vrouw en eigenlijk had ze een oogje gekregen op die vriend van haar pleegdochter. Ze probeerde hem op allerlei manieren in te palmen, maar die jongen koos toch voor de dochter. Dat kon ze niet hebben en uit boosheid nam ze de bromfiets van het meisje in beslag en ook haar spaarbankboekje en een gouden horloge. Daarover kwam dat meisje nu bij ons klagen. 'Wat moet ik nu doen?' vroeg ze. 'Niets,' antwoordde ik. En in de geest van mijn vader zei ik: 'Wat is nou een brommer, geld en een horloge? Jullie zijn allebei jong en je verdient je eigen geld, dus dan kun je gauw genoeg nieuwe spullen kopen. Trek je er maar niets van aan.'

Een van de eerste vrouwen die mede dankzij het Leger uit het leven stapte, was tante Coba, die nog in de uitzending van Bert Garthoff is geweest. Toen ik haar leerde kennen, was ze al een beetje op leeftijd, ze leeft nu al jaren niet meer. Ze werkte als prostituee in de Sint-Annadwarsstraat en woonde samen met oom Fekke op de Oudezijds Achterburgwal. Die Fekke zorgde goed voor haar, dat was best een lieve man. Ik ging vaak een praatje maken met tante Coba, ze kon heel mooi vertellen over haar leven. Van haar heb ik veel geleerd over hoe het allemaal werkte op de Wallen.

Neem bijvoorbeeld alleen al dat hele vakjargon dat ik moest leren om op een begrijpelijke manier met de vrouwen te kunnen praten. Een souteneur, van dat woord had ik echt nog nooit gehoord. Dat is hetzelfde als een 'pooier' of een 'bikker'. Maar er bestonden ook nog 'bloedpooiers', dat waren agressieve en misdadige mannen. De klant heette geen klant maar een 'bink' en dat was dan een goed betalende klant, want anders heette hij een 'vullisbakkie' of een 'boterhamzakkie', vaak een bouwvakker die 's ochtends voor werktijd langskwam en nooit veel te verteren had, hooguit een tientje. Iemand die werd 'besnuffeld', was aan zakkenrollerij ten prooi gevallen. Zelf heb ik me altijd afgevraagd waar nou de uitdrukking 'in het leven' vandaan komt. We zitten toch allemaal in het leven? Ik ben er nooit achter gekomen.

Tante Coba had wel een zekere belangstelling voor het Leger des Heils en gaf ook blijk van haar geloof in God. Op een dag zei ze: 'Je zit hier altijd maar over God te praten, nou, neem dan volgende keer maar eens een bijbel voor me mee.' Ik blij natuurlijk. 'Dan krijgt ze van mij ook echt een heel mooie bijbel, niet zo'n oude die al versleten is,' dacht ik. Een nieuwe bijbel kostte een gulden of tien, elf, dat was een heel bedrag voor die tijd, maar dat moest maar voor een keer. Voorin schreef ik een opdracht voor haar uit Johannes 3, vers 16:

'Want alzo lief heeft God de wereld gehad, dat Hij Zijn eniggeboren zoon gegeven heeft, opdat een ieder, die in Hem gelooft niet verloren ga, maar eeuwig leven hebbe.'

Met die bijbel in mijn tas ging ik opgetogen naar tante Coba in de Sint-Annadwarsstraat. 'Goh, vriendelijk bedankt,' zegt ze. 'Leuk dat je eraan hebt gedacht.' En ze gooit de bijbel zó de kachel in. 'Wat doe je nou?' riep ik haar verbijsterd toe. Ze haalde haar schouders op. 'Hij is nou toch van mij? Dan mag ik ermee doen wat ik wil. Ik was alleen maar benieuwd of je het zou doen,' antwoordde ze. Ik ben verder maar niet boos geworden, al vond ik het wel erg jammer. 'Het is je goed recht, maar dit was niet de bedoeling,' was alles wat ik zei.

Toch is tante Coba vanaf dat moment meer gaan nadenken over waar ze nu eigenlijk mee bezig was. Op een gegeven moment heeft ze zich toch bekeerd en is ze gestopt als prostituee, iets waar oom Fekke het overigens helemaal mee eens was. Ze ging zelfs bij de meisjes langs met de Strijdkreet, al heeft ze nooit een uniform willen aantrekken. Legendarisch is het verhaal over een samenkomst in ons cafézaaltje, waar het op een dag heel erg druk was. Steeds meer mensen knielden neer bij de zondaarsbank en wilden met mij bidden om vergeving te vragen aan God voor alles wat ze hadden misdaan. Op een gegeven moment stond er weer een man op die naar voren wilde lopen. Toen riep tante Coba: 'Ja jongens, zo is het wel genoeg, ze heeft voor vandaag wel met genoeg mannen gebeden, het is geen doen voor dat mens!'

Niet bij alle prostituees waren we zo welkom. Ik leerde Sylvia kennen toen ik al met pensioen was en in de buurt van het Goodwillcentrum woonde op de Oudezijds Voorburgwal 39, driehoog. Sylvia stond vlak naast de garage aan het begin van de gracht, waar ik mijn autootje mocht parkeren. Met haar had ik lange tijd moeilijkheden. Ze was altijd heel koppig tegen me, met een grauw en een snauw stuurde ze me weg als ik langskwam. Ik bleef gewoon aardig doen: dan kwam ik 's ochtends voorbij en vroeg haar vrolijk 'Heb je nog een beetje lekker verdiend gisteren?' Want ja, als ze het toch doet, kan ze er maar beter goed aan verdienen ook, vond ik. De ene keer praatte ze wel met me, de keer daarna moest ik weer wegwezen. Dat heeft jaren zo voortgeduurd.

Op een gegeven moment kwam Sylvia voor iets in het ziekenhuis terecht. Ze liet weten dat ze een bezoekje van mij zeer op prijs zou stellen. In het ziekenhuis gedroeg ze zich ineens heel anders dan op de gracht. We hadden een goed gesprek, waarbij ook het geloof ter sprake kwam. Vanaf die tijd konden we stukken beter met elkaar opschieten. Ze heeft me later verteld dat ze mede door haar religieuze gevoel de kracht kon vinden om uit het leven te stappen. Terwijl ze toch zeventien jaar als prostituee heeft gewerkt.

Het gaat momenteel heel erg goed met haar. Ze heeft de leiding gekregen over een soort beautycentrum ergens in het oosten van het land, waar ze borsten vergroten of verkleinen, neuzen corrigeren en dat soort dingen. Zelf heeft ze ook een aantal verfraaiende behandelingen laten doen en ze ziet er keurig uit. Ik ben wel eens bij haar op bezoek geweest, toen ze een voorlichtingsavond in haar eentje moest verzorgen. De anderen zullen wel gedacht hebben: 'Wat moet majoor Bosshardt hier?' want aan mij hebben ze natuurlijk geen klant. Van Sylvia mocht ik niet zeggen hoe ik haar kende, maar als de mensen een beetje nadenken... 'Ik ken Sylvia al twintig jaar,' meer zei ik niet.

Ze is nog steeds gelovig, al denk ik niet dat ze regelmatig een kerk bezoekt. Maar dat ze toch de kracht om uit het leven te stappen in het geloof vond, is voor mij heel waardevol.

Ik heb in het begin nog wel de illusie gehad dat ik de prostitutie kon bestrijden. Maar als we in een jaar vijftig meisjes uit het leven hadden geholpen, dan zaten er alweer vijftig nieuwe voor in de plaats. De kans dat het echt verdwijnt, schat ik heel laag in. Het verbieden van de prostitutie heeft naar mijn idee geen zin. Dan komt het in het illegale circuit terecht en heb je er helemaal geen controle meer over. Dat is in Engeland gebeurd en daar kwamen vervolgens ook minderjarige meisjes in de prostitutie terecht. Dergelijke misstanden heb ik in de binnenstad van Amsterdam nooit gezien. Ik zeg niet dat het nooit is voorgekomen, maar het zal uiterst sporadisch zijn.

We kwamen wel eens situaties tegen waarbij kinderen in het gezin werden misbruikt. Incest is tegenwoordig – en dat is maar goed ook – veel meer bespreekbaar en daardoor komt er veel meer naar buiten dan vroeger. Ik kende een gezin in de binnenstad met negen kinderen. Een van de dochters was een ongehuwde moeder van wel vijf kinderen. Toen het vijfde kind werd geboren, kwam pas aan het licht dat ze alle vijf door haar eigen vader waren verwekt. Dat werd ontdekt door de sociale dienst, want die vond het op een gegeven moment nogal vreemd dat die dochter nooit eens een man had die bleef hangen, of een vriend die op zijn minst eens naar zijn kind kwam vragen. De moeder van het gezin had helemaal niets in de gaten gehad. Die dacht dat haar dochter van een of andere vriend, misschien wel een zeeman, in verwachting was geraakt, die er niets mee te maken wilde hebben. Ze heeft het haar man nog vergeven ook.

Ik kende nog een meisje in de binnenstad dat twee kinderen had van haar vader. Die vader heeft, toen het bekend werd, in de gevangenis gezeten omdat dat meisje minderjarig was. Het was een heel triest geval. Een van die kindjes was blind en ging later dood, het andere kindje is verongelukt.

Met de dood werden we wel vaker geconfronteerd. Ik zal niet zo snel in tranen uitbarsten, maar één gebeurtenis staat me nog altijd helder voor de geest. Er kwam een jongen bij het Goodwillcentrum, die vroeg of wij iets voor zijn moeder konden doen. Die moeder was heel erg depressief en wilde eigenlijk zelfmoord plegen. We hadden op dat moment geen mogelijkheden om die vrouw dag en nacht opvang te bieden. Op een ochtend kort daarna werd haar dode lichaam gevonden, in het water recht voor de Leuwenburgh. Ze was heel ergens anders in de gracht gesprongen, maar met de stroming meegedreven, uitgerekend naar deze plek. Ik vond het zó erg, dat ik op de wallenkant stond te huilen van machteloosheid.

Op oudejaarsavond 1956 werd Chinese Annie vermoord. Het was de eerste van een reeks moorden die ik op de Wallen heb meegemaakt. Binnen een jaar werden ook Magere Jossie en Finse Henny vermoord, het jaar daarop vond Zwarte Judith de dood en in 1963 volgde nog de straatprostituee Zwarte Jeanne. Het zijn bijna allemaal onopgeloste moorden, die de binnenstad in rep en roer brachten en gevolgen hadden voor het leven van de prostituees. Chinese Annie was een heel mooie vrouw van tweeënderig jaar oud; ze werd wel de mooiste prostituee van Amsterdam genoemd, met haar zwarte haar en bleke gezicht waarin haar ogen een beetje oosters leken. Ze kwam echter gewoon uit de Jordaan. Chinese Annie werkte op een kamertje aan de Oudezijds Achterburgwal en in dit kamertje is ze gewurgd, maar de dader is nooit gevonden. Haar vader was helemaal over zijn toeren door de moord op zijn dochter. Hij bood al zijn spaargeld aan als beloning voor degene die de moordenaar zou kunnen aanwijzen, maar dit mocht niet baten. Er werd in de buurt veel geroddeld over de gebeurtenis en over de mogelijke dader. Was het Annies geheime minnaar geweest, of had ze een van haar klanten op zo'n manier gechanteerd dat hij geen andere uitweg meer zag dan haar de mond te snoeren? Want chantage kwam best wel eens voor, bijvoorbeeld bij getrouwde mannen die stiekem naar de hoeren gingen. Een prostituee kon van zo'n man eisen wat ze wilde, als ze hem dreigde alles aan zijn vrouw te vertellen. Maar ik geloof niet dat Chinese Annie zo was.

Magere Josje woonde precies tegenover Chinese Annie. Zij werd in augustus 1957 dood gevonden in het keldertje waar ze haar peeskamer had. Ze was net zoals Chinese Annie gewurgd. Haar dood veroorzaakte grote opschudding op de Wallen. Ik kende Magere Jos wel, was wel eens bij haar langs geweest. Josefina Oudes was haar echte naam; ze was drieënderig jaar toen ze werd vermoord. Ze is begraven op Vredenhof aan de Haarlemmerweg, waar ik de begrafenisdienst heb geleid. Ook de vader van Chinese Annie heeft nog, met een gebroken stem, op de begrafenis van Magere Josje gesproken. Veel prostituees kwamen op haar begrafenis, helemaal opgemaakt, maar omdat ze zo moesten huilen, liep alle make-up door. Die moord was, na wat er al met Chinese Annie was gebeurd, voor veel vrouwen de aanleiding om uit het leven, uit de prostitutie te stappen. Op zo'n manier aan je einde komen, als hoer, dat was zo'n beetje het ergste dat je kon bedenken.

De pers besteedde ontzettend veel aandacht aan het onderzoek naar de moord op Magere Josje. Dat was smullen voor het publiek, dat op deze manier inzicht kreeg in het reilen en zeilen op de Wallen. Het onderzoek werd geleid door rechercheur Appie Baantjer van bureau Warmoesstraat, die later furore maakte met zijn misdaadboekenreeks over politie-inspecteur De Cock. De moord op Magere Jos heeft hij dacht ik ook nog gebruikt als basis voor een van zijn boeken, zoals hij wel meer heeft geput uit zijn praktijkervaring. Het was ook net een boek, het verhaal van Magere Josje. Ook 'Schele Riek', die rechercheur Baantjer heel veel tips kon geven omdat ze een van de laatsten was die Magere Josje nog in levende lijve had gezien, heeft later, toen ze uit het leven was gegaan, een boek geschreven: *Nou en... mijn leven op de Walletjes.*

Hoofdverdachte in de moordzaak was Joop, de man van Josje, die tevens haar souteneur was. Een ander personage in het verhaal was Manke Miep, een vrouwtje met een handicap aan haar benen, die de eigenares was van het pand waar Josje werkte en woonde. Zij zou ook meer van de kwestie hebben geweten. Joop stond niet bekend als lieverdje, hij zou zijn vrouw regelmatig hebben geslagen. Maar Josje bleek weer, zonder dat haar man het wist, allerlei vriendjes te hebben. Joop, die werd bijgestaan door een heel goede advocaat, werd aanvankelijk veroordeeld tot acht jaar gevangenis-straf, maar het Gerechtshof sprak hem in hoger beroep uiteindelijk vrij wegens onvoldoende bewijs. Joop hield altijd bij hoog en laag vol dat hij onschuldig was, maar dit werd in het wereldje op de Wallen in twijfel getrokken. Hij heeft nog jarenlang in Amsterdam rondgelopen met zijn handel in groente en fruit.

Met het verloop van het proces hield ik mij niet zo veel bezig. Wat allemaal in de krant stond kwam niet altijd overeen met wat wij op straat hoorden, er werd zo veel gezegd. Een gevolg van de zaak, die zeker drie jaar duurde, was wel dat het leven op de Wallen veranderde. Minister Beerman van Justitie eiste van de politie dat de bezem door donker Amsterdam gehaald zou worden. Bordeel-houders en souteneurs werden keihard aangepakt en ervoor in de plaats kwamen huisbazen, die de kamertjes mochten verhuren. Voor de vrouwen was dit niet altijd even goed; een souteneur kon ook gewoon een goeie man zijn, die de veiligheid van 'zijn' vrouwen in de gaten hield. Bovendien waren die vrouwen ook niet allemaal even netjes. Ze konden hun man chanteren door te dreigen dat ze hem zouden aangeven als souteneur, dan waren ze voor een paar maanden van hem af. Op de vrouwen werd ook veel meer gelet. Straatprostituees werden opgepakt, net zoals raamprostituees die in de ogen van de politie te aanstootgevend gekleed – of juist niet gekleed – gingen.

Wat op een gegeven moment wel grappig was: de politie eiste dat de vrouwen achter gordijnen zouden gaan zitten. De actie 'Gordijnen dicht' noemden we dat. Maar alle raamprostituees kochten op een gegeven moment in een winkeltje op de Zeedijk allemaal van die dunne kaasdoeken stof, waar je heel goed doorheen kon kijken. Toen de rust een beetje was weergekeerd, heeft de politie de actie afgeblazen en het allemaal maar zo gelaten als het was.

Nog geen jaar na Magere Josje werd Finse Henny vermoord. Zij was met een Noorse matroos op stap gegaan en nadat ze wat hadden gedronken, kwamen ze terecht op het kamertje van Finse Henny, boven het café van tante Alie, De Haven van Texel, in de Sint-Olofssteeg. Om ons onbekende redenen kreeg hij ruzie met haar en hield zijn handen om haar keel tot zij bewusteloos was. Daarna sloeg hij een lege drankfles stuk en met de scherpe randen van deze kapotte fles stak hij in haar hals. Toen ze door alle bloedverlies was gestorven, wilde hij haar vervolgens uit het raam in het water van de gracht gooien. Dat kon, want De Haven van Texel staat direct aan het water van de Oudezijds Kolk. Finse Henny viel echter niet in het water, maar met een doffe plof op de aanlegsteiger die daar tegen het pand aan in het water was gebouwd. Tante Alie had de klap gehoord en stuurde iemand om te gaan kijken wat het was. Het was een intriest gezicht. Wij waren er als een van de eersten bij, want De Haven van Texel staat op een steenworp afstand van de Leuwenburgh. Henny zat al jaren in de prostitutie en kwam uit een groot, degelijk luthers gezin uit Finland. Ik heb haar ouders nog een brief geschreven en contact opgenomen met het Leger des Heils in Finland, dat ook steun heeft gegeven aan die ouders.

Ik werd ook nu weer gevraagd de begrafenis te leiden. Dat deed het Leger des Heils vrij vaak, want anders kregen overleden prostituees en zwervers van wie geen familie bekend was een gemeentebegrafenis en werd er bij het graf niet over God gesproken. Wij konden nog vertellen dat God iedereen liefheeft, dus ook deze man of deze vrouw. Op de begrafenis van Finse Henny heb ik tegen de talrijk aanwezige prostituees gezegd: 'Luister, dit kan niet de bedoeling zijn van jullie leven. Dat je in de prostitutie zit en door een moord aan je einde komt. Ik geloof niet dat wij mogen oordelen wie wel in Gods genade deelt en wie niet, daarover oordeelt alleen God. Maar de dood van Finse Henny is toch direct of indirect het gevolg van de zonde. Zij heeft, als God het wil, nu het eeuwige leven. Maar als God haar genade schenkt, zal hij dat ook aan de moordenaar doen, die nu in de gevangenis zit. Voor hem moet er ook een gebed zijn.'

Dat kwam misschien wel hard aan bij de aanwezige vrouwen, maar het maakte ook wel indruk. Door mijn begrafenisrede kreeg ik weer veel contact met andere prostituees die dit laatste zetje nodig hadden om uit het leven weer in de 'normale' maatschappij te stappen. 'Zo willen wij niet eindigen,' zeiden ze, dus de boodschap was duidelijk overgekomen.

Ik heb jarenlang in de commissie 'Prostitutie en Maatschappelijk Werk' gezeten en in de commissie 'Prostitutie en Recht', waarin ik kon opkomen voor de rechten van de prostituees. Zo wist ik te bereiken dat er iemand werd aangesteld die ging bemiddelen tussen werkgevers en prostituees die het leven uit wilden. In die commissies zaten ook vertegenwoordigers van politie en justitie. Over prostituees werd vaak gezegd dat het allemaal zwakbegaafde vrouwen waren. Dat was absoluut een misvatting. Ik zei dan altijd dat de zwakbegaafden alleen meer opvielen, omdat die door hun domme gedrag met de regelmaat van de klok voor de rechter moesten komen. De intelligente vrouwen zorgden er wel voor dat ze niet in de fout gingen, dus die zag je ook niet. Een onderzoek heeft nog wel eens uitgewezen dat het intelligentieniveau van de gemiddelde prostituee hoger was dan dat van de gemiddelde Nederlander.

In mijn kantoor annex woning hield ik bijeenkomsten en theemiddagen voor de vrouwen, om te praten over hun werk en over hun wensen. Ik was toen ook bezig met mijn opleiding tot maatschappelijk werkster op de sociale academie, aan het Karthuizer Plantsoen in de Jordaan. Daar heb ik een scriptie geschreven over 'Sociaal werk onder zich prostituerende vrouwen.' Want de vraag was natuurlijk wat je als maatschappelijk werkster kon doen voor die vrouwen. Een betere prostituee van ze maken? Dat natuurlijk niet. Ik was van mening dat deze vrouwen hulp nodig hadden als ze terug in de maatschappij wilden en pleitte voor de opening van een opvangcentrum. Een doorgangshuis voor vrouwen waar ze geresocialiseerd konden worden.

Vrouwen met uiteenlopende achtergronden, onder wie bijvoorbeeld ex-prostituees, maar ook vrouwen die problemen hebben gehad met drugs of alcohol, of die in de gevangenis hebben gezeten en behoefte hebben aan begeleiding, zouden in zo'n doorgangshuis begeleiding moeten krijgen. Op die manier kunnen ze werken aan hun zelfvertrouwen en eigenwaarde, die ze in hun leven kwijt waren geraakt of misschien nooit hebben gehad. Naar nu blijkt, was dit een voor die tijd heel moderne opvatting. Tegenwoordig is de opvang van dak- en thuislozen ook veel meer gebaseerd op begeleid wonen in sociale pensions en niet meer puur op het aanbieden van een bed en brood.

Het onderwerp 'waarom wordt een vrouw prostituee?' is tijdens onze theemiddagen helemaal uitgebeend. Wat me erg trof, was dat die vrouwen zichzelf alleen beschouwen als hoer zolang ze daadwerkelijk aan het werk zijn. Als ze eens gewoon een avondje naar de bioscoop gaan, zijn ze geen hoer. Mijn vader was journalist, maar die was óók nog journalist als hij niet aan het schrijven was. Maar als die vrouwen niet aan het werk waren, waren ze ook geen hoer, zo keken zij daar tegenaan. Het is trouwens nog steeds een heel speciaal bedrijf. Ondanks alle openheid over seks op de televisie, geloof ik niet dat het inmiddels een geaccepteerd beroep is. Mensen zeggen tegenwoordig misschien: 'Ze moet het zelf maar weten', maar een vrouw zal er nog steeds niet openlijk voor uitkomen dat ze prostituee is en ook onder mannen is hoerenlopen volgens mij nog geen geaccepteerd verschijnsel.

Ik hield in het begin enquêtes onder de vrouwen, om inzicht te krijgen in de omvang van de prostitutie. We hadden van het kadaster kaarten en plattegronden van de wijk gekregen waarop alle panden stonden ingetekend. Daarop kon je precies zien waar de publieke huizen zaten en hoe ze waren ingedeeld. Sommige hadden een voordeur op de gracht, maar dan liep de ruimte via een gang om een hoek door en was er bijvoorbeeld ook een uitgang in een steeg, zoals de Dolle Begijnensteeg, de Heintje Hoekssteeg en de Trompettersteeg – de smalste steeg van Amsterdam. Al die panden hadden we ingekleurd om een beetje wegwijs te raken in de buurt.

Er waren ongeveer zevenhonderd huizen, waar in totaal drieduizend prostituees werkten. Dan rekende ik de Ruysdaelkade en de Spuistraat met de bijbehorende stegen, waar ook nog bordelen waren, niet eens mee. Ook de straatprostituees werden buiten beschouwing gelaten. Volgens de uitslag van de enquêtes ontvingen de vrouwen gemiddeld tien mannen per dag, in een periode van acht tot tien uur waarin ze werkten. Dat kwam dus neer op maar liefst dertigduizend mannen per dag! Als je dan nog verder gaat rekenen, is het aantal mannen dat prostituees bezoekt nog veel hoger. Want het zijn niet elke dag precies dezelfde dertigduizend mannen. Stel dat die mannen gemiddeld allemaal maar één keer per week gaan, dan komen er dus in zeven dagen tijd dertigduizend verschillende mannen per dag, reken maar mee: dan kom je op meer dan tweehonderdduizend mannen per week die een prostituee bezoeken. Het heeft me wel eens verbaasd. Waar zijn al die mannen, wie zijn het? De klanten vormen een heel ongrijpbare groep. Tijdens een lezing die ik hield op een afdeling van de Rotary-club voor een groep mannen vroeg ik: 'Zouden jullie ervoor uitkomen of zouden jullie het aan elkaar vertellen dat je naar de hoeren gaat?' Statistisch gezien moet een deel van die mannen wel eens een prostituee hebben bezocht. Maar ze zeiden mooi niks, tegenover elkaar willen ze het ook niet bekennen. Ik heb er een paar jaar op gelet: Als een man bij een prostituee vandaan komt, slaat hij altijd zo snel mogelijk de eerstvolgende hoek om. Bang dat hij wordt gezien door een bekende.

We hebben nog eens een onderzoekje gedaan naar die ongrijpbare groep van klanten. Volgens onze indeling bestond die groep uit zes verschillende soorten mannen: eenzame mannen, die geen contact kunnen leggen en houden; ongehuwde mannen; mannen die lang op reis zijn of voor zaken in de stad zijn; mannen met psychiatrische problemen; mannen die in hun huwelijk seksueel niet verder komen dan wat geknutsel en ten slotte nog de mannen die vinden dat ze gewoon wat compensatie verdienen voor hun drukke leven, voor wie het een vorm van ontspanning is. Zulke mannen kent iedereen wel in zijn omgeving, maar toch is bijna nooit bekend wie er wel of niet naar de hoeren gaan.

Een enkele keer maakte ik wel mannen mee die gewoon toegaven waar ze op uit waren. Er kwam op een dag een man op mijn kantoor, die vroeg: 'Weet jij nou niet een goede, nette hoer voor me, een bij wie ik niet beduveld word?' Ik moest er een beetje om lachen. Ik zeg: 'Ik zou er gerust wel eentje kennen, maar zoek dat zelf maar uit.'

Ook kwam er een keer een jongeman het kantoor binnen, die diepe zuchten slaakte. Hij vroeg of hij van ons misschien tachtig

Als peuter en als tiener.
(Privé-collectie majoor Bosshardt)

Het kantoor in De Leuwenburgh, 1952. Rechts zit Joke Frijlink, een van onze eerste maatschappelijk werksters, die inmiddels is overleden. Dit jaar ben ik op verzoek van een nichtje van haar op bezoek geweest bij een hulpverleningscentrum in Los Angeles.
(Fotoarchief Goodwillcentrum)

Nicolaas Kroese had een paar restaurantjes in de Spuistraat. Van hem konden we ons eerste eigen kantoor huren in De Leuwenburgh op de Oudezijds Voorburgwal 14.
(Fotoarchief Goodwillcentrum)

In 1957 en 1958 werd de wijk opgeschrikt door een aantal moorden op prostituees. Voor de meesten heb ik de begrafenisdienst geleid. Zo ook in 1958 voor Finse Henny.
(Fotoarchief Goodwillcentrum)

In de binnenstad woonden in de jaren vijftig nog een paar duizend kinderen. Een van hen was Fransje, 1959.
(Fotoarchief Goodwillcentrum)

In de uitzending van 'Anders dan Anderen', februari 1959. Links Bert Garthoff, naast oom Fekke en tante Coba, een prostituee die dankzij het Leger des Heils uit het leven is gegaan.
(Fotoarchief Goodwillcentrum)

De foto die Peter Zonneveld in 1965 maakte van kroonprinses Beatrix en mij, met de Strijdkreet op pad door nachtelijk Amsterdam, ging de hele wereld over.
(Foto: Peter Zonneveld)

Als we in café 't Mandje op de Zeedijk een lied zongen voor kasteleine Bet van Beeren, werd ze dikwijls heel emotioneel.
(Privé-collectie mevr. G. van Beeren)

De directeur van Air Holland, John Block (rechts naast mij), gaf in 1988 een Boeing 757 de naam 'Majoor Alida Bosshardt'. Ik mocht het vliegtuig zelf dopen. Links van mij staat de echtgenote van John Block.
(Privé-collectie majoor Bosshardt)

Haring Arie was geen nette jongen. Toch was hij in 1986 present bij de uitzending van 'In de hoofdrol' met Mies Bouwman.

Na de eerste ontmoeting met koningin Juliana in 1960, is ons contact altijd zeer hartelijk gebleven.
(Foto: De Telegraaf)

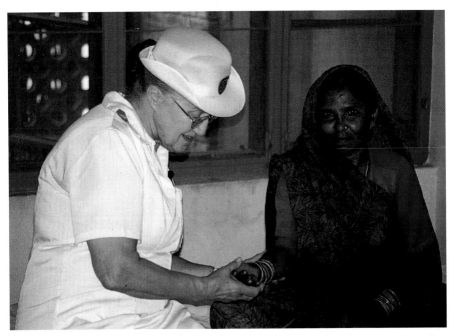

Toen ik 82 was, ging ik samen met hulpverleningsorganisatie Tearfund op reis naar India.
(Privé-collectie majoor Bosshardt)

Er komt van alles op mijn weg.
Hier was ik aanwezig bij de
doop van een baby.
(Privé-collectie majoor
Bosshardt)

Staatsieportret, 1998.

gulden mocht lenen en verzekerde me dat hij uit een nette familie kwam, van het platteland. Hij zag er ook keurig uit, moet ik zeggen, al was hij een klein beetje dronken. 'Waarvoor heb je dan tachtig gulden nodig?' wilde ik graag weten. 'Ik ben bij een prostituee geweest,' bekende hij. 'Ik moest voor zaken in de stad zijn en was eigenlijk benieuwd hoe het zou zijn, om eens met zo'n vrouw mee te gaan. Dat heb ik nooit eerder gedaan, want ik ben netjes getrouwd, heb twee jonge kinderen en ga trouw naar de kerk. Maar de nieuwsgierigheid won het toch. Het probleem is dat ik niet genoeg geld bij me had om die vrouw te betalen. Ik gaf haar na afloop honderd gulden, maar ze werd boos en zei dat het honderdtachtig gulden kostte. Dat had ik niet bij me. Toen moest ik mijn horloge afgeven en mijn autosleutels, als onderpand voor de resterende tachtig gulden.'

Hij kon natuurlijk niet naar huis zonder auto en zonder horloge, want zijn vrouw zou zeker gaan vragen waar hij dan wel was geweest. Maar ik voelde me ook niet geroepen om die tachtig gulden bij te passen. Daarom stelde ik voor samen met hem naar de prostituee terug te gaan om de zaak te bespreken. 'Want wat zij doet is tegen de wet,' legde ik uit. 'Je mag niet uit eigen beweging iemands spullen vasthouden als hij een schuld bij je heeft.'

Toen we bij die juffrouw kwamen, vroeg ik haar hoeveel geld hij nog moest betalen om zijn autosleutels en horloge terug te krijgen. 'Achttien gulden,' was haar antwoord. Omdat ik erbij was durfde ze kennelijk niet meer over tachtig gulden te beginnen. 'Als ik dat voor hem betaal, krijgt hij dan die spullen terug?' vroeg ik. Daarmee ging ze akkoord. Ik betaalde het geld, dat ik overigens keurig heb teruggekregen van die jongeman. Hij schreef er nog een briefje bij dat hij er eigenlijk spijt van had dat hij naar die prostituee was geweest. 'Dat doe ik nooit meer, want ik wil mijn gezin niet in moeilijkheden brengen.' Typisch zo'n man die bang is dat hij iets mist als hij die ervaring niet heeft.

Twee derde van die drieduizend prostituees waren vrouwen tussen de eenentwintig – later waren ze met achttien jaar al meerderjarig – en dertig jaar. Toen ik pas in de binnenstad kwam, waren het voornamelijk Nederlandse vrouwen. Er zat wel eens een enkele Surinaamse tussen, zoals Lolita uit de Stoofsteeg, die veel aandacht trok. Joodse meisjes zag je vrijwel nooit, dat stond de joodse gemeenschap gewoon niet toe. Die werden er meteen uit gehaald door familie of bekenden. In het eerste jaar van de Middernachtzending ben ik een joods meisje tegengekomen. Ze had in een concentratiekamp gezeten en daaraan had ze op een of andere manier een lelijke vlek in haar gezicht overgehouden. Nu wilde ze op deze manier geld verdienen om een operatie te kunnen betalen. Onvoorstelbaar vond ik het.

Later werkten er veel meer buitenlandse vrouwen, maar het verhaal dat je, wanneer je nu gaat, alleen nog maar Spaanstaligen kunt vinden, klopt niet helemaal. Het zijn er wel veel meer dan vroeger, maar er zit ook nog een flink aantal vrouwen van Nederlandse herkomst. Bij het Goodwillcentrum werken nu ook maatschappelijk werksters die Spaans spreken, zodat ook die vrouwen bereikt worden. Vooral problemen met verblijfsvergunningen komen erg veel voor.

Je hoort ook regelmatig verhalen over vrouwen die worden geronseld uit ontwikkelingslanden en het voormalige Oostblok. Nu ben ik bijvoorbeeld in Sri Lanka geweest en in India, waar wel degelijk bekend is wat er met je kan gebeuren als je voor een baan naar Nederland wordt gelokt. Het is erg genoeg dat het gebeurt, maar meisjes worden in hun eigen land wel voorgelicht over de gevaren, zo heb ik gehoord.

Niet alle prostituees werken elke dag. Er zijn er ook veel die alleen op maandag een kamertje huren. Dan is het extra druk op de beurs en dat betekent dat er veel goeie klanten komen. Die vrouwen verdienen op die manier wat bij, misschien om wat extra's te kunnen kopen voor zichzelf, of misschien vinden ze het gewoon leuk met al die mannen van de beurs. Soms zijn het getrouwde vrouwen, die met instemming van hun man af en toe een dag als prostituee werken. Ik heb een man gesproken die timmerman was en laconiek beweerde: 'Zij verdient op deze manier geld om leuke dingen te kopen en zodat we ons wat extra luxe in ons leven kunnen veroorloven.'

Er waren, van de drieduizend vrouwen die wij toen hebben geteld, ook veel oudere hoeren bij. De meesten hielden er na hun veertigste wel mee op, maar ik heb er een aantal gekend die nog prostituee waren na hun zestigste, zelfs na hun zeventigste! Tante Greet bijvoorbeeld en Annie van het Oudekerksplein. Op de Haarlemmer Houttuinen woonde een vrouw die zeker zevenenzeventig jaar was toen ze het nog deed. Haar man was overleden en ze vond het gewoon gezellig als er een paar vaste klantjes bleven komen.

Tante Mien spande wel de kroon. Die had op haar drieëntachtigste nog een vaste klant, een man van een jaar of veertig, die haar elke maandag honderd gulden kwam brengen. Op een dag kreeg tante Mien een beroerte en werd ze opgenomen in een verpleeghuis. Die man is toen bij ons komen vragen waar ze was gebleven. 'Ze ligt daar en daar, ze heeft een beroerte gehad,' legde ik uit. 'Ga d'r maar eens opzoeken.' Dat heeft hij ook netjes gedaan, maar met de wekelijkse bezoeken was het daarna wel afgelopen.

Ja, er liepen mooie merken tussen. Zoals Diamanten Jopie, die had goudgeld verdiend in haar jonge jaren als hoer. Toen ze overleed, bood ik aan haar begrafenis te doen, maar dat bleek niet nodig. Ze had haar lichaam ter beschikking gesteld aan de wetenschap en lag in de ijskast in een of ander ziekenhuis, werd me verteld. En Krullen Jopie van de Achterburgwal, die in de steek was gelaten door haar geliefde Freek. Freek had een café op het Rembrandtplein, op de hoek van de Halvemaansteeg en als Krullen Jopie weer eens was overmand door liefdesverdriet, ging ze bij hem voor de deur staan zingen. Ik ben ook eens uitgenodigd door een meisje dat ik kende uit het leven, voor de opening van haar nieuwe zaak. Ik had geen idee wat ze bedoelde. De zaak heette 'Mini.' Ik dacht dat het misschien een cafeetje was, maar toen ik op het aangegeven adres kwam, zat zij apetrots achter de kassa van haar eigen supermarktje. 'Mag ik met u op de foto?' vroeg ze. Ze was zo trots op zichzelf, dat ze het aan mij moest laten zien en ik was natuurlijk ook blij voor haar.

Als er een moord of een ander misdrijf was gepleegd, werd het Leger soms nog eerder gewaarschuwd dan de politie. De politie haalde ons er ook vaak bij, om de nabestaanden op te vangen, als er ineens een vader of moeder opdook. Maar er was niet altijd een moord voor nodig om in contact te komen met familieleden. We werden zelf ook regelmatig benaderd door een moeder of een ander familielid, met de vraag of het Leger soms wist waar hun dochter was. Die dochter was misschien van huis weggelopen en in Amsterdam terechtgekomen. Het verhaal van Hilde is daarvan een mooi voorbeeld.

De moeder van Hilde, een vrouw uit de provincie, schreef me een brief met het verzoek of ik niet het adres kon opsporen van haar dochter, die op zeventienjarige leeftijd van huis was weggelopen samen met een vriend, een wat oudere man van buitenlandse afkomst. Ik vroeg hier en daar rond in de buurt en spoorde Hilde inderdaad op. Zij wilde echter niet terug naar haar ouders omdat ze ontzettend gebonden was aan die man. Haar levensverhaal was er een uit velen. Hilde werkte als zeventienjarige leerling-verpleegster in een sanatorium voor tbc-patiënten. Op een van de patiënten werd ze hevig verliefd. Het was een man uit Amsterdam, van beroep souteneur. Toen hij was genezen van zijn tbc ging hij terug naar Amsterdam en Hilde besloot hem te volgen. In Amsterdam kwam ze al snel in de prostitutie terecht. Ze vertelde me dat ze het werk vreselijk vond. 'Maar ik doe het voor hem,' bekende ze. 'Ik kan niet buiten die man. Hij is helemaal niet slecht voor me. Houdt het huis netjes, koopt mooie cadeautjes voor me, haalt en brengt me hiernaartoe met de auto.' Die man wilde niet zelf gaan werken, want Hilde verdiende in een dag meer dan hij in een week, dus dit was voor hem veel gemakkelijker. Als ze hem vroeg of er niet een andere oplossing was, gaf hij haar te kennen: 'Als je niet meer wilt, dan ga je maar weg. Ga maar lekker naar je moeder toe. Voor jou heb ik zo weer een ander.' Hilde bleef, verblind door liefde.

Zij vertelde ook het verhaal van haar jeugd. Hilde kwam uit een middenstandsgezin en had een christelijke opvoeding gehad. Toen zij drie jaar was, overleed haar broertje, dat een paar jaar ouder was. Haar ouders waren daardoor overmand door verdriet en besteedden nog nauwelijks aandacht aan hun overgebleven dochtertje Hilde. Haar moeder werd daarbij nog langdurig ziek en haar vader, die het allemaal niet meer kon bolwerken, verliet het gezin voor een andere vrouw.

Die verhouding was blijkbaar geen succes, want na verloop van tijd kwam vader terug bij Hilde en haar moeder. De verzoening werd bezegeld met een nieuwe zwangerschap en niet zomaar eentje: moeder beviel van een drieling. Daarover waren vader en moeder heel opgetogen en trots. Die drieling vormde het middelpunt van het gezin en kreeg alle aandacht. Weer had Hilde het gevoel gekregen dat ze het vijfde wiel aan de wagen was. Ze werd een lastig kind, dat zich tegen alles en iedereen afzette.

Toen zij die oudere man ontmoette in het sanatorium, die zei dat hij van haar hield, is ze daar meteen ingestapt. Eindelijk aandacht, eindelijk iemand die voor haar koos. Dat pakte voor haar uiteindelijk niet goed uit, maar ze kon die aandacht niet zomaar opgeven.

Ik bleef een tijd lang contact houden met Hilde en met haar

moeder, die inmiddels wist waar ze zat. Op een gegeven moment overleed de grootmoeder van Hilde. Na lang praten stemde ze er in toe naar de begrafenis van oma te gaan. Dat betekende tevens dat ze haar ouders en de drieling weer zou zien. De ouders deden erg hun best en waren heel lief voor hun verloren dochter. De hereniging hield stand. Hilde ging niet meer terug naar Amsterdam en vond met steun van haar ouders de kracht om van die man los te komen en een nieuw leven te beginnen. Ze pakte haar verpleegstersopleiding weer op, ze vond een leuke baan en voor zover ik weet gaat het haar nog steeds erg goed in haar leven.

Maar ik ben ook eens met een moeder uit een dorpje in Noord-Holland door de buurt gelopen, op zoek naar haar dochter. We vonden haar uiteindelijk wel: zestien jaar en zwaar verslaafd aan de heroïne. Na hevig aandringen ging ze met haar moeder mee naar huis. Korte tijd later zag ik haar al weer in Amsterdam. Voor heroïneverslaafden konden we meestal niet zo veel doen; de aan drugs verslaafde prostituees vormen een heel aparte groep, die in mijn tijd gelukkig nog niet zo groot was. Er waren veel prostituees aan de drank, maar ik denk dat drugsverslaving veel ernstiger gevolgen heeft. Als ze bij ons kwamen en vroegen of ze behandeld konden worden, stuurden we ze altijd door naar de Jellinek of andere gespecialiseerde instanties. Onze hulp kon meestal niet verder gaan dan een schone trui, een kop koffie en wat te eten en een slaapplaats.

Tegenwoordig is er een aparte groep van hulpverleensters bij het Goodwillcentrum, die één keer per week naar de tippelzone aan de Theemsweg gaat. Die tippelzone is op initiatief van burgemeester Patijn een paar jaar geleden speciaal ingesteld voor aan heroïne verslaafde straatprostituees, maar ik geloof dat maar een klein aantal er daadwerkelijk gebruik van maakt. Er gaat ook altijd een Spaans sprekende maatschappelijk werkster mee naar het spreekuur voor vrouwen die daar werken, want er lopen naar het schijnt veel vrouwen van Zuid-Amerikaanse afkomst die geen verblijfsvergunning hebben. De politie controleert hun papieren daar niet. Voor de verslaafde prostituees is die tippelzone veel te ver verwijderd van het centrum, waar ze hun drugs kunnen kopen. Ik ben er zelf nog eens wezen kijken. Het is allemaal wel goed bedoeld misschien, maar er is niet goed over nagedacht. Nu lopen veel van de meisjes weer achter het Centraal Station, waar ze het risico lopen opgepakt te worden door de politie.

Je had ook nog meisjes die wel een kamertje hadden om te

werken, maar geen eigen woning. Ik ben er pas later achter gekomen hoe zij dat soms oplosten. Vlak bij het huis waar ik na mijn pensioen woonde, op de Oudezijds Voorburgwal 39, heb je de Duitse brug, tussen de Lange Niezel en de Korte Niezel. Daar stond altijd een aantal mannen op, tegen de brugleuning aan. Op een dag heb ik toch eens gevraagd wat ze daar nu stonden te doen. Bleek dat ze op de meisjes stonden te wachten die geen eigen onderdak hadden. Die namen zij dan mee naar huis. Had die man een meisje voor niks en dat meisje had een nacht gratis logies. Dat had ik nooit in de gaten gehad, terwijl ik er al zo veel jaren had gewerkt! Nou kun je wel zeggen dat die mannen misbruik maakten van de situatie van die vrouwen, maar ik geloof niet dat het een probleem was. Die meisjes hadden vaak hun vaste adresjes, het was voor hen een goeie oplossing.

Er zijn talloze trieste verhalen te vertellen, sommige met een slechte afloop, sommige met een happy end. Maar we hebben ook veel gelachen natuurlijk, er gebeurde altijd wel wat en ik zorgde er wel voor dat ik vooraan stond. Regelmatig reed er een auto in de gracht, die aan de wallenkant stond geparkeerd. Je had toen nog niet van die hekjes langs de kant. We zagen het een keer gebeuren, hoe een mooie auto langzaam naar voren reed en zo de gracht in tuimelde. De eigenaar was net bij een prostituee naar binnen gegaan en reageerde niet op het rumoer dat buiten ontstond. Toen hij weer naar buiten kwam, keek hij verbijsterd om zich heen. 'Zoekt u uw auto?' vroeg ik. 'Die ligt in de gracht.' Hij raakte helemaal over zijn toeren natuurlijk. De brandweer werd erbij gehaald om de auto uit de gracht te takelen. Een heel schouwspel werd het en die man voelde zich hoogst ongemakkelijk, want iedereen wist dat het zijn auto was en dat hij bij een prostituee was geweest. De vrouwen vonden het geweldig. 'Zo meteen heeft iedereen het koud gekregen en komen ze zich bij ons weer lekker opwarmen,' gniffelden ze.

Er was ook een keer een man in de gracht terechtgekomen, waar ik bij werd geroepen. 'Majoor, er ligt een vent in de gracht!' Onder grote hilariteit stond een groepje schaars geklede dames aan de wallenkant te kijken naar een jongen die wanhopig rondjes zwom. Hij was bij een prostituee geweest, maar bleek niet genoeg geld bij zich te hebben om haar te betalen voor de bewezen diensten. Samen met een paar collega-dames had de betrokken vrouw hem pardoes in de gracht geduwd.

Ik haalde de jongen op de kant en nam hem mee naar het Goodwillcentrum. Hij kreeg droge kleren van ons en we hadden nog een heel aardig gesprek over het geloof, waarna hij naar huis ging. Maanden later kwam hij weer binnen in het Goodwillcentrum en vroeg naar mij. Hij had een portemonnee in zijn handen waar hij honderd gulden uithaalde. Ik dacht eerst nog dat het voor het Leger was, omdat we hem hadden geholpen. Maar nee, hij zei: 'Wilt u dit aan die juffrouw geven die ik toen niet kon betalen?'

Een textielhandelaar uit Duitsland, die werkelijk een kapitaal bij zich had, werd hier op een nacht binnengebracht. Hij was zo verschrikkelijk dronken dat hij niet eens meer wist of ik nou een prostituee was of een officier van het Leger des Heils. Hij wilde naar een hoer, maar we brachten hem naar zijn hotel, waarvan hij het adres bij zich had. Uit zijn zak haalde ik een portemonnee met een enorm pak geld: maar liefst vijfendertigduizend gulden. Dat geld haalde ik eruit. Ik liet er nog vijfentwintig gulden in zitten voor eventuele noodgevallen en stopte er een briefje bij, dat hij de rest van zijn geld de volgende dag bij mij kon komen halen, mits hij dan weer nuchter was.

De volgende ochtend kwam hij binnen, zo blij als een kind. Als hij die avond bij een prostituee terecht was gekomen, was hij dat hele kapitaaltje zeker kwijt geweest.

Toen in de jaren '60 en '70 de seksuele revolutie op gang kwam, heb ik nog wel eens gedacht dat de prostitutie haar laatste jaren had geteld. Een kantoorchef kon, als hij de behoefte had, ook zijn secretaresse eens mee uit nemen. Er veranderde echter niet veel op de Wallen, de meisjes hadden het nog net zo druk als vroeger. Mannen hebben kennelijk toch die behoefte aan anonimiteit, of vinden het prettig als ze moeten betalen voor seks. Naar een prostituee gaan is vrijblijvend en misschien kunnen mannen zich bij een prostituee meer laten gaan, dingen doen die ze thuis niet durven of mogen. In het gezin zit je 's ochtends toch weer met elkaar en de kinderen aan het ontbijt, dat is een stuk minder vrijblijvend.

Als er over prostitutie wordt gepraat, gaat het altijd over vrouwen. Daar gingen we zelf eigenlijk ook altijd van uit. Met moederdag, met Kerstmis en Pasen ging ik de vrouwen altijd een cadeautje brengen: een bosje bloemen, een kerststukje of een paasei. Die bloemen haalden we altijd op de veiling in Aalsmeer, waar we ze voor niks of bijna voor niks konden meenemen. Toen ik op een keer met bloemen op het Oudekerksplein kwam en ze uitdeelde aan de meisjes, stond er ook een jongen in de deuropening van een van de huizen. 'Krijg ik niks?' lachte hij. 'Ja, want ik ben óók prostitué.' Natuurlijk heeft hij zijn bloemen gekregen. Die jongens van zeventien, achttien jaar schijnen veel geld te kunnen verdienen. Vaak zitten ze met tientallen tegelijk in de homocafés aan de bar, om een man op te pikken. Vooral de Paardenstraat bij het Rembrandtplein is er berucht om. Tegenwoordig gaat dat veel openlijker dan vroeger; pas toen ik die jongen op het Oudekerksplein had ontmoet, ging ik er een beetje meer op letten.

Ik geloof niet dat er mannen zijn geweest die voor vrouwen achter het raam gaan zitten. Er is een man geweest die in de Stoofsteeg heeft gezeten waar vrouwen naartoe konden, maar dat zal wel niet lang geduurd hebben. Gigolo's, mannelijke prostitués voor vrouwen bestaan natuurlijk wel, maar dat speelt zich allemaal meer af in de besloten sfeer. In de Spuistraat was een café waar vrouwen andere vrouwen oppikten, tegen betaling, maar ook dat gebeurt niet zo veel. Op de Wallen is de prostitutie voornamelijk een zaak tussen mannen en vrouwen, klanten en prostituees. Dat was vroeger zo en dat is nog steeds zo. Het is tegenwoordig een 24-uursbedrijf en zoals de hele maatschappij is de wereld ook hier harder en commerciëler geworden.

Aids is een ziekte die ik eigenlijk niet meer heb meegemaakt in de tijd dat ik werkte. Pas eind jaren zeventig hoorde je ineens over de ziekte aids, maar wat het nou precies was wisten we nog niet. Er gingen vroeger ook wel vrouwen dood aan longontsteking, wie zegt dat dat ook geen aids is geweest? Overigens geloof ik wel dat de prostituees op de Amsterdamse Wallen heel goed opletten wat ze doen. Over voorbehoedsmiddelen konden ze elkaar uitstekend voorlichten. Als de een geen condooms meer had, ging ze een pakje lenen bij haar buurvrouw. Ook gingen ze regelmatig voor controle op geslachtsziekten naar het Binnengasthuis. De huidige maatschappelijk werkers zijn heel goed geïnformeerd over aids, maar ik heb geen cursus meer gevolgd over dat onderwerp.

Mensen vragen mij wel eens: 'Hoeveel vrouwen zijn er nu precies dankzij het Leger des Heils uit de prostitutie gegaan?' Maar daar heb ik geen statistieken van. Ik denk dat God de boekhouding voert over dit soort zaken, wij kunnen niet zeggen hoeveel zielen er zijn bekeerd. We weten ook niet hoeveel mensen we tot het geloof hebben gebracht. Het Leger is ook altijd maar een schakel in een bepaald proces. Als iemand de weg terugvond naar God nadat hij of zij bij ons was geweest, was dat prachtig. Maar het kan ook dat die persoon pas over twintig jaar die weg terugvindt. Het is altijd een samenloop van omstandigheden, die van persoon tot persoon verschillen. Je jeugd speelt mee, je opvoeding, naar welke school je bent geweest, welke vrienden je had, noem maar op. Op onze kerstfeesten kwamen altijd veel prostituees, ook vrouwen die zeiden dat ze niet gelovig waren, maar het gewoon gezellig vonden. Ze kwamen zich even warmen aan het geloof van een ander, zogezegd. Maar wie kan vertellen of zij niet diep in hun hart wel in God geloofden? In bijna alle mensen is een zeker geloof steeds latent aanwezig, daarvan ben ik altijd overtuigd geweest.

Hoofdstuk 7

'Jezus maakte ook geen onderscheid'

In de binnenstad van Amsterdam ben ik altijd helemaal op mijn plaats geweest. Van het begin af aan heb ik zeven dagen per week gewerkt en nooit tegen mijn zin. Ik deed mijn werk goed en naar eer en geweten. Nooit heb ik bij het Hoofdkwartier hoeven aankloppen voor hulp, nooit heb ik geklaagd als er moeilijkheden waren, dat alles was mijn eer te na. De eerste drieëntwintig jaar heb ik ook helemaal zonder subsidie gedraaid. Pas in 1971 kreeg het Goodwillcentrum de eerste waarderingssubsidie van de gemeente Amsterdam, voor het maatschappelijk werk. De stelregel van het Leger des Heils is dat alle posten zelf-onderhoudend moeten zijn en dat is mij al die jaren goed gelukt. Ik kreeg honderd gulden mee in het begin en ik ben nooit om meer geld wezen vragen. Sterker nog, toen ik in 1978 stopte met werken, heb ik de commandant die honderd gulden teruggegeven! Als ik geen geld had voor eten, zorgde ik er wel voor dat ik bij iemand werd uitgenodigd, of ik at bij het maatschappelijk werk, of bij de zusters Augustinessen in de Warmoesstraat.

Als je bij het Hoofdkwartier zou vertellen dat je niet kon rondkomen, dan zou eerst worden bezuinigd op bepaalde faciliteiten. Dan moest je bijvoorbeeld de telefoon inleveren en mocht je geen auto meer hebben. En zonder telefoon kon je je post niet goed draaiende houden. Tegenwoordig is het Hoofdkwartier veel minder streng op dat gebied. Ik herinner me nog goed dat er een officier van het Leger des Heils was, die zijn auto had laten repareren van het collectegeld, een dure reparatie van tweeduizend gulden. Dat kwam uit en hij kreeg een reprimande van het Hoofdkwartier. Zijn verweer was wel grappig; hij verklaarde dat hij had gebeden om geld, want hij had die auto hard nodig. Vervolgens haalde hij met collecteren tweeduizend gulden op: 'Mijn gebed was verhoord,' zei hij.

Een vast salaris kreeg je niet in die begintijd. Van wat je verdiende, mocht je een klein bedrag voor jezelf inhouden om eten te kopen en je onderkomen te bekostigen. Daarom heb ik in het begin ook geslapen in de kelder van de Leuwenburgh, waar ook het kantoor was. Dat spaarde weer huur uit. Op oude loonstrookjes, die je zelf moest invullen, staan bij mij soms zelfs bedragen als vijf gulden of zeven gulden vijftig per week. Van het Handelsdepartement, de financiële afdeling van het Leger des Heils, kreeg je een heel kleine toelage, die was bedoeld om je uniform van bij elkaar te sparen.

Ik had geleerd dat je niets voor jezelf mocht aannemen en dat heb ik ook nooit gedaan, hooguit eens een doos chocolaatjes of een bos bloemen. Van alles werd me aangeboden, maar ik heb nooit geld aangepakt dat op een verkeerde manier was verdiend – niet voor het Leger en niet voor mezelf. Een vrouw die op het Damrak woonde met haar invalide zoon en daar schoonmaakster was in een kantoor, bood me op een dag een compleet kamerameublement aan. Voor in mijn huis, mijn kamer boven het Goodwillcentrum. Dat was te veel. Ik kon het niet aannemen en bovendien vond ik het wat aan de grote kant ook. Daar was die vrouw nog een beetje beledigd over.

Omdat ik een van de eerste legerofficieren was die een opleiding tot maatschappelijk werkster had afgerond, bewoog ik mij zowel in de bestuurlijke regionen van het Leger des Heils als tussen het 'gewone' volk, aan de basis. Op de sociale academie gaf ik al les en was ik stage-begeleidster, terwijl ik een uur later weer zelf in de schoolbank zat. Ik was voor die school, waar zo kort na de oorlog een gebrek aan docenten was, bovendien lekker goedkoop, want ik verdiende geen geld met lesgeven.

Binnen het Leger begon ik langzaam maar zeker, naarmate het Goodwillwerk groeide, een dubbele rol te krijgen. Ik ging nog altijd met de Strijdkreet langs de cafés, maar had ook een leidinggevende functie. Daar koos ik zelf voor. Je had ook officieren die een hogere functie kregen en dan zeiden: 'Nu hoef ik niet meer met de Strijdkreet langs de cafés te leuren, dat moeten de heilssoldaten maar doen.' Zo heb ik er nooit over gedacht.

Dat gaf wel eens een beetje wrijving, zowel bij het Hoofdkwartier als bij de mensen die ik in dienst had. Ik wist immers van beide niveaus veel af. Ik wilde het contact met de straat niet kwijtraken, moest weten wat zich daar afspeelde, maar tegelijkertijd kon ik meebeslissen over de manier van werken en werd ik zelfs uitgezonden over de hele wereld om namens het Leger des Heils, de overheid en andere instellingen congressen bij te wonen.

Er zijn mensen geweest die mij eigenwijs en eigengereid vonden, maar dat ligt nu eenmaal in mijn karakter besloten. Ik had er wel succes mee. Trouwens, als het Hoofdkwartier niet tevreden over me was geweest, had men mij ook kunnen overplaatsen naar een andere post en dat is nooit gebeurd. 'Wat goed zit dat zit,' was de stelregel. Ik loop nooit op te scheppen over mezelf, want de kwaliteiten die ik heb, beschouw ik als geschenk van God. Ik heb altijd het gevoel gehouden dat ik een opdracht had van God om dit werk te doen.

Daarbij ben ik altijd geïnteresseerd geweest in andere mensen. Ik hou echt van mensen en van hun levensverhalen, daarom ben ik dit werk ook gaan doen. In de Amsterdamse binnenstad had je natuurlijk nogal wat boeiende figuren, wat dat betreft is het een unieke buurt waar ik helemaal in mijn element was. Alles kan, niemand kijkt ergens van op. Dat trekt weer anderen aan. Niet voor niets zie je in de binnenstad meer mensen met een psychiatrische stoornis lopen dan in een gemeente als Wassenaar. Ze vallen minder op, zelfs als ze zich niet normaal gedragen. Als officier van het Leger des Heils ben je in staat met iedereen in contact te komen. Het is een heel verschil of je iemand aanspreekt als je in burger bent, of wanneer je in uniform loopt. Er gaan veel meer deuren voor je open. Ik kon bij wijze van spreken zelfs dat soort mensen benaderen, waarvoor de politie drie busjes van de M.E. zou oproepen.

Mensen die zelf niet in het Leger des Heils zitten, hebben me misschien wel eens voor gek verklaard. Er zullen er gerust wel zijn, die achter mijn rug om zeggen dat ik niet goed wijs ben. Nu ik vijfentachtig jaar ben, ga ik er nog steeds op uit met de Strijdkreet. 'Mens, denk toch eens om jezelf,' hoor ik meer dan eens. Terwijl het toch mijn eigen beslissing is, ik doe het graag, ik vind het veel leuker om lekker met de Strijdkreet naar de Spuistraat of de Beethovenbuurt te gaan dan dat ik urenlang bij iemand op een verjaardagsfeestje moet zitten praten over niks.

In de Spuistraat zit nog steeds het restaurant D'Vijff Vliegghen, dat vroeger in handen was van Nicolaas Kroese, de man van wie ik indertijd ons eerste onderkomen in de Leuwenburgh op de Oudezijds Voorburgwal huurde. In het restaurant – eigenlijk een aaneenschakeling van Hollandse eethuisjes – mag ik tegenwoordig niet meer altijd binnenkomen met de Strijdkreet. Alleen de mensen die in de zomer op het terras zitten, mag ik aanspreken. Nicolaas Kroese is in 1971 overleden, kort nadat hij onder curatele was gezet en zijn restaurant voor een luttel bedrag had moeten verkopen aan de hotelketen Krasnapolsky.

Het was een bijzondere man, een heel merkwaardige kerel. Daaraan zal het ook wel te danken zijn dat hij impulsief besloot zijn ruimte in de Leuwenburgh aan de Goodwill te verhuren. De eethuisjes van Kroese waren indertijd bekend tot in de Verenigde Staten, waar hij wel eens naartoe ging. Hij droeg dan dikwijls, om op te vallen, zo'n grote vogelkooi met zich mee, waarin zijn vijf 'gedresseerde' kunstvliegen zaten. Het bureau voor toerisme had een goeie aan hem, hij was een levende reclame voor Amsterdam. Nu nog komen er Amerikanen naar Amsterdam, speciaal om bij het restaurant van Nicolaas Kroese te eten.

Kroese was erg rijk, ik denk dat hij tien jaar na de oorlog al miljonair was. Hij zette nooit een stap te veel en was veel te dik. Hij moest altijd naar een therapeut of een masseur. Hij vond me kennelijk aardig, omdat ik altijd geduldig naar hem bleef luisteren. Want hij was veel meer dan alleen een rijke en populaire restaurateur, hij was ook een soort wetenschapper en uitvinder. Zo had hij in Warmond een speciale broeikas laten bouwen, om te bewijzen dat planten en gewassen sneller groeiden met de juiste lichtinval en een soort kosmische straling. Hij beweerde ook dat hij de wereldvrede kon voorspellen met behulp van wiskundige getallenreeksen. Een heel eigen wiskunde had hij ontworpen en de resultaten van zijn berekeningen, zijn vredesboodschap, stuurde hij via soms ellenlange telegrammen over de wereld, wat hem kapitalen heeft gekost. Naar de Amerikaanse presidenten Kennedy en Nixon, naar Mao in China, naar de Russen, naar de Nederlandse regering en het koninklijk huis, zelfs naar ons; iedereen moest deelgenoot worden van zijn nieuwe ontdekkingen.

Ik weet nog dat hij zich altijd liet rondrijden in een grote Rolls Royce of zich liet verplaatsen per taxi. Hij liet een taxi rustig uren voor de deur wachten, om zich vervolgens nog geen honderd meter te laten rijden. Maar hij gaf wel erg veel geld uit, vooral aan al die telegrammen. Tussen zijn wereld en die van mij zat een hemelsbreed verschil.

Hij liet zijn personeel gratis drinken, zo veel ze wilden, klanten die een luisterend oor hadden voor zijn wiskundige theorieën hoefden hun dure diner niet te betalen. Uiteindelijk kon hij zijn financiën niet meer rond krijgen. Hij moest in 1971 zijn Vijff Vliegghen verkopen voor veel te weinig geld aan Krasnapolsky. Kort daarna is hij van zijn barkruk op de grond gevallen omdat hij niet goed werd. Hij was, zo gaat het verhaal, net een mop aan het vertellen en moest zo hard lachen dat hij een flauwte kreeg. Een paar dagen later is hij overleden in het Wilhelmina Gasthuis, vijfenzestig jaar oud. Er was niet eens meer geld over voor een fatsoenlijke grafsteen, die is er pas veel later gekomen. Op zijn graf op de Nieuwe Oosterbegraafplaats stond lange tijd een houten kruisje met een nummer. Pas achttien jaar na zijn dood werd in de gevel van D' Vijff Vliegghen aan de Spuistraat een plaquette met zijn beeltenis onthuld. Of hij nou zijn tijd ver vooruit was of gewoon gek, dat heb ik nooit begrepen, net zomin als ik iets kon begrijpen van die wiskundeformules, waarmee hij de wereldvrede dacht te kunnen bereiken. Ik praatte een enkele keer met hem over God, want volgens mij kan een ideale wereld alleen een christelijke wereld zijn.

Vroeger kwam ik met de Strijdkreet ook nog wel eens op het Thorbeckeplein, hoewel de buurt rond het Rembrandtplein eigenlijk deel uitmaakt van de Leger des Heilspost in Amsterdam-Oost. Maar op het Thorbeckeplein zat café De Olifant, van Joop de Vries. Hij was ook de eigenaar van het bekende sekstheater Casa Rosso op de Oudezijds Achterburgwal, waarin later die dertien mensen zijn omgekomen bij een brand. 'Zwarte Joop', zo stond hij bekend. Zijn echte naam was Maurits de Vries, maar iedereen zei Joop. Ik kende hem vrij goed uit de binnenstad, waar hij behalve Casa Rosso ook café Casablanca op de Zeedijk heeft gehad. Daarom zocht ik ook andere cafés van hem regelmatig op.

Zwarte Joop werd er wel van beschuldigd dat hij een 'maffiabaas' was en een harde crimineel, maar ik ken hem niet anders dan als een vrij rustige man, niet iemand die zich liep uit te sloven of interessant liep te doen met grote pakken geld.

Ik zal niet zeggen dat ik bevriend raakte met Zwarte Joop, maar ik vond dat ik net zo goed met hem moest kunnen praten als met andere mensen, ook al keurde ik niet alles goed waarmee hij bezig was.

Joop de Vries kwam uit Rotterdam, hij was van joodse afkomst.

In de oorlog schijnt hij het heel moeilijk te hebben gehad, hij moest zich regelmatig verstoppen voor de Duitsers in kleine keukenkastjes en onderduiken op het platteland. Als mens was het denk ik geen verkeerde jongen. Toen Casa Rosso afbrandde, was ik al vijf jaar met pensioen. Het gebeurde in de nacht van 17 december 1983. Zwarte Joop was toevallig niet in Amsterdam, maar voor het eerst van zijn leven voor een korte vakantie naar Zwitserland. Dat er dertien mensen zijn omgekomen, heeft hem heel erg aangegrepen. Hij vond dat hij die doden op zijn geweten had en is nooit meer helemaal de oude geworden. Zijn gezondheid ging zienderogen achteruit en drie jaar na die brand is hij overleden in de Boerhaavekliniek.

Die brand was ook iets ongelooflijks. Het vuur was aangestoken door een man die verliefd was op een caissière van Casa Rosso. Toen zij niet met hem uit wilde, werd hij zo kwaad, dat hij de vloer overgoot met benzine. Nota bene op het tapijt, waarin nylon was verwerkt. Dus omdat hij zo jaloers was of beledigd, zijn al die mensen omgekomen, dat is toch voor een normaal mens niet voor te stellen? Een stel dat binnen had zitten kaarten, was elkaar bij de vlucht naar de uitgang uit het oog verloren. Die vrouw liep al op straat en haar man ook, maar hij dacht dat zij nog binnen was en is teruggegaan, het vuur in en vervolgens in de rook gestikt. Dat was echt iets vreselijks. Op de ruit van de Allemanskapel van Sint-Joris, naast het herbouwde Casa Rosso op de Oudezijds Achterburgwal 102, staat nog altijd een bijbelspreuk ter nagedachtenis aan de omgekomen mensen: *'Ik ben gekomen opdat zij het leven zullen hebben in alle volheid,'* staat te lezen.

Behalve mt Zwarte Joop had ik ook geregeld contact met andere figuren van de 'penose van de binnenstad' zoals Haring Arie, Rinus Vet en Frits van de Wereld. Ook Pistolen Paultje wordt vaak in dit rijtje genoemd, maar die kwam niet echt uit de binnenstad.

Mensen maakten zich wel eens ongerust over mijn omgang met deze mannen. 'Vind je het niet bezwaarlijk om met die figuren om te gaan, neem je geld van ze aan dat op een criminele manier is verdiend?' kreeg ik regelmatig te horen. Nou geloof ik niet dat zij ooit meer dan een paar gulden in de collectebus hebben gestopt en daar hoef ik me helemaal niet bezwaard door te voelen. Die paar gulden kunnen ook wel eerlijk zijn verdiend, dat kon ik toch niet beoordelen? Ik had ook altijd het idee dat ik ze beter kon accepteren zoals ze waren dan dat ik ze ging ontwijken, of dat ik zou zeggen: 'Jullie geld hoef ik niet.' Dat zou geen christelijke houding zijn geweest en daarmee had ik het Leger des Heils niet populair gemaakt.

Ik wist wel altijd genoeg afstand te bewaren. Ik had natuurlijk ook gemakkelijk in rare situaties verzeild kunnen raken, maar daarvoor ben ik bewaard gebleven.

Haring Arie was beslist geen nette jongen. Zijn gezicht zat op het einde van zijn leven vol met littekens van wonden die hij tijdens vechtpartijen had opgelopen. De vechtersbazen sloegen wel glazen stuk en gingen elkaar met scherven te lijf. Arie stond erom bekend dat hij zijn tegenstanders buiten westen sloeg met biljartballen. Hij heette eigenlijk Arie Elpert en kwam uit Amsterdam-Noord, maar in die tijd kreeg iedereen een bijnaam. Kapstok Jantje, Cor de Schilder en zo ook Haring Arie. Zijn vrouw Mien heeft wel vijfendertig jaar voor hem gewerkt 'in het leven'; beiden zijn vooral bekend geworden omdat hij een paar boeken heeft geschreven over zijn turbulente leven. In de oorlog zou hij treinen hebben beroofd en in een concentratiekamp hebben gezeten. Later verdiende hij de kost met de meest uiteenlopende beroepen. Hij ging bijvoorbeeld langs de cafés met haring, vandaar zijn bijnaam. Het gebeurde wel dat hij in het café bleef hangen en zijn emmertje haring buiten liet staan, dat geheid leeg was als hij na een paar uur weer buitenkwam. Hij heeft ook nog even als schilder gewerkt, maar 'verdiende' de kost vooral als inbreker.

Toen hij in 1995 overleed, eenenzeventig jaar oud, ben ik met tante Jans op zijn begrafenis geweest, op de Nieuwe Oosterbegraafplaats. Tijdens mijn preek kwam plotseling een groepje Hell's Angels binnen met schalen vol zoute haring, tot grote consternatie van de aanwezigen.

Rinus Vet was er ook zo een. De familie Vet was heel bekend op de Wallen. Als Rinus eens wat had uitgespookt en de politie wilde hem oppakken, gingen ze eerst naar zijn moeder toe. Want als de agenten hem op straat, ten overstaan van de hele buurt, zouden arresteren, ervoer hij dat als een vreselijke vernedering. Dan kon je op je vingers natellen dat er moeilijkheden kwamen. Tegen moeder Vet vertelde de politie dat haar zoon op het bureau werd verwacht en dan kwam hij 's middags uit zichzelf. Ik heb hem nog wel eens opgezocht als hij weer eens in de gevangenis zat en ook toen hij in het ziekenhuis lag – want zo'n sterk gestel had hij niet.

Dan maakte ik een gemoedelijk praatje met hem, maar als hij weer in de stad was, liet hij soms wekenlang niets van zich horen. Hij had een heleboel kinderen, allemaal van verschillende vrouwen. Toen het kind van zijn broer was gestorven, kwam hij met tranen in zijn ogen vragen of ik de begrafenis wilde doen. Zo heb ik verschillende begrafenissen gedaan voor de familie Vet. Een broer van Rinus overleed, een andere broer pleegde zelfmoord. Maar het was heel goed mogelijk dat ik Rinus – die me tijdens de begrafenis had overladen met dankwoorden, er was geen beter mens dan ik – korte tijd later weer tegenkwam en hij me de huid vol schold. Het was nu eenmaal een agressief mannetje. Ik trok me er nooit iets van aan, ik zei tegen hem: 'Man, je bent niet goed wijs. Volgende keer moeten we maar weer eens gezellig bijpraten.' En dan pakte ik rustig zijn biertje en gooide het zó de gracht in, daar durfde hij niets tegen te beginnen. 'Ga nou maar lekker naar bed,' voegde ik er nog aan toe.

Hij heeft me nog eens geld geboden als ik hem wilde vrijpleiten bij de politie. Hij was aangehouden omdat hij een paar hoerenkasten had. 'Natuurlijk doe ik dat niet, dat weet je best,' zei ik. 'Ja maar,' begon hij, 'anderen hebben ook een hoerenkast en die krijgen geen bekeuring!' Maar Rinus had wel zeven of acht publieke huizen, daarom werd hij veel eerder aangepakt dan mannen die maar een of twee huizen hadden. De politie wilde voorkomen dat Rinus te veel macht kreeg op de Wallen. Rinus zei nog tegen de rechter: 'Als ik dan voortaan nog één hoerenkast heb, mag het dan wel?' Daar heb ik hem nog over uitgelachen. 'Ben je nou zo dom, of doe je maar alsof?' vroeg ik. Dat pikte hij van me, hij stelde die eerlijkheid toch wel op prijs.

Frits Adriaanse dankte zijn bijnaam aan het café De Wereld op de Zeedijk, dat hij jarenlang runde totdat het werd gesloopt bij de grondige opknapbeurt van de Zeedijk in de jaren '80. Hij had ook een gokhuis op de Oudezijds Achterburgwal, Mata Hari. Hij hoorde duidelijk bij die oude generatie, die nu bijna helemaal is verdwenen. Hij was wel een beruchte hasjhandelaar, maar hield zich verre van harddrugs zoals heroïne en cocaïne. De heroïnehandel kwam in de jaren '70 sterk opzetten. Reini, de zoon van Frits, raakte zelf verslaafd aan cocaïne en heroïne en ging daar uiteindelijk aan onderdoor. Hoe vaak hij niet bij Frits of bij zijn moeder op de stoep heeft gelegen. Zeg dan maar eens 'nee', als je eigen kind om geld vraagt. Hij overleed een paar jaar voor Frits van de Wereld zelf. Frits heeft het heel erg moeilijk gehad met de verslaving van zijn zoon. Met al die mannen had ik, ondanks hun criminele achtergrond, toch een goed contact. Als er eens problemen waren, kwamen ze ook eerder naar het Leger des Heils toe dan dat ze naar de politie stapten. Wij probeerden alles onderling op te lossen. Bang voor deze mensen ben ik beslist nooit geweest.

Ik heb een keer een man in het Goodwillcentrum gekregen, die binnenkwam met de mededeling dat hij mij kwam vermoorden. Hij had een pistool bij zich en ik was helemaal alleen, het was al nacht. Maar ik ben geen moment in paniek geraakt. Hij kwam vertellen dat hij uit Nijmegen kwam en daar in een café een andere man had vermoord. Ooit was hij weggestuurd bij het opvanghuis van de Goodwill en daarom kwam hij nu verhaal halen. Ik kende hem helemaal niet. 'Kijk, mijn revolver is geladen,' liet hij zien. Maar ik wilde dat ding niet eens aanraken. Ik zei: 'Je kunt mij beter niet vermoorden. Want ik zit dadelijk in de hemel en jij komt in de gevangenis, dus ik zou wel weten waar voor ik koos.'

Ik hield hem een uur aan de praat. 'Je bent ziek,' hield ik hem voor, 'je hebt hulp nodig. Wij hebben toch niets met elkaar dat je mij dood wilt hebben?' Ik wilde geen maatschappelijk werker waarschuwen, want ik dacht, als hij toch gaat schieten, kan hij maar beter mij raken dan een ander. Uiteindelijk liet hij toe dat ik de psychiater van het crisiscentrum belde. Terwijl hij het kon horen, vertelde ik de psychiater wat er aan de hand was. 'Ik kom hem nu brengen en daarna ga ik naar de politie, want hij zegt dat hij iemand heeft vermoord in Nijmegen,' vertelde ik duidelijk. Vervolgens heb ik die man in mijn eigen auto naar het crisiscentrum gebracht. Later bleek dat zijn revolver inderdaad was geladen. Maar die man in Nijmegen was niet dood, daar had hij ook niet op geschoten, maar hij had hem buiten westen geslagen. Wat mij nog het meeste had benauwd, was dat het een grote rel voor het Leger des Heils zou worden als ik werd vermoord.

Die man is door dit voorval in behandeling genomen bij een psychiatrisch centrum, tot grote opluchting van zijn moeder, die ik daarna nog heb gesproken. Het bleek dat hij een heel lastig kind was geweest. Alleen zijn vader kon hem aan, maar zijn moeder niet. Toen zijn vader was overleden, ging het helemaal mis. Kwam zoonlief weer thuis met een taxi, moest moeder de hoge taxirekening betalen. Ze had al vaker bij de arts aangedrongen op opname van haar zoon in een psychiatrisch ziekenhuis, maar kreeg dit niet voor elkaar. Nu hij mij met een revolver met de dood had bedreigd, werd hij verplicht opgenomen en was zijn moeder de wereld te rijk. Het contact met die moeder is later verwaterd, ik weet dus niet of het ooit weer is goed gekomen met haar zoon. Laten we hopen van wel.

In de meeste cafés in de binnenstad was ik altijd welkom met de Strijdkreet. De ene kroegbaas was wat hartelijker dan de andere. Sommigen hadden niet altijd zin in 'dat gebedel', zoals zij dat uitdrukten, anderen werden boos als de klanten hun gekochte Strijdkreet in het café lieten slingeren. Ik drukte de mensen dan ook altijd op het hart dat niet te doen.

Zelf vond ik ook niet elk café even gezellig, maar daar ging het mij ook niet in de eerste plaats om. Ik kwam met een boodschap, niet om te lachen. Al hebben we dat natuurlijk wel vaak gedaan. In Het Maagdenhuis op de Zeedijk, op de hoek met de Molensteeg, kon je meestal wel plezier beleven. Dat was het café van de familie Steenhuis en daar kwamen echte 'oude hoeren' die haast altijd dronken waren. Zij zaten dikwijls bij andere klanten te bedelen om een 'citroentje' of een ander borreltje. De eigenaar van Het Maagdenhuis had een invalide zoon, die altijd voor de deur zat in zijn invalidenwagen. Zelfs in de winter kwam ik hem daar tegen. We namen hem regelmatig mee op onze boottochten. Hij is een tijdje opgenomen geweest in een verpleeghuis in Den Briel, maar dat was voor zijn moeder veel te ver weg. Later kon hij, gelukkig voor haar, in Amstelveen terecht.

Een heel bijzondere band heb ik gehad met Bet van Beeren, over wie ik wel een heel boek zou kunnen vullen. Ik leerde Bet kennen in haar café op de Zeedijk, 't Mandje, dat ze sinds 1927 runde. Toen we begonnen met onze straatzang en -samenkomsten op de vrijdagavond, eindigden we steevast rond het biljart van 't Mandje. Daar zongen we dan nog een paar liederen. 'Internationaal Souvenir Museum', stond buiten op het raam van het café. Het stond vol met allerlei beeldjes en andere prulletjes. Er hing een groot portret van de koningin, dat ze ook tijdens de oorlog gewoon had laten hangen. Ze was heel koningsgezind, daarom heb ik nog bijna ruzie met haar gekregen toen ik in 1965 met kroonprinses Beatrix door de binnenstad had gelopen, maar 't Mandje door omstandigheden moest overslaan.

Het plafond hing vol met stropdassen, die Bet in een baldadige bui regelmatig met een mes afsneed bij de klanten. Als we bij haar binnenkwamen met de Strijdkreet, dan sloeg ze op de bel en zette de muziek af. Ze riep tegen haar klanten: 'Allemaal koppen dicht, anders ga je d'r uit, want het Leger komt binnen! En allemaal de beurs trekken, want daarboven kunnen ze niet van de wind leven.' Een grote mond en een klein hartje, maar dat is niet genoeg om Bet te kunnen omschrijven.

Eigenlijk hadden Bet van Beeren en ik veel gemeen. Net zoals ik hield ze erg veel van mensen. We kenden iedereen uit de buurt en praatten met iedereen. Ik ging bij de mensen naar binnen en de mensen kwamen bij haar naar binnen. Ze organiseerde heel veel dingen voor de buurt, zoals kinderkampen en uitjes voor de bejaarden van de Zeedijk, net zoals het Leger dat deed. Ze kon heel zacht zijn, maar ook heel erg hard. Als iemand haar niet beviel, gooide ze hem zo de kroeg uit. Dat hadden we dan weer niet gemeen, want ik maakte nooit ruzie met iemand en was niet zo agressief als zij kon zijn.

Bet van Beeren was vooral een bijzondere vrouw, omdat ze er voor uitkwam lesbisch te zijn. Nergens in Amsterdam konden homoseksuelen een normale kroeg binnenkomen, maar wel bij Bet. Iedereen kwam er, van de dure advocaat tot de prostituee, het maakte allemaal niets uit. Ze had een heel grote mond, niemand kon tegen haar op. Ik denk dat ik een van de weinigen zal zijn geweest. Misschien dat ze me daarom juist graag mocht. Ik sluit zelfs niet uit dat ze een beetje verliefd op me is geweest.

Grove taal uitslaan, veel drinken, die levensstijl van haar kon ik als heilsofficier natuurlijk niet goedkeuren. Maar in haar hart was Bet een heel gelovige vrouw, dat was duidelijk te merken. Als we bij haar rond het biljart stonden en een van haar lievelingsliederen zongen: 'Ga niet alleen door het leven,' dan werd ze heel sentimenteel en stroomden de tranen over haar wangen. Ze was eigenlijk katholiek. Voor de pastoor van de Nicolaaskerk collecteerde ze wel eens in de buurt, dan kwam er veel meer geld binnen dan wanneer hij zelf de collecte deed. Ze wees soms naar buiten, naar het kruis dat boven op de Nicolaaskerk stond en riep melodramatisch: 'Zien jullie dat kruis, dat heb ik betaald.' Dat was natuurlijk niet zo, zij had het geld alleen ingezameld via de collectezak. Nu de Nicolaaskerk wordt gerestaureerd, zouden ze de collectes van Bet nog goed kunnen gebruiken om alle dure verbouwingen te kunnen betalen.

Ze reed vaak rond op die grote motor van haar, met een leren broek aan en een helm op, het leek net een kerel als je haar zag. Af en toe verdween ze weer voor een paar dagen, naar een of andere onbekende vriendin. Vaak zei ze dan tegen haar twintig jaar jongere zus Greet, die acht jaar met haar in de kroeg heeft gewerkt: 'Ik ga even een paar biefstukjes halen.' Om pas na een paar dagen weer op te duiken, mét die biefstukjes, dat wel.

Relaties duurden bij haar nooit lang, ze kon zich aan niemand binden. Daarom had ik ook veel medelijden met haar, omdat ze ondanks haar grote mond zo'n eenzame vrouw was. Ze had heel erg de neiging om vriendschap en liefde te kopen. Ze verdiende veel geld en kon heel erg gul zijn. Als ze iemand cadeautjes en geld gaf, verwachtte ze daar vriendschap en trouw voor terug. Maar zo werkt dat natuurlijk niet. Zo zijn heel veel relaties die ze aanknoopte net zo snel weer afgebroken.

Op oudejaarsavond sloten de cafés al om acht of negen uur. Dan was Bet alleen. Ze posteerde zich in haar huiskamer boven het café met allemaal portretten van overleden familieleden om zich heen, brandende kaarsen en een borreltje erbij. Op zo'n oudejaarsavond ging bij mij de telefoon: Bet. Ze voelde zich verschrikkelijk alleen en vroeg of ik niet langs wilde komen. Natuurlijk ben ik naar haar toe gegaan. Toen ik bij haar kwam, zat ze te huilen van eenzaamheid. Ze kwam natuurlijk altijd, elke dag onder de mensen en als die stemmen ineens wegvallen, word je met jezelf geconfronteerd. Dan ga je je afvragen wie je bent en waarvoor je het eigenlijk allemaal doet. Zo hebben we verschillende oudejaarsavonden samen doorgebracht en mooie, vertrouwelijke gesprekken gevoerd over het leven. Dat schiep een band. Per slot van rekening was ik ook alleen, iedereen ging oud en nieuw vieren met familie en ik bleef op mijn post. Daarover heeft haar zus Greet nog wel eens gezegd: 'Twee vrouwen die hier de wereld aan hun voeten hebben liggen, zitten op oudejaarsavond alleen, dat is toch ongelooflijk.'

Bet was niet altijd even vriendelijk. Ik ben een keer bij haar het café uitgezet en er een paar weken lang niet geweest. Die avond was er een dronken man in 't Mandje die zijn bier niet wilde afrekenen. Op een gegeven moment kwam tante Jans binnen met de Strijdkreet en de collectebus. Bet dacht: 'Hij zal toch iemand moeten betalen, ik krijg dat geld hoe dan ook uit zijn zak.' Tegen die man zei ze: 'Geef je geld dan maar aan het Leger des Heils.' Toen hij geen aanstalten maakte zijn portemonnee te trekken,

149

vroeg Bet: 'Ga je nou betalen, of moet ik de majoor er zelf even bij halen?' Toen werd hij wakker en zei dat hij inderdaad alléén aan de majoor zelf zou betalen. Ik werd erbij gehaald en die man trok honderd gulden uit zijn portemonnee, die ik in de collectebus deed. Hij mompelde er nog wel iets bij als: 'Bet van Beeren is de beste vrouw van de wereld,' of iets dergelijks. Toen liet ik me ontvallen dat Bet, net zoals ieder mens, ook haar slechte kanten had. Helemaal niet zo onaardig bedoeld, maar het schoot totaal verkeerd. Tante Jans en ik werden zonder pardon het café uitgewerkt en hoefden voorlopig ook niet meer te komen.

Toen Bet vijfendertig jaar in 't Mandje stond, ze was toen zestig jaar, hield de buurt een groot feest voor haar. De pastoor van de Nicolaaskerk en ik werden benaderd of wij Bet niet wilden voordragen voor een lintje: een koninklijke onderscheiding voor de koningin van de Zeedijk, zoals ze werd genoemd. Een aanvraag voor een onderscheiding moet namelijk door twee hooggeplaatste personen worden ondertekend. Maar de pastoor weigerde de aanvraag te tekenen en ik had er ook mijn twijfels over. Ik mocht haar werkelijk graag, maar om iemand met haar levensstijl – ze dronk op een gegeven moment wel veertig biertjes op een dag – nou te eren met een koninklijke onderscheiding... ik vond niet dat ik daar een bijdrage aan hoefde te leveren. Dat is me behoorlijk kwalijk genomen, maar het leek me gewoon niet juist.

Ze heeft me tijdens een van onze goede gesprekken verzocht of ik haar begrafenis wilde doen als ze zou overlijden. 'Ik word vijfenzestig,' voorspelde ze zelf en dat is precies zo uitgekomen. In 1967 werd ze erg ziek, ze had door het drinken een leverkwaal opgelopen. Toen ze zo aan de drank was, at ze ook al bijna niet meer, ze leefde heel erg ongezond. Drie dagen voor haar dood werd ze met een ziekenauto opgehaald en naar het ziekenhuis gebracht. Ze wist dat ze dood zou gaan; toen ze op de brancard het café werd uitgedragen zei ze: 'Dag Mand. Ik zie je nooit meer terug.'

Haar grote wens was dat ze zou worden opgebaard op het biljart in haar eigen café en dat is ook gebeurd. Kort geleden, in 1997, was er een lesbische theatergroep, Mevrouw Jansen, die het levensverhaal van Bet op de planken bracht. Daar ben ik twee keer naar wezen kijken en vooral de scène dat Bet dood is en in het café ligt opgebaard, staat me nog heel helder voor de geest. Dat hadden ze heel mooi nagespeeld. Ik kwam zelf ook in het toneelstuk voor. De vrouw die mij speelde, is van tevoren nog bij me geweest en heeft het heel goed opgepikt allemaal.

De uitvaart van Bet was een heel bijzondere gebeurtenis in Amsterdam. Het leek wel een echte staatsbegrafenis. De Zeedijk was afgesloten, dat had de politie uit de Warmoesstraat op het verzoek van Greet van Beeren geregeld. Op elke hoek van de stegen en zijstraten stonden agenten met witte handschoenen aan in de houding en ze salueerden toen de rouwstoet voorbijkwam. Op de begrafenisplechtigheid heb ik verteld hoe ik dacht over Bet. De toehoorders stonden zelfs buiten, waar ze mijn afscheidsrede via luidsprekers konden volgen. Ik weet zeker dat Bet religieuze gevoelens had en dat ze in God geloofde. Omdat ze dat café had, was het voor haar moeilijk die religieuze neiging te volgen. Het café leidde háár, in zekere zin. Op zich is er helemaal niets verkeerds aan een café, het heeft een sociale functie. Maar Bet kon zichzelf niet in de hand houden en met haar drankgedrag overschreed ze duidelijk de grenzen.

Bet zal de genade van God best nodig hebben gehad. Die heeft ze ook gekregen. Voor iemand die zo veel drinkt dat hij zich vergaloppeert, is er net zo goed genade als voor ieder ander die wel eens iets verkeerd doet.

Greet van Beeren heeft 't Mandje na de dood van Bet geërfd. Na veertien jaar sloot ze het café, omdat de situatie op de Zeedijk te ernstig was geworden. De straat was als het ware overgenomen door de junks en hun dealers. Het café is er nog steeds. Sinds 1982 is de deur op slot, maar het hele interieur is er nog, er is niets aan veranderd. Iemand kan er bij wijze van spreken morgen weer een café beginnen. Dit jaar nog ging het café, zeventien jaar na de sluiting, voor één weekje open, tijdens de Gay Games, de Olympische spelen voor homoseksuelen. Omdat er – tegen de huidige wetgeving in – maar één wc was, voor dames en heren, moest het binnenplaatsje worden voorzien van een geïmproviseerd dak en daar werd een chemisch toiletje neergezet.

Greet woont boven het café, in het vroegere huisje van Bet. Ik breng nog wel eens een bezoekje aan haar en toen ze een tijd geleden in het ziekenhuis lag heb ik haar een paar keer opgezocht. Toen ik bij Mies Bouwman in het televisieprogramma 'In de hoofdrol' kwam, was Greet van Beeren een van de gasten die voor het publiek wat over me vertelden. Ze kan prachtig vertellen, ze heeft het altijd nog graag over haar zus Bet. Die uitzending, in 1986, was een groot succes, bijna vergelijkbaar met mijn allereerste televisieoptreden in 'Anders dan Anderen' van Bert Garthoff in 1959. Ik heb er een heel goed contact met Mies Bouwman aan overgehouden.

Mijn vijftigste verjaardag is de laatste geweest die ik zelf heb gevierd. Het was verschrikkelijk druk en ik kon eigenlijk niemand even rustig spreken. Daar voelde ik me zo schuldig over, dat ik 's nachts in bed heb liggen huilen en op dat moment nam ik me voor: ik vier het niet meer. Sinds die tijd ben ik met mijn verjaardag, op 8 juni, altijd weg geweest, ondergedoken. Ik ging bijvoorbeeld in een hotelletje van vrienden op de Veluwe zitten en bracht mijn verjaardag daar heerlijk rustig door. Of ik ging met vakantie naar Zwitsersland, waar ik een huisje kon gebruiken van kennissen. Mijn vrienden en bekenden namen hier natuurlijk geen genoegen mee. Als ik het zelf niet wilde organiseren, dan deden zij dat wel. Ook dit jaar stond er weer een delegatie van het Leger des Heils voor mijn deur, op 5 juni, een paar dagen voordat ik naar mijn geheime adres vertrok.

Mijn tachtigste verjaardag is in mei 1993 gevierd met een groot verrassingsfeest in het Van der Valk-restaurant bij Schiphol. Dat feest was georganiseerd door Hans Hofman, een fotograaf die zelf ook uit de binnenstad kwam; ik kende zijn moeder Tine Hofman heel goed. Zij was een van de voorvechtsters voor het behoud van de Nieuwmarktbuurt, toen de gemeente plannen had de hele buurt te slopen ten behoeve van de aanleg van de metro. Met succes, want de buurt is voor een groot deel behouden gebleven.

Ze waren er allemaal: Pistolen Paultje, Frits van de Wereld en al die andere figuren van de Wallen. Ik zat nietsvermoedend met een aantal mensen van het Leger des Heils te eten in de zaal ernaast, toen de obers op een gegeven moment de tussenwand wegschoven en een enorm rumoer losbrak. Allemaal artiesten hadden ze uitgenodigd. De Havenzangers zongen het 'Lang zal ze leven', Ronnie Tober kwam met 'You'll never walk alone', Manke Nelis zong zijn 'Kleine jodeljongen' en Imca Marina liet haar hit 'Vino Vino' nog eens horen.

Er waren ook mensen van de politie bij, zoals oud-rechercheur van bureau Warmoesstraat, de inmiddels bekende schrijver van misdaadromans Appie Baantjer en de voorlichtingschef van de Amsterdamse politie Klaas Wilting. Iemand opperde dat het precies leek op de begrafenis van de Amsterdamse hoofdcommissaris van politie Toorenaar, korte tijd daarvoor, waar ook een hoop mensen uit het criminele leven kwamen. Ze hadden burgemeester

Ed van Thijn en koningin Beatrix ook nog voor dit verrassingsfeest uitgenodigd, maar die zijn niet gekomen. De spreekstalmeester, acteur Hans Boskamp, haalde allerlei herinneringen op. Zo riep hij op een gegeven moment door de zaal: 'Wilt u een Strijdkreet, heren?' Waarop het in koor klonk: 'Laat hem maar horen, majoor!' Ik vond het allemaal best gezellig en heb het maar over me heen laten komen. Eigenlijk is zo'n feest bedoeld om mij een plezier te doen, maar ze hebben er zelf het meeste plezier van.

Een van de gasten die ik me ook nog goed herinner, is de zangeres Soraya uit Amsterdam-Noord. Zij had namelijk een week voor dit feest haar zesjarige dochterje verloren, waarvoor ik de begrafenisdienst had geleid. Het meisje was met haar iets oudere broertje aan het spelen langs de waterkant en in het water gevallen. Het zoontje rende in paniek naar huis om te vertellen dat zijn zusje in het water lag. Toen was het echter al te laat, het meisje was verdronken. Heel aangrijpend vond ik het. Ik heb begrepen dat Soraya dit afgelopen jaar een kindje heeft gekregen en ik hoop dat ze hiermee ook het geluk weer heeft gevonden.

Mijn tachtigste verjaardag werd dat jaar zelfs twee keer gevierd. In oktober was er nog een feest georganiseerd, in Krasnapolsky, dat was me aangeboden door het Goodwillcentrum dat zelf het vijfenveertigjarig bestaan vierde. Op dit feest kwamen onder anderen het CDA-kopstuk Eelco Brinkman, de naaldkunstenares Cecile Dreesmann, Greet van Beeren, zanger Eddy Christiani en tot mijn grote verrassing ook prinses Juliana. Zij vertrouwde me aan het slot van het feest toe: 'Ik had best nog wat meer willen zingen!'

Met Juliana heb ik altijd een mooi, warm contact gehad. Ze heeft me dat jaar, voor mijn tachtigste verjaardag, een heel persoonlijk cadeautje gegeven. Omdat ze wist dat ik niet thuis zou zijn, liet ze het bezorgen. Het was een kettinkje met een hartje eraan, daarbij zat het volgende kaartje:

> *Lieve majoor Bosshardt,*
> *Welkom bij de Tachtigers! Een mooie leeftijd; iets kalmer aan.*
> *Onze gedachten met wensen, gedachten met liefde zijn bij u. En misschien accepteert u dit kleine familie-stuk van ons:*
> *Een warm gloeiend, warm hartje.*
> *Máár: u mag het alléén houden als u ons nergens voor bedankt.*

We voelen zo makkelijk de warmte in elkaars harten aan, dat 't echt geen papier of telefoon nodig heeft om iets te bewijzen.

En we hopen dat u 't heerlijk hebt in uw schuilplaats en een heerlijk jaar daarna - in de jaren van wijsheid (hebt u die nog méér nodig?).

Met een hart vol warme en met liefde geladen gevoelens, Juliana en Bernhard.

Ik ben altijd een voorstander geweest van het koningshuis. We hebben het erg getroffen met deze koninklijke familie, die ik erg aardig en netjes vind. Politiek gezien kan ik het niet helemaal goed beoordelen, maar voor mij is het koningshuis van grote waarde. Een president kost waarschijnlijk net zo veel geld en zolang het op deze manier goed gaat in Nederland, zie ik beslist geen noodzaak het koningshuis af te schaffen.

Juliana brak dit jaar haar heup en raakte mede door de operatie een beetje in de war, maar ze is natuurlijk ook al heel erg oud. Met haar 89 jaar is ze al ouder geworden dan haar moeder, koningin Wilhelmina. Ik heb haar uiteraard een beterschapswens gestuurd. Vroeger heb ik veel meer met Juliana en Bernard gecorrespondeerd. Ze schreven bijvoorbeeld dat ze zorgen hadden om hun kleinkind prins Constantijn, de jongste zoon van Beatrix, die als baby erg ziek is geweest. In mijn brief wenste ik ze dan veel sterkte en kracht van God.

Met Beatrix heb ik, vanwege ons uitstapje met de Strijdkreet, een sterkere band, al is die met de jaren wat afgezwakt. Juliana was altijd wat gevoeliger en openhartiger dan haar dochter, maar ook Beatrix heeft duidelijk haar zorgen en emoties, al houdt zij ze meer voor zichzelf.

Ik zal nooit alles wat ik van het koningshuis weet naar buiten brengen, ik ben altijd voorzichtig ter wille van hen. Er wordt al zo veel over ze geschreven en beweerd en ze kunnen zich nooit verdedigen. Dat hoeft ook niet, je staat het sterkst als je je niet verdedigt. Over mij is ook van alles beweerd. Ik zou een villa hebben in Bussum en in een grote auto rondrijden. Mijn kleine autootje had ik volgens dat verhaal alleen voor de show, om de schijn op te houden dat ik niet rijk was geworden. Moet ik daar nu werkelijk op ingaan, als het gewoon door iemand is verzonnen? Ik moet er nog om lachen ook. Stel je voor dat ik het huishouden zou moeten doen in zo'n groot huis, terwijl ik nu al amper twee kamers schoon kan houden.

Met de kroonprins, Willem Alexander, heb ik nauwelijks contact. Majoor Van Pelt, de huidige leider van het Goodwillcentrum, krijgt vaak de vraag of hij niet eens met Willem Alexander op pad wil gaan, net zoals ik destijds met Beatrix. Maar dan antwoordt hij dat hij liever iets originelers verzint.

Ik denk dat Willem Alexander meer heeft kunnen genieten van zijn jeugd dan zijn moeder en grootmoeder in hun tijd. Dat hij een functie kon krijgen bij het IOC, het Internationaal Olympisch Comité, vond ik leuk voor hem. Dat hij in de krant werd uitgemaakt voor verrader en judas, door iemand die zelf dat baantje had willen krijgen, vond ik volkomen misplaatst en al helemaal niet sportief. Terwijl het toch om een functie in de sportwereld gaat!

Het jaar waarin ik tachtig werd, heb ik met de organisatie 'Zending zonder Grenzen' een soort afscheidstournee gehouden door het land, hoewel ik bij elke bijeenkomst alvast meedeelde dat ik net Heintje Davids ben: ik kan geen afscheid nemen van mijn bezigheden. Mensen fluisteren nu dat ik waarschijnlijk 'in het harnas' zal sterven. De stichting Zending zonder Grenzen heette vroeger de stichting 'Vervolgd Christendom', een zendingsorganisatie gericht op de toenmalig communistische landen, waar het christendom was verboden en gelovigen zelfs werden vervolgd. Er werd geld ingezameld om bijbels naar die landen te kunnen sturen. Bijbels in het Chinees, in het Russisch, het Tsjechisch of Duits. Toen het ijzeren gordijn verdween en het christendom voor een groot deel weer werd getolereerd, is de naam veranderd in Zending zonder Grenzen.

Het was dus een afscheidstoernee zonder afscheid, georganiseerd door Sipke van der Land, die zich altijd enorm voor Zending zonder Grenzen heeft ingezet. Hij verwelkomde mij telkens op het podium met de woorden: 'Ze is gewoon en toch zo bijzonder en bijzonder omdat ze zo gewoon is.' Op posters die de afscheidstournee aankondigden, stond mijn naam vermeld samen met die van de dichteres Nel Benschop en de alt Reinata Heemskerk, die prachtige geestelijke liederen zong. Samen werden we 'de grote drie' genoemd. In 32 plaatsen, beginnend bij Hilversum en eindigend op Texel, hebben we in allerlei kerken opgetreden en dat was een enorm succes.

Nel Benschop is een goede vriendin van me gebleven. Haar gedichten staan heel vaak boven rouwadvertenties en daar wordt wel eens wat minachtend over gedaan, maar als zo veel mensen het mooi vinden, dan zijn ze toch zeker wat waard. Met haar gedichten brengt ze de mensen dichter bij God en God dichter bij de mensen. Voor mij heeft ze een heel persoonlijk gedicht geschreven, toen ik tachtig jaar werd. Het is opgenomen in het boekje *Geven om, zorgen voor*, een mooie brochure over het Goodwillcentrum die is gemaakt door Ruud Tinga, de zoon van Frans en jongere broer van mijn oude buurman Koos Tinga. Het gedicht is me heel dierbaar:

Een leven lang van Gods genade spreken
en een getrouw getuige van zijn liefde zijn;
het pantser van de afweer te doorbreken,
je levenspad te lopen in een rechte lijn;

streng voor jezelf te zijn, mild voor de ander,
door God begiftigd met veel wijsheid en begrip
niet slechts voor vriend, maar ook voor tegenstander,
altijd de ander zien en niet je eigen ik;

met milde glimlach warmte te verspreiden
en een gevoel te geven van geborgenheid;
wie je zijn toevertrouwd tot God te leiden,
altijd de Heiland volgend in afhank'lijkheid;

zo mocht jij door je leven and'ren tonen
hoeveel geluk er ligt in 't luisteren naar Gods stem.
Hij wil bij ons, in onze wereld wonen.
Gezegend is de mens, die wil leven met Hem!

Een andere kunstenaar die veel heeft betekend voor mij én het Goodwillcentrum was Anton Pieck. Ik kende zijn tekeningen natuurlijk al heel lang, maar ze ademden zo'n nostalgische sfeer dat ik jarenlang heb gedacht dat Anton Pieck in de vorige eeuw leefde. Toen ik er achter kwam dat hij nog onder ons was, heb ik hem opgebeld en gevraagd of hij voor ons tekeningen wilde maken, voor het Goodwill-jubileum boekje *Voor mensen van goede wil*, dat in 1973 is geschreven door de journalist Jan Filius.

Dit werd een van de populairste boekjes die ooit over het Goodwillcentrum zijn uitgegeven, het is verschillende malen herdrukt. Dat was mede te danken aan de bijzondere illustraties.

Maar ook de iets minder succesvolle boekjes over het Goodwillcentrum of over mijn leven en werk kwamen nooit bij de tweedehands boekwinkel terecht, al moest ik persoonlijk de restanten opkopen. Ik kwam eens binnen bij boekwinkel De Slegte, waar ik een boekje over oud-premier Willem Drees zag liggen voor negenenzestig cent! Toen dacht ik: 'Zo wil ik nooit komen te liggen, dat is mijn eer te na.'

Anton Pieck, die destijds al dik in de zeventig was maar nog steeds zelfstandig woonde en ijverig werkte, heeft een jaar lang aan zijn tekeningen en aquarellen gewerkt. Daarvoor kwam hij regelmatig naar de binnenstad om alle gebouwen en straten te bestuderen. Hij maakte zes grote aquarellen en negen tekeningen voor het boekje en rekende er helemaal niets voor. 'Dat zou voor u toch veel te duur worden,' verklaarde hij welwillend. Voorwaarde was wel dat hij zelf het papier mocht uitzoeken waarop zijn kunstwerken moesten worden afgedrukt – die lithograaf leverde zijn werk overigens ook belangeloos aan ons. De aquarellen en tekeningen tonen allerlei mooie momenten in de binnenstad. Een besneeuwde Oudezijds Voorburgwal met onze Leuwenburgh, een heilssoldate in de regen, een openluchtsamenkomst met zingende heilssoldaten in de Sint-Annadwarsstraat, pal naast een sex-shop. De sfeer die hij in zijn tekeningen weet te brengen, is precies de juiste.

Op de achterkant van de brochure staat een afbeelding van een gevelsteen, die is te vinden in een pand aan de Oudezijds Achterburgwal. 'God is mijn burgh' staat er in gegraveerd, onder een zeilschip dat met vlag en wimpel een vaste koers vaart. Aan de wal zien we een burcht, met een lantaarn als baken; een veilige haven, een symbool voor God. Die gevelsteen heeft me altijd geïntrigeerd. Eeuwen geleden hebben de eigenaren van dit toenmalige pakhuis de steen laten aanbrengen. In 1685 woonde hier de bierbrouwer Claes Dircksz. Hasselaer, die ook het pakhuis in gebruik had. Tegenwoordig is het een sekstheater, maar die gevelsteen 'God is mijn burgh' blijft naar God verwijzen. Een grotere tegenstelling is nauwelijks denkbaar, dat heeft ook Anton Pieck opgemerkt. De originele kunstwerken hangen – goed verzekerd – nog altijd in het kantoor van majoor Van Pelt, in de Leuwenburgh.

Er is nog een goede vriend van me geweest die over mij een boekje heeft geschreven: Jan van der Hoeven, de particulier secretaris van koningin Juliana. Hij is inmiddels overleden. In 1985 schreef hij

Een Gouden Ontmoeting, dat werd uitgegeven ter gelegenheid van mijn vijftigjarig jubileum als heilsofficier. Ik ging regelmatig logeren bij de familie Van der Hoeven, in hun dienstwoning op het terrein van Paleis Soestdijk. Ze hadden een tweede huisje bij Mook, op de Mookerheide. Daar was het heerlijk rustig, omdat dit een beschermd natuurgebied is. Soms verbleef ik in dit vakantiehuisje samen met het gezin of alleen met Jan van der Hoeven, die hier in alle rust kwam werken. Maar ik vond het ook heerlijk om er alleen te zijn.

Jan van der Hoeven had een zoon met het syndroom van Down, over wie hij ook een paar boekjes heeft geschreven, zoals *Scheel Engeltje* en *Een Engel kan ook huilen*. Daarnaast schreef hij een paar geestelijke boekjes, over de Tien Geboden en het Onze Vader. Heel symbolisch was het boek *Wie doof is kan niet zingen*. Daarmee bedoelde hij dat sommige mensen, zoals bepaalde politici, niet goed konden luisteren naar anderen en daardoor ook niet goed konden spreken, omdat ze niet begrijpen waar het om draait.

Aan al deze mensen bewaar ik warme herinneringen. De vraag of ik door mijn werk en de daaraan verbonden bekendheid ijdel ben geworden, lijkt me eigenlijk al voldoende beantwoord. Ik heb de straat nooit de rug toegekeerd en heb mezelf altijd voorgehouden dat ik op de kleine steentjes moet blijven lopen. Gewone mensen zijn me net zo veel waard als beroemde mensen, want die zijn in feite ook maar gewoon. Er zaten ook allerlei figuren tussen met een criminele inslag, maar ook die heb ik altijd als gewone mensen benaderd. Want als je om dit soort mensen met een boog zou heenlopen, was je ook geen goed christen. Jezus sprak ook met iedereen en maakte ook geen onderscheid.

Hoofdstuk 8

'Niets menselijks is mij vreemd'

Ome Henk kwam van het begin af aan trouw naar onze samen-komsten. Het was een rare vogel, bijna altijd dronken, maar op zijn manier was hij bijzonder op het Leger des Heils gesteld. Soms, als hij dronken was, schold hij ons de huid vol, maar dan kwam hij het een dag later altijd weer goed maken met bloemen of gebakjes. Hij had vanaf zijn achttiende op de grote vaart gezeten en volgens mij alle kroegen van de hele wereld van binnen gezien. Op zijn tweeënveertigste werd hij afgekeurd voor zijn werk; dat had natuurlijk alles met zijn drankgedrag te maken. Hij kwam in de binnenstad van Amsterdam terecht, vergezeld door zijn vriend de drankfles. Maar het bleef een goeierd.

Op een dag heeft hij een schilderij gestolen uit het Goodwillcen-trum. Een portret van onze stichter William Booth, niet eens zo'n heel erg mooi schilderij. Pas na maanden zijn we er achter geko-men, omdat niemand het bewust had gemist. Het schilderij dook uiteindelijk weer op in Apeldoorn, waar het bij een wethouder achter in de auto lag. Vermoedelijk is ome Henk naar een afkick-kliniek van het Leger gegaan, in Ugchelen, in de buurt van Apeldoorn. Daar viel het pakketje dat hij bij zich had op, want ome Henk had nooit iets bij zich. Ome Henk met een pakketje? Dat zal wel iets zijn dat is gestolen. Inderdaad bekende hij dat hij dat schilderij 'van Bosshardt' had gestolen. Een wethouder ont-fermde zich over het portret, maar dacht er ook niet voortdurend aan.

Op een gegeven moment kwam hij in Apeldoorn de Leger des Heils-kapitein Weergang tegen, waardoor het schilderij hem weer te binnen schoot. Het werd van de ene in de andere auto overge-laden en kapitein Weergang heeft er toen ook weer wekenlang mee rond gereden. Pas na maanden kregen wij het tot onze grote verrassing terug. Overigens is ome Henk nooit afgekickt in die

159

kliniek, want de volgende dag was hij alweer gesignaleerd in zijn stamkroeg in Amsterdam.

Op een dag werden wij door de politie naar het ziekenhuis geroepen. Uit het water van de Gelderse Kade hadden ze een bewusteloze man gehaald, van wie ze niet wisten wie het was. Het enige wat hij bij zich had, was een kaart van het kerstdiner van het Goodwillcentrum, dus misschien konden wij hem identificeren. 'Ik weet het niet zeker, maar hij lijkt wel erg veel op ome Henk,' aarzelde ik in het ziekenhuis. We hadden ome Henk ook al een tijdje niet gezien. Na een dag of tien zakte de man steeds verder weg in zijn coma, om uiteindelijk te overlijden. Nogmaals werd me gevraagd of het ome Henk was. Die was nog steeds niet komen opdagen. Toen ik bij de sociale dienst ging navragen, kreeg ik te horen dat ome Henk zijn geld niet was komen ophalen. Het kon niet missen: de dode man moest ome Henk zijn. De uitkering en zijn ziekenfonds werden opgezegd en de begrafenis zou een week later zijn. Ik had de tekst voor de begrafenisdienst al voorbereid.

Een dag voor de begrafenis zit ik op mijn kantoor, komt ineens ome Henk woest binnenlopen! 'Wat maak jij me nou?' vroeg hij boos. 'Ik kan mijn uitkering niet afhalen en die heb jij laten blokkeren!' Ik was stomverbaasd, maar zag er ook nog wel de humor van in. Het bleek allemaal op toeval te berusten dat ome Henk die week ervoor zijn geld niet was komen ophalen. Hij leefde dus nog. Maar wie was dan wel die man die overleden was? Ome Henk kon zelf de oplossing bieden. Hij vertelde dat er achter de Houtmankade een man op een bootje woonde, een zekere Toon, die wel een beetje op hem leek. Toen we daar gingen inspecteren, bleek deze Toon er inderdaad al dagenlang niet te zijn geweest. Uiteindelijk heb ik toch maar de begrafenis van deze onbekende dubbelganger van ome Henk gedaan.

Er is nog een bekend kerstverhaal met ome Henk in de hoofdrol. We organiseerden een kerstdiner voor 250 dak- en thuislozen, die allemaal een introducé mochten meenemen. Een familielid, een vriend, een wijkverpleegster, dat maakte niet uit. Onze kerstgedachte dat jaar was: samen eten, samen delen. Dat vonden we heel mooi bedacht en ook de gasten waren er enthousiast over. Op de avond van het diner waren er 499 mensen binnen. Eén gast had geen introducé meegenomen en dat was ome Henk. 'Ik deel mijn eten alleen met mezelf,' verklaarde hij. Hij had zelfs een pannetje meegenomen. 'Die tweede maaltijd neem ik mee, voor morgen, ik vind dat ik daar recht op heb.' Ach, die tweede maaltijd heeft hij ook wel gehad. We vonden het jammer, maar het was ome Henks goed recht.

Ome Henk is overigens nooit van de drank af gekomen. Jarenlang hebben we hem begeleid, geaccepteerd en ontvangen als hij weer eens langs kwam waaien, maar hij veranderde in wezen niets. Hij bleef drinken.

Een van de regels van het Leger des Heils is, dat officieren en heilssoldaten niet mogen roken en geen alcohol mogen drinken. Ik heb wel eens een dominee meegemaakt, die in de kroeg ging zitten drinken met de mensen die zijn hulp hadden gezocht. Hij dacht: Dan voelen ze zich een beetje gelijk aan mij. Maar dat vond ik nooit een geslaagde manier van werken. Bovendien vond ik niet dat je je dat als dominee kunt permitteren. Want je kunt in onze situatie niet op hetzelfde niveau staan, er moet een zekere afstand blijven als je iemand wilt kunnen helpen. Hoe kun je iemand duidelijk maken dat zijn ellende door drank wordt veroorzaakt, als je zelf zit mee te doen?

'Het Leger des Heils drinkt zelf niet, maar ze vinden het niet erg als wij wel dronken zijn,' heeft iemand in een café wel tegen me gezegd. Ik denk dat het klopt. We zijn streng voor onszelf en tolerant voor anderen.

Ik zat een keer in de tram toen er een ontzettend dronken man instapte. Hij zat tegen iedereen te babbelen, de mensen vonden hem duidelijk erg lastig. 'Dag juffrouw, wat zit uw haar leuk vandaag,' van dat soort dingen. Ook tegen de conducteur liep hij heel vervelend te doen. Ik riep hem naar me toe, want naast mij was nog een zitplaats vrij. 'Kom jij nou maar even rustig hier zitten,' zei ik. Hij waggelde door de tram naar me toe en riep joviaal: 'U begrijpt wel wat het is om dronken te zijn hè.' Zo had de rest van de tram tenminste weer rust. De man begon een heel verhaal tegen me af te steken, over zijn vrouw en over zijn leven. Ik ben tegelijk met hem uitgestapt en bracht hem naar huis, in de Rapenburgerstraat. Daar heb ik ook met zijn vrouw gesproken en uiteindelijk is er een heel leuk contact gegroeid met dat gezin.

De heilssoldaten en -officieren kiezen voor een sober leven zonder drank en sigaretten en daar hoeft niemand medelijden mee te hebben. Ik heb het nooit gemist, sterke drank niet en sigaretten niet. Het is een principe waaraan ik mij gemakkelijk kan houden. Daar ga ik bovendien vrij ver in. Een paar jaar geleden werd het Leger des Heilsgebouw in de Damstraat verkocht aan Krasnapolsky, omdat het Hoofdkwartier ging verhuizen naar Almere. Krasnapolsky wilde op deze plek een nieuwe vleugel van het hotel neerzetten, waarvoor ik de eerste paal mocht slaan. Toen het hoogste punt van de nieuwbouw werd bereikt, werd ik weer gevraagd, deze keer om een fles champagne leeg te gieten boven het dak. Maar dat heb ik geweigerd met de uitleg: 'Daarvoor ben ik, als geheelonthouder, niet de aangewezen persoon.'

Ik ontmoette eens een priester, die vond dat het Leger des Heils veel te streng was. 'Helemaal nooit iets drinken?' riep hij verbaasd. 'Wat lijkt me dat vervelend!.' Maar bij de katholieke kerk mogen ze weer niet trouwen en dat kan in het Leger des Heils wel. 'Dat lijkt mij weer heel vervelend,' diende ik hem van repliek.

Ook het huwelijk is binnen het Leger des Heils aan bepaalde regels gebonden. Een officier kan alleen officier blijven, als hij of zij trouwt met een andere officier. Is de partner een heilssoldaat of iemand van buiten het Leger, dan ben je officier-af. Tenzij die partner bereid is de opleiding van het Leger op de kweekschool te volgen.

Toen ik met pensioen ging in 1978, vijfenzestig jaar oud, hadden we een heel moderne oplossing bedacht voor mijn opvolging. Niet één, maar drie jonge opvolgers moesten het worden, die de taken onderling verdeelden. Dat systeem was geënt op het bedrijfsleven, zo had ik geleerd op de sociale academie. Het Goodwillcentrum werd in drie afdelingen onderverdeeld: het maatschappelijk werk, het geestelijk religieuze werk en de administratie. De drie opvolgers waren ieder verantwoordelijk voor een van deze onderdelen. De administratie werd verzorgd door een heilssoldaat, het maatschappelijk werk kwam onder de hoede van een jonge vrouwelijke officier en het geestelijk religieuze werk viel onder de verantwoordelijkheid van een kapitein, een getrouwde man.

In juli gaf ik mijn taken over aan dit drietal en vervolgens ben ik in september voor een half jaar naar Amerika gegaan. Dat was op uitnodiging van de Universiteit van Syracuse; ik mocht daar een cursus Internationale Bejaardenzorg gaan volgen, die een half jaar in beslag nam. Voor mij was het heel goed om zo lang weg te zijn. Voor mijn opvolgers was het ook heel goed, want dan moesten ze meteen alles zelf regelen. Ik kon me er voorlopig ook niet mee bemoeien, zodat ze nooit zouden kunnen zeggen dat ik ze in de wielen had gereden. Maar ze hebben het niet gered.

De officier voor het maatschappelijk werk en de heilssoldaat die hoofd van de administratie was, werden verliefd op elkaar. De derde, de kapitein, vond dat niet zo prettig werken. Hij had een beetje het gevoel van twee tegen één, vooral als er eens ergens een conflict over was. Het verliefde stel koos dan, althans in zijn ogen, altijd partij voor elkaar. Het mooi uitgedachte systeem van drie leiders in de Goodwill hield dus niet lang stand. Er ontstond veel te veel onrust, zelfs zo veel dat de kwestie nu, twintig jaar na dato, nog behoorlijk gevoelig ligt. Na twee jaar is er een andere leider van het centrum aangesteld, majoor Van der Harst, die er samen met zijn vrouw weer één geheel van heeft gemaakt. Hij was ook de eerste die niet meer in de Leuwenburgh ging wonen, maar kantoorruimte maakte van mijn oude woning.

Majoor Van der Harst is na acht jaar uitgezonden naar Tsjechoslowakije, waar het Leger des Heils inmiddels niet meer verboden was. Hij werd op zijn beurt opgevolgd door majoor Van der Made. Daarna kreeg majoor Els Klarenbeek de leiding over het Goodwillcentrum en zij is begin dit jaar opgevolgd door majoor Henny van Pelt. Henny van Pelt werkte hiervoor negen jaar in het kindertehuis Trompendaal in Hilversum en hij heeft eigenlijk met Els Klarenbeek van functie geruild. Els Klarenbeek is momenteel bezig een fusie tot stand te brengen tussen kindertehuis Trompendaal en een kindertehuis in Huizen.

Toen ik terug was uit Amerika hoorde ik dat twee van mijn opvolgers met elkaar gingen trouwen. Ze vroegen of ik de huwelijksvoltrekking wilde doen. Bij een 'Legerhuwelijk' beloven de bruid en de bruidegom trouw aan God, trouw aan het Leger en trouw aan elkaar. Het huwelijk mag het werk voor het Leger niet in de weg staan. Omdat de een geen officier was, moest hij zich eigenlijk aanmelden voor de officiersopleiding van het Leger des Heils, zodat zijn kersverse echtgenote wel officier kon blijven. Hij is dit nog wel van plan geweest, maar het is er niet meer van gekomen. Zij kwam uiteindelijk terecht in de wijkverpleging. Twee kinderen hebben ze nu en ze maken het goed.

Ik had zelf ook best een gezin willen hebben, een man en kinderen. Dat is echter nooit gebeurd, omdat er nooit een man mijn pad heeft gekruist met wie ik had kunnen trouwen. Er zijn maar weinig mensen die dat begrijpen. 'Je hebt jezelf veel tekort gedaan,' zeggen ze. Toen ik een tijd geleden te gast was in het programma 'Villa Felderhof', van de NCRV, kwam mijn liefdesleven ook al ter sprake. Ik was door Rik Felderhof uitgenodigd om samen met de rock-'n-roll zanger Herman Brood naar de villa aan de Côte d'Azur in Frankrijk te komen voor het programma. Daar komen altijd twee gasten tegelijk. Herman Brood vroeg op een gegeven ogenblik of ik wel eens een man heb gehad. 'Nee,' antwoordde ik naar eer en geweten, want waarom zou ik daar niet eerlijk voor uit komen. 'Dus u bent nog maagd,' zei hij, met een ongelovig gezicht. 'Ik ben nog maagd,' gaf ik toe. Nou, dat vond hij werkelijk onvoorstelbaar. 'Absurd!' riep hij uit. 'Absurd!' Rik Felderhof kon zijn oren ook niet geloven. 'Jongens,' zeg ik, 'waarom zou ik dat niet zelf mogen bepalen. Hebben jullie daar soms een boodschap aan? In deze tijd met al die extreme vormen van seks en manieren van leven, waarin alles kan en niks vreemd wordt gevonden, zou ik dan ook mogen leven zoals ik dat goed vind? Het is gewoon een feit, daar hoef je helemaal niet zenuwachtig van te worden.' Ze zijn er toch nog de hele avond over doorgegaan.

Ik heb een hoop commentaar gehad op de uitzending, zowel van mensen binnen als buiten het Leger des Heils. 'Moet je dat nou zo zeggen op de televisie?' vroegen ze. Ik ben nog goed ziek geweest van alle kritiek, die ik niet terecht vond. 'Waarom zou ik het niet zeggen?' stelde ik dan als wedervraag. 'Ze vragen er toch naar, dan kan ik er niet stiekem over gaan zitten doen. Of zomaar een verhaal verzinnen om de waarheid te verbloemen?'

Ik heb nooit een man gehad, maar ik heb natuurlijk wel mijn verlangens gehad, niets menselijks is mij vreemd. Ieder mens wordt in zijn leven ten minste drie of vier keer heel erg verliefd. Daar leer je ook een hoop van. Ik ben ook verliefd geweest en ik heb ook liefdesverdriet gekend. 'Verliefdheid is een kriebel aan je hart, waar je niet bij kunt,' is een uitdrukking die ik daarbij heb verzonnen.

Ik had kunnen trouwen met Jan, die schoolvriend van mijn broer Henk, uit Utrecht. Hij heeft jarenlang geprobeerd me te overtuigen om met hem te trouwen, maakte er echt heel veel werk van. Maar ik was gewoon niet verliefd op hem, hoewel het een doodgoeie jongen was. Een bijkomend probleem was dat hij niet bij het Leger des Heils wilde en ik wilde het Leger niet voor hem opgeven. Als ik echt verliefd op hem was geweest, had ik dat misschien wel gedaan en dan had mijn leven er heel anders uit gezien. Tot na mijn dertigste heb ik nooit zo nagedacht over trouwen en kinderen krijgen. Pas tussen mijn dertigste en mijn veertigste begon ik daar meer en meer over na te denken. En in de binnenstad van Amsterdam word je natuurlijk ook veel meer geconfronteerd met die dingen, daar draait het bij wijze van spreken alleen maar om seks. Honderden van die seksboekjes heb ik gelezen, die kwamen met het oud papier bij ons binnen, ik heb er nooit een gekocht. Ik moest toch een beetje weten wat er allemaal te koop was. Op een gegeven moment weet je het wel hoor, dan treedt er een soort verzadiging op.

Ik ben twee keer in mijn leven hevig verliefd geweest. Ik werkte toen al in Amsterdam voor de Goodwill. Namen van die twee mannen zal ik niet noemen, want dat vind ik geen stijl tegenover de andere partij. Ze waren allebei getrouwd, dat was het grote probleem. Dat krijg je natuurlijk: als je zelf al achter in de dertig bent, zijn alle leuke mannen van die leeftijd al getrouwd. Ik heb nooit gewild dat een man voor mij van zijn vrouw zou gaan scheiden. Dat strookte niet met mijn gevoel, niet met mijn principes en het strookte al helemaal niet met de regels van het Leger des Heils.

Die twee mannen – ze zaten zelf niet bij het Leger des Heils – konden het allebei eigenlijk niet hebben, dat ik ondanks alles weerstand heb kunnen bieden. Ze vonden het heel erg naar dat ik niet voor hen wilde kiezen.

Een van de twee is inmiddels overleden. Hij is altijd bij zijn eigen vrouw en kinderen gebleven en daar ben ik heel erg blij om. Ik ben na zijn dood nog wel eens bij haar op bezoek geweest en dan zei ze vaak: 'O, we hebben zó'n goed huwelijk gehad!' Ik weet niet of ze dat zei om mij een uitspraak te ontlokken, maar ik heb niets gezegd. Ik dacht: 'Je moest eens weten wat hij allemaal tegen mij heeft gezegd.' Ze weet niet dat ik verliefd ben geweest op haar man en dat hij voor mij van haar had willen scheiden. Ik denk wel eens dat ze een vermoeden heeft, misschien, als ze ernaar zou vragen, zou ik het wel vertellen. Tenslotte is er niets ondeugdzaams gebeurd. Ik heb geen verhouding met hem gehad, omdat ik dat niet wilde, over het ongeluk van een andere vrouw heen. Ik vond het heerlijk en gezellig als hij bij me op bezoek kwam, ik ben ook best wel eens een beetje op zijn toenaderingspogingen ingegaan, maar ik wilde geen verhouding met hem beginnen. Dat wilde hij wel vreselijk graag en het zou voor hem niet de eerste keer zijn geweest dat hij vreemdging. Hij heeft me verteld dat hij wel eens eerder vriendinnen had gehad, buiten zijn huwelijk om. Dus wie weet waarvoor ik allemaal bespaard ben gebleven; misschien, als hij met mij zou zijn getrouwd, had hij er vroeg of laat ook nog vriendinnetjes naast gehad.

Ik vond dat mijn keuze goed was, hoewel het heus wel veel moeite heeft gekost en ik er veel verdriet van heb gehad. Ik moest sterk zijn en daarbij heb ik veel steun gevoeld van mijn geloof in God. Dat ik 'nee' kon zeggen, was duidelijk de invloed van mijn goddelijke normen. Ook vanuit mijn opvoeding had ik heel sterk het gevoel dat het niet kon, dat een man voor een relatie met mij van zijn eigen vrouw zou gaan scheiden. Zeker in die tijd waren echtscheidingen nog niet zo aan de orde van de dag als tegenwoordig. Het huwelijk van mijn vader en moeder was heel goed, maar stel je voor dat het niet zo goed was geweest, dan zouden ze nog niet zijn gescheiden, omdat dat financieel volstrekt onmogelijk was. Hoewel ik er nu natuurlijk nog steeds geen voorstander van ben, laat dat duidelijk zijn. Maar soms kan ik het wel eens begrijpen, dat twee mensen uit elkaar gaan omdat dat beter is voor beide partijen.

Ik heb eens een gesprek gehad met een man, een dokter, die zei dat hij altijd bij zijn vrouw was gebleven vanwege de kinderen. Toen de kinderen volwassen waren, een jaar of twintig, was hij van zijn vrouw gescheiden. Die vrouw was eigenlijk altijd min of meer een patiënte van hem geweest, hij was niet haar man maar haar dokter, die alles voor haar regelde. Hij vroeg me of hij nu wel zo verstandig was geweest door zo lang bij haar te blijven voor de kinderen: 'Nu heb ik kinderen die net zo zijn als mijn vrouw. Ze denken dat ze in de maatschappij net zo worden behandeld zoals ik mijn vrouw heb behandeld. Daardoor kunnen ze niets zelf. Ik dacht dat ik het goed deed, maar nu blijkt het heel anders uit te pakken.'

Een mens kan natuurlijk altijd verzeild raken in een situatie waar hij niets aan kan doen. Ik denk dat ik de situatie altijd aardig in de hand heb gehad. Dan kunnen mensen wel zeggen dat ik mezelf tekort heb gedaan, maar ik heb nergens spijt van. Als ik me in een of ander avontuur had gestort, had ik daar misschien veel narigheid van gehad en vol spijt verzucht: 'Wat heb ik aangehaald?' Ik had nooit het leven kunnen leiden en zo kunnen werken als ik nu heb gedaan. Want ik zou het gevoel hebben gehad dat ik ergens scheef zat. Als je aan de ene kant de boodschap van God verkondigt en aan de andere kant zelf de normen en regels niet naleeft, ben je niet meer geloofwaardig.

Omdat ik, tot haar dood in 1967, veel bij Bet van Beeren kwam en er blijk van gaf dat ik erg op haar was gesteld, kreeg ik al gauw verhalen in de buurt dat ik dan wel lesbisch zou zijn. Ik had immers geen man. Ik zal niet ontkennen dat ik ook wel eens verliefd ben geweest op een vrouw, dus misschien ben ik wel lesbisch. Bet zal dat misschien ook wel zo aangevoeld hebben. Ik sluit zelfs niet uit dat ik het alletwee ben, hetero én lesbisch. Maar ik kon het natuurlijk nooit uitproberen, dus wat kun je daar dan over oordelen? Ik wilde enkel en alleen een seksuele relatie met iemand hebben als dat binnen een huwelijk zou zijn. Een man met wie ik kon trouwen heb ik niet gevonden en ik wilde geen relatie hebben met een vrouw, omdat ik dat niet goed vond. Daarover zou ik een groot schuldgevoel hebben gehad. Dat was niet te verenigen met mijn normen en mijn achtergrond. Als ik een verhouding met een vrouw had aangeknoopt, had ik nooit dit werk kunnen doen. Er zijn mensen, vooral uit homoseksuele kringen, die mij dit nogal kwalijk hebben genomen. Maar dan zeg ik: 'Waarom mag ik dat niet zelf beslisssen? Als ik me geheel wil onthouden van seks als ik niet getrouwd ben, dan is dat mijn norm: mijn gevoel zegt dat ik het zo moet doen en wie heeft het recht zich daar mee te bemoeien?'

Tegenwoordig kunnen homoseksuele mannen en lesbische vrouwen ook trouwen. Het is op dit moment nog geen echt huwelijk, maar zo'n partnerschapregistratie verschilt er nauwelijks van. Het burgerlijk huwelijk zal binnenkort waarschijnlijk voor homoseksuele paren worden opengesteld en dan is er echt geen verschil meer tussen een 'gewoon' huwelijk en een homohuwelijk. Maar zelfs als dit in mijn jongere jaren had gekund, dan was het niets voor mij geweest. Ik heb er niets op tegen als homo's met elkaar samenwonen, maar het huwelijk is, volgens de bijbel, toch een zaak tussen een man en een vrouw. Als het mij werd gevraagd, zou ik waarschijnlijk ook geen huwelijk tussen twee homoseksuelen inzegenen. Ik zou wel mijn zegen willen geven over hun samenzijn, maar trouwen vind ik iets wezenlijk anders. Daarmee maak ik mezelf misschien niet zo populair, maar zo denk ik er nu eenmaal over. Ik hoef per slot van rekening niet te denken zoals anderen denken.

Zo ben ik er ook geen voorstander van dat homoseksuele paren een kind willen. De natuurlijke manier is dat een kind een vader en een moeder heeft en niet twee vaders of twee moeders. Ik heb twee stellen gekend, ze woonden in Oud-West, die wilden op een gegeven moment met z'n vieren een kind. Twee homo's en twee lesbische vrouwen die gezamenlijk een kind wilden opvoeden. Een van die vrouwen vond een vriend, die in een broodjeszaak werkte, bereid ervoor te zorgen dat zij in verwachting raakte en zo kreeg ze een zoontje. Hij had twee vaders en twee moeders en eerst woonde hij bij zijn moeders, later weer bij zijn vaders. Lange tijd ging dat best goed, maar toen die jongen een jaar of veertien was, kwam hij toch bij de psychiater terecht. 'Daar begrijpen we niks van,' zeiden de vaders en moeders. 'We hebben hem toch alles gegeven wat zijn hartje begeert. Mooi speelgoed, mooie kleren, we gingen met hem op vakantie naar verre landen, het ontbrak hem toch aan niets?' Maar ze dachten er niet aan dat die jongen het er geestelijk moeilijk mee kon hebben. Dat hij op school werd geplaagd en dat hij het idee kreeg dat hij niet normaal was. Dan denk ik: 'Moest dat nou? Met alles wat je al hebt, moet je dan per se een kind willen hebben?' Je kunt wel zeggen dat de maatschappij het moet accepteren, maar daar heeft dat kind op zo'n moment niets aan.

Het Leger des Heils in Nederland is op het gebied van de homoseksualiteit nog eens in het nieuws geweest, aan het einde van de jaren '70. Het Leger kwam toen in opspraak omdat homoseksuelen geen heilssoldaat zouden mogen worden. Volgens de officiële regels van het Internationale Leger des Heils is homoseksualiteit inderdaad een probleem. Maar hier in Nederland zijn we, Nederlanders eigen, veel toleranter dan in andere landen. De problemen die de paus heeft met de Nederlandse katholieken, die heeft onze generaal bij wijze van spreken met de Nederlandse afdeling van het Leger des Heils.

De kwestie werd aangeroerd door een vervelende geschiedenis binnen het Leger met een echtpaar, waarvan de man leider was van een van de Leger des Heils-korpsen in Nederland. Hij was getrouwd en woonde met vrouw en kinderen in de buurt van de korpszaal, waar de samenkomsten werden gehouden. Op een gegeven moment bleek die man toch meer homoseksuele gevoelens te koesteren. Hij kreeg een vriend, die bij hem en zijn gezin in huis kwam wonen. Het probleem was dat hij, als leider van het korps, ook op zondag begon te preken over homoseksualiteit en daarbij zijn eigen leefsituatie als voorbeeld stelde. Dat ging gewoon te ver. Het Hoofdkwartier heeft toen ingegrepen en gezegd: 'Je moet kiezen, of voor je vrouw, of voor die man, dan kun je met een van beiden gaan samenleven. Maar op deze manier keuren wij het niet goed.'

De man kreeg bovendien een administratieve functie aangeboden, want het Hoofdkwartier vond niet dat hij met zijn levenswijze goed kon functioneren als de prediker van zijn afdeling. Dat was nog heel coulant, want als hij bijvoorbeeld in Engeland had gewoond, was hij hoogstwaarschijnlijk ontslagen. Toch nam die man dit het Leger des Heils heel erg kwalijk en toen heeft hij de publiciteit gezocht. Hij is naar een televisieprogramma gestapt met het verhaal dat het Leger des Heils homoseksuelen discrimineerde. Sonja Barend heeft het nog als item in haar programma gehad en later heeft Vrij Nederland ook uitgebreid uit de doeken gedaan hoe homovijandig het Leger des Heils wel niet was. 'Ik geef geen geld meer, want het Leger is tégen homo's!' hoorde je daarna meteen in alle kroegen waar je binnenkwam met de Strijdkreet. Dat was heel vervelend. Ik heb me altijd verdedigd met de woorden: 'Het Leger is nooit tegen mensen. Maar er zijn nu eenmaal normen voor mensen die voor het Leger werken, die in dienst staan van het evangelie. Aan de eigen mensen worden wel eisen gesteld en dat is toch helemaal niet zo vreemd. Als je profvoetballer bent, moet je je ook aan de regels van de club houden. Op tijd trainen, op tijd naar bed. Voetballers mogen zelfs, zo heb ik wel eens gehoord, de dagen voor een belangrijke wedstrijd geen seksueel contact hebben met hun vrouw! Daar hoor je toch ook niemand over?'

Het Hoofdkwartier heeft wel een aanvraag gedaan bij het Internationale Hoofdkwartier, of het wat homoseksualiteit betreft een afwijkend standpunt mocht innemen, maar bij mijn weten is dat nog nooit gehonoreerd. Dat standpunt zou inhouden dat álle relaties die zijn gebaseerd op liefde, trouw en respect getolereerd zouden worden. Het Leger in Nederland is in de praktijk vrij tolerant ten opzichte van homoseksuelen, ook binnen de eigen gelederen. Een moderne uitgave van het Internationale Leger, zou je kunnen zeggen. In Engeland of de Verenigde Staten moet je hier niet mee aankomen.

Zo'n twintig, dertig jaar geleden was homoseksualiteit in Nederland nog wel een vrij groot probleem, in de hele maatschappij. Dat bleek bijvoorbeeld toen we vanuit het Goodwillcentrum op zoek gingen naar een passende woning voor Herman en zijn vriend. Herman werkte als verpleger in een ziekenhuis voor psychiatrische patiënten en kwam zeer regelmatig naar onze samenkomsten op zondag, omdat hij zich geestelijk tot het Leger des Heils voelde aangetrokken. Hij had een problematisch verleden, want tijdens zijn militaire-dienstperiode was hij een keer betrapt in het gezelschap van een minderjarige jongen. Dit werd bestraft met acht maanden gevangenisstraf en drie jaar voorwaardelijk. Toen hij uit de gevangenis kwam, trok hij naar Amsterdam, waar zijn familie woonde. Hij vond onderdak bij zijn getrouwde zuster, maar kon niet goed met zijn zwager overweg. Hij werd continu herinnerd aan zijn verleden en veroordeeld om zijn homoseksualiteit. Toen zijn ouders stierven, moest hij een woning voor zichzelf gaan zoeken. Omdat ik de begrafenis van zijn moeder mocht doen, kwam ik in contact met de familie. We hadden heel goede gesprekken, waardoor de relatie tussen Herman en zijn zuster veel beter werd.

We vonden voor Herman onderdak bij een oudere dame, voor wie hij het huishouden deed. Hij kreeg een vaste vriend en wilde gaan samenwonen, maar dit bleek niet zo eenvoudig. Verhuurders haakten meestal direct af zodra ze in de gaten kregen dat het om een homoseksueel stel ging. Herman raakte hierdoor zo van slag, dat hij een maagzweer kreeg en in het ziekenhuis moest worden opgenomen. Hier bezocht ik hem vaak en sprak met hem over zijn leven. Ik wist hem ervan te overtuigen dat hij zijn lot moest aanvaarden en zichzelf moest accepteren, ook al werd hij door anderen niet geaccepteerd. En na mijn zoveelste discussie met een woningverhuurder kon ik eindelijk een passende woning vinden, waar Herman na zijn ontslag uit het ziekenhuis kon gaan wonen met zijn vriend. Hij vond een baan als verpleger en keek de toekomst weer vol vertrouwen tegemoet.

In het Leger des Heils zitten ook een aantal homoseksuelen. Sommigen komen er openlijk voor uit, anderen houden het geheim. Ik ken een homoseksuele heilssoldaat die is aangesteld als hoofd van een van de opvangtehuizen, dus zijn geaardheid heeft zijn carrière beslist niet in de weg gestaan. Ik moet er wel bij zeggen dat zoiets in de Randstad weer meer wordt geaccepteerd dan in de meer behoudende delen van ons land.

Meer dan eens ben ik bij ouders van homoseksuelen op bezoek geweest, om ze uit te leggen dat hun zoon ondanks zijn homoseksualiteit nog steeds dezelfde jongen is gebleven. Ik spreek dan meer uit naam van mezelf, als ik zeg dat God die jongens heeft geschapen mét hun homoseksuele geaardheid en dat Hij nog steeds van ze houdt. 'In die zin is er niets veranderd,' probeerde ik de ouders uit te leggen en vaak konden ze het dan wel accepteren.

Niet iedereen bij het Leger des Heils is even tolerant, er werken natuurlijk ook mensen met verschillende opvattingen en de ene is wat strenger dan de andere. Sommigen vinden dat je wel homoseksueel mag zijn, maar dat je er niets mee mag doen. Dat vind ik onzin: tegen iemand die gehandicapt is zeg je toch ook niet dat hij niet mank mag lopen. Als je je normaal gedraagt, trouw bent in je relatie, dan zie ik er persoonlijk helemaal niets verkeerds in. De homoseksuelen die bij het Goodwillcentrum werken, gaan regelmatig samen naar speciale kerkdiensten, waar ze niet op hun geaardheid worden beoordeeld. Ze hebben een soort werkgroep gevormd en proberen meer openheid in het Leger des Heils te krijgen. Zo zouden ze nog altijd graag zien dat het Hoofdkwartier het afwijkende standpunt ten aanzien van homoseksualiteit eindelijk eens officieel maakt. Er wordt zelfs voor het homohuwelijk bínnen het Leger des Heils gepleit, maar dat ligt nog heel erg gevoelig.

Ergens vind ik het wel jammer dat zo'n werkgroep nodig is. Het zou niet nodig moeten zijn en wat mij betreft ís het ook niet nodig, maar misschien denk ik daar te gemakkelijk over. Ik heb jarenlang een groepje homoseksuelen begeleid met wekelijkse gesprekken op zondagmiddag, bij mij thuis. Ze kwamen bij me eten, ik maakte soep voor ze of een broodje kroket en dan praatten we over homoseksualiteit en de problemen die zij daarmee hadden, met hun ouders en met hun geloof. 'De kerk moet ons niet,' hoorde ik regelmatig. 'God heeft geen hekel aan jullie,' vertelde ik dan. 'De ene kerk is nu eenmaal anders dan de andere kerk. Maar dan kun je nog niet de schuld geven aan de héle kerk.' Vooral in strenge kerkelijke kringen – die vind je zowel onder protestanten als katholieken – worden homoseksuelen nog altijd fel geweerd. Dat zijn van die groeperingen voor wie zelfs de Evangelische Omroep nog te licht en te ruimdenkend is. Daar moet je je als homoseksueel dan ook niet bij willen aansluiten, er zijn toch ook andere kerken en organisaties, die minder star zijn?

Die kleine christelijke partijen zoals de SGP en het GPV zijn ook niet de partijen waar ik me thuis zou voelen. Het SGP stemde het afgelopen jaar zelfs helemaal tegen het huwelijk van prins Maurits en Marilène van den Broek, omdat Maurits, de zoon van prinses Margriet en Pieter van Vollenhoven, protestants is en Marilène van den Broek van katholieken huize is. Volgens mij mogen we al blij zijn dat zij gelovig zijn. Ik stem zelf al jaren op het CDA. Zo'n opmerking van Leen van Dijke van de RPF, die in een interview met Nieuwe Revu beweerde dat homoseksuelen erger, of ten minste net zo erg zijn als dieven, dat vind ik gewoon schandalig. Hij interpreteert de tien geboden dan wel heel erg streng. Volgens hem is homoseksualiteit net zo'n ernstige zonde als stelen, want dat mag volgens de tien geboden ook niet. Dat kun je volgens mij niet zo zeggen. Mannen die met een man willen samenleven en vrouwen die met een vrouw willen samenleven, hebben ook recht op een gelukkig leven en een vrijheid van keuze. De vraag is of ze er zelf gelukkig mee zijn en als dat zo is, dan is het goed. Ik ben veel homoseksuelen tegengekomen die er zelf helemaal niet gelukkig mee waren en daar zet ik dan mijn vraagtekens bij.

Wat me eigenlijk een beetje verbaast: als homoseksualiteit zo normaal is, waarom wordt er dan zo ongelooflijk veel over gezeurd? Het is mij opgevallen dat veel mensen zogenaamd heel openlijk willen praten over homoseksualiteit, maar er daardoor juist de nadruk op gaan leggen dat het een probleem is. Ik was een paar jaar geleden uitgenodigd voor een live televisie-uitzending, zo'n praatprogramma in de middag. Toen ik daar in de studio kwam in Hilversum, vroeg presentatrice Dieuwertje Blok me of ik de vragen van tevoren even met haar wilde doornemen, waarmee ik instemde. Toen begon de uitzending. Na de derde vraag begon ze me ineens vragen te stellen over homoseksualiteit, hoe ik daarover dacht. Verbaasd zei ik haar: 'We hebben de vragen toch van tevoren doorgenomen, waarom heb je deze vraag dan niet bij de voorbespreking al gesteld?' Dat begreep ik niet goed, want ze leek me helemaal niet iemand die een probleem maakt van homoseksualiteit.

Ik vind het helemaal niet erg om iets over homoseksualiteit te zeggen, maar ik vraag me af waarom er zo vaak geheimzinnig over wordt gedaan. Ik denk dat veel mensen er meer moeite mee hebben dan ik. Over hetero's wordt toch ook niet zo veel gepraat? Ook in het programma van Paul de Leeuw waar ik vorig jaar ben geweest, werd er zoals altijd in zijn 'Laat de Leeuw' weer volop over homoseksualiteit gepraat. 'Wat vind je van homo's?' vroeg Paul de Leeuw mij een beetje uitdagend. Ik had het gevoel dat ik heel goed op mijn woorden moest letten, want ik wist dat hij er altijd op uit is mensen voor gek te zetten. Zo was vóór mij in de uitzending de cabaretier Seth Gaaikema door hem geïnterviewd en die kon hem niet zo goed aan. Ik dacht nog dat een cabaretier wel een beetje scherp zou zijn, ik had met hem te doen. Gelukkig bracht ik het er goed vanaf. Tegen Paul de Leeuw zei ik, en ik weet zelf niet eens meer waar ik het vandaan haalde: 'Homo's zijn net zulke mensen als anderen, er zit alleen een bakfoutje in.' Daar kon hij gelukkig heel hard om lachen en ik hoopte maar dat het bij de kijkers ook niet verkeerd zou vallen. 'Niemand is volmaakt,' legde ik uit. 'Maar als een kind wordt geboren met een stijf been of met maar één oogje, dan zeggen de mensen "wat zielig". En een homoseksueel vinden ze dan "slecht", dat vind ik geen stijl.' Een paar dagen na de uitzending kreeg ik een kaartje van Paul de Leeuw in de brievenbus, waarop stond: 'Bedankt dat je in de uitzending bent geweest, groetjes van Paul – het bakfoutje.'

Hoewel ik niet negatief tegenover homoseksualiteit sta, denk ik vanuit mijn christelijke achtergrond toch dat het niet helemaal Gods bedoeling is geweest. De schepping gaat immers uit van een man en een vrouw, die voor elkaar zijn geschapen en samen kinderen kunnen krijgen. Ik vind het wel jammer dat ik geen kinderen heb gekregen. Er is een tijd geweest dat ik erg naar kinderen heb verlangd. Ik liep altijd maar achter de kinderen van een ander aan, als hun ouders ruzie met elkaar hadden of uit elkaar zouden gaan. Twaalf jaar heb ik gezorgd voor de tientallen kinderen in het kindertehuis, die om uiteenlopende redenen daar terecht waren gekomen en ik ben tientallen keren op kamp geweest met kinderen uit de binnenstad. Ook werd me soms gevraagd of ik peetmoeder wilde worden van een kind, dat vond ik altijd heel leuk. Maar het waren uiteindelijk nooit mijn eigen kinderen. Ik heb ook nooit gewild dat andermans kinderen mij 'mama' of 'oma' zouden noemen. De kinderen van Koos en Hennie Tinga, uit het gezin dat jarenlang boven het Goodwillcentrum heeft gewoond, zeiden op een gegeven moment wel eens 'tante majoor' tegen me. Ik leerde ze toen ze nog klein waren bijvoorbeeld dat ze op de houten trap hun schoenen aan moesten doen vanwege de splinters. 'Ja tante majoor,' was het dan.

Kinderen zijn eigenlijk ons gemeenschappelijk bezit. Een kind van nu kan later je huisdokter zijn, je verpleegster of je vuilnisman. Daar draagt de voltallige maatschappij verantwoordelijkheid voor. In die zin hebben we allemaal kinderen. Als ik kinderen van mezelf had gehad, dan was het met mijn leven ook heel anders gelopen. Ik zou tijd hebben vrijgemaakt voor mijn kinderen en had geen leidster van het Goodwillcentrum kunnen zijn en niet al die reizen kunnen maken die ik in de voorbije jaren heb gemaakt in opdracht van het Leger en van de overheid.

Toen ik achtenvijftig jaar was, heb ik wel een voogdijkind gekregen, Monique. Ze wordt dit jaar zevenentwintig en is afgelopen voorjaar zelf moeder geworden van een dochtertje. Tegen mij zegt ze wel eens: 'U bent eigenlijk een beetje een oma voor me en overgrootmoeder van mijn kindje.'

Monique is de dochter van Patricia, die ik als zestienjarige leerde kennen. Patricia was door haar vader vanuit de Nederlandse Antillen, waar hij werkte voor een oliemaatschappij, naar Nederland gestuurd omdat ze in verwachting was van een klasgenoot. Ze kreeg een retourticket Nederland, waar ze haar baby maar ter adoptie moest afstaan. Daarna moest ze van haar vader weer terugkomen om haar school af te maken. Heel hard was dat, ze werd helemaal alleen op pad gestuurd, terwijl het toch niet niks is als je tienerdochter in verwachting raakt. Je zou zeggen dat die wel wat meer liefde en steun kan gebruiken.

Toen Patricia op Schiphol aankwam, wist ze helemaal niet waar ze naartoe moest. Via het personeel van de KLM is ze bij het Leger des Heils terechtgekomen. 'Daar kun je overnachten,' had men haar verteld. Zo kwam ze bij mij terecht.

Het kindje werd uitgerekend in de kerstnacht geboren, 25 december 1971, in een katholiek ziekenhuis in Beverwijk. De enige zuster die daar op dat moment dienst had, was een nonnetje, die zich niet goed raad wist met de situatie. Patricia zou haar kind afstaan, dat was afgesproken. Daarom had ik van tevoren al contact opgenomen met de FIOM, de Federatie van Instellingen voor Ongehuwde Moeders, die de hele adoptieregeling zou begeleiden. Op het moment dat de baby werd geboren, begon Patricia te twijfelen. Die zuster kon niemand bereiken, behalve mij. 'Wat moet ik nu doen, ze wil het kind niet meer afstaan,' vertelde de zuster. 'Laat het haar dan maar lekker houden,' adviseerde ik. Want ik was er helemaal niet zo'n voorstander van dat het kindje werd geadopteerd en dat Patricia terug zou moeten naar de Antillen, waar haar vader en moeder op haar zaten te wachten.

Het maatschappelijk werk en de FIOM zijn daarover heel boos op me geworden. Ze beschuldigden mij ervan dat ik Patricia had opgestookt. Dan moest ik ook de gevolgen ervan maar dragen. Zo kreeg ik de voogdij toegewezen over baby Monique. Als met Patricia iets zou gebeuren, was ik verantwoordelijk voor de kleine. Patricia besloot tot groot ongenoegen van haar vader niet terug te keren naar de Antillen, maar in Nederland te blijven om voor Monique te zorgen. Tot mijn grote geluk heeft ze dat heel goed gedaan. Ze ging samen met Monique wonen bij een pleeggezin in Heemskerk waar nog een dochter van dezelfde leeftijd was en begon met een opleiding tot onderwijzeres. Ze geeft nu les aan volwassenen, op een school in Amsterdam en het gaat heel erg goed met haar. Monique woont inmiddels in Parijs met een heel leuke man en is pas bevallen van haar eerste kindje. In zekere zin ben ik dus al overgrootmoeder, maar zo zie ik het niet helemaal. Er bestaat namelijk ook een echte oma, de moeder van Patricia, met wie het contact uiteindelijk is hersteld. De relatie met haar vader is nooit meer helemaal goed gekomen en hij is kortgeleden overleden.

Toen ik al over de zeventig jaar was, ben ik nogmaals gevraagd de voogdij van twee kinderen op me te nemen. Het ging om twee joods-Russische kinderen van drie en dertien jaar. Hun ouders woonden in Rusland en wilden naar het Westen emigreren. Dat was nog voor de omwenteling in Rusland en vooral die moeder, Irina, verzette zich tegen het communistische systeem. Toen ze een visum aanvroeg om naar het Westen te gaan, kreeg ze te horen dat deze anti-Russische daad haar op een gevangenisstraf zou kunnen komen te staan. Ook tegen haar man werd een gevangenisstraf uitgesproken. Als zij beiden in de gevangenis zouden komen, zouden die minderjarige kinderen onder staatsvoogdij komen. Ze zouden in dat geval een heropvoeding krijgen tot gezagsgetrouwe Russische burgers.

Irina wendde zich tot de Nederlandse overheid. De VVD'ers Ed Nijpels en Erica Terpstra trokken zich haar lot en dat van haar man en kinderen aan en richtten een comité op om het gezin te helpen. Als de kinderen in Nederland geadopteerd zouden kunnen worden, was er geen belemmering meer het gezin uit Rusland te laten vertrekken, zo zat het ongeveer in elkaar. Als er iets met de ouders zou gebeuren, waren de kinderen veilig. Er moest een voogd worden gevonden die door de Russische overheid werd goedgekeurd. Eerst kwamen ze met Marga Klompé op de proppen, maar zij was volgens de Russen, als oud-minister en lid van het CDA, te veel politiek gekleurd. Toen kwamen ze op het idee mij te vragen. Ik werd als voogd voorgedragen door Ed Nijpels, die destijds in de ministerraad zat. Volgens hem kwam ik het meest in aanmerking. Ik heb nog enige tijd geaarzeld, want hoe kon ik die voogdij reëel inhoud geven als er echt iets met die ouders gebeurde? Nadat Nijpels me had verzekerd dat hij me nooit met die kinderen zou laten zitten, heb ik toegestemd. Ik ben de kinderen zelf in Moskou gaan halen. Ze logeerden toen al bij hun grootouders, die – hoewel ik ze niet kon verstaan – behoorlijk onvriendelijk waren.

Het hele gezin is veilig in Nederland gearriveerd en leeft hier nu nog. Achteraf bleek die vrouw ook hier voor moeilijkheden te zorgen. Ze zat in de journalistiek en zorgde herhaaldelijk voor onrust door iedereen aan te vallen wiens politieke mening haar niet beviel. Ik dacht wel eens: 'Wees nu toch verstandig, denk aan je kinderen', want ik voelde me daar toch verantwoordelijk voor. Kortgeleden ben ik nog bij de oudste van die kinderen op de bruiloft geweest, ze zijn gelukkig goed terechtgekomen. Ook die grootouders heb ik op de bruiloft nog even gesproken en nu, zo veel jaren later, waren ze een stuk aardiger.

Door mijn ervaringen in mijn werk heb ik veel geleerd over het leven. Je kunt altijd terechtkomen in bepaalde omstandigheden, waardoor het moeilijk is je staande te houden. Voor hetzelfde geld was ik ook verkeerd terechtgekomen. Vanuit dat besef heb ik mijn werk gedaan, veertig, vijftig jaar lang. Ik weet daardoor dat het voor een kind het beste is dat het opgroeit in een stabiel gezin, met een vader en een moeder, maar ook dat dit niet altijd mogelijk is. De zaak is dan er het beste van te maken. Zoals Patricia, die als ongehuwde moeder toch goed terecht is gekomen en zoals Monique, die ondanks het feit dat ze opgroeide zonder vader nu toch heel gelukkig is. Daar moet je toch allemaal niet te licht over denken.

Vrouwen die werken, daar heb ik niet zo veel op tegen, maar ik ben toch nog van een generatie waarbij moeder altijd thuis was. Je kinderen naar de crèche brengen, dat had ik zelf niet snel gedaan, dat spreekt me niet zo aan. Al begrijp ik wel dat dat tegenwoordig gebeurt, zoiets kun je niet meer terugdraaien.

De echtgenoot van tante Jans werkte bij het Werkspoor op Wittenburg – daar heeft ze nu nog haar pensioentje van – en zelf werkte ze ook dag in, dag uit. Voor het Goodwillcentrum deed ze van alles, van Strijdkreten verkopen tot kleding sorteren en uitdelen. Daarnaast had ze nog allerlei baantjes. Ze bracht bijvoorbeeld Het Vrije Volk rond en waste auto's bij een garage, ze is dienstmeisje geweest, koffiejuffrouw en schoonmaakster. Het was natuurlijk goed dat ze zich zo inzette. Thuis zorgde ze ook nog voor haar dochter Rens en ze had regelmatig kostgangers in huis, soms wel vier tegelijk. Eind jaren veertig, toen we net met het Goodwillwerk bezig waren, kreeg een van tante Jans' vrouwelijke kostgangers een kindje, voor wie ze niet goed kon zorgen. Tante Jans wilde dit meisje, Els heette ze, heel graag als pleegkind opnemen. Wij hebben haar voorzichtig gevraagd of dat nu wel verstandig was; ze had immers al een dochter en een tweede kind zou, met al haar werkzaamheden, wel eens te druk kunnen worden. Toch zette ze door en uiteindelijk kwam Elsje, die vier jaar jonger was dan Rens, bij haar in huis.

In het begin ging dat heel goed, maar toen Els ouder was, werd ze een opstandige puber. Op haar zeventiende ging ze het huis uit en raakte ze in verwachting van een zekere Bart. Het contact met tante Jans heeft ze verbroken, maar ze is nog wel steeds bij die Bart. Dat prijst me nog wel gelukkig. Waarom het contact precies is verbroken, weet ik niet, en tante Jans heeft er tegenwoordig niet zo'n weet meer van.

Ik denk wel eens – en dat zal niet iedereen mij in dank afnemen – dat het niet zo verkeerd zou zijn als getrouwde vrouwen niet gingen werken. Er is toch zo'n hoge werkloosheid? Als getrouwde vrouwen die banen niet zouden bezetten, dan was er meer werkgelegenheid. Of om het iets meer naar de moderne tijd door te trekken: mannen kunnen natuurlijk ook thuisblijven om voor de kinderen te zorgen, als een stel daar in goed overleg voor kiest. Daar heeft mijn pleegbroer Jan Pennings toen voor gekozen en dat ging best heel goed. Ik begrijp niet zo goed waarom altijd beide partners een baan moeten hebben als je ook van één inkomen kunt bestaan. Ons gezin kon ook rondkomen van het loon dat mijn vader verdiende, hoewel dat niet altijd even gemakkelijk was.

Het zal wel allemaal te maken hebben met een mentaliteitsverandering in de maatschappij. Mensen hebben zo veel nodig en ze willen zo veel. De gezinnen van nu hebben daaronder te lijden.

In de verzorgende beroepen is ook een chronisch tekort aan mensen. Vroeger was dat typisch iets voor ongehuwde vrouwen, die waren toch van grote waarde voor de samenleving. Ze werden gezinshulp, verpleegster of bejaardenverzorgster, maar dat is er nu veel minder bij. Dat komt natuurlijk ook omdat je in die beroepen slecht wordt betaald, daar zou eens wat aan gedaan moeten worden.

Zelf heb ik altijd met veel plezier mijn hulpverlenende werk gedaan voor het Leger. Hard gewerkt, zoals een moeder met zes kinderen ook dag en nacht bezig is. Ik heb daar bewust voor gekozen, vanuit een solidariteitsgevoel dat je voor mensen moet zorgen. Ik hou ook echt van mensen en heb me altijd heel intensief beziggehouden met mensen die met hun problemen bij me kwamen. Het probleem binnen de hulpverlening is dat er veel mensen komen werken die zelf in de moeilijkheden hebben gezeten. Je kunt er zeker van zijn dat die vroeg of laat een keer vastlopen. Het is erg belangrijk dat je zelf geestelijk stabiel bent, anders raak je overspannen door alles waarmee je in aanraking komt. Het was mijn verdienste, misschien wel een goddelijk inzicht, dat ik altijd de kracht had om afstand te nemen van alle moeilijkheden waarmee ik werd geconfronteerd. Ik kon echt meeleven met mensen en veel interesse tonen, maar ik ben er nooit overspannen van geworden. Omdat ik voor mezelf precies kon bepalen: dit wil ik wel en dit wil ik niet.

Zo heb ik het ook kunnen opbrengen om niet in een verliefdheid te springen, waarvan ik de gevolgen niet kon overzien. Het was geen regelrechte zonde geweest en ik was er ook niet voor gestraft als ik het wel had gedaan, maar ik voelde: ik moet consequent zijn, ook al gaat dat tegen mijn eigen verlangens in.

Meer dan eens heb ik me eenzaam gevoeld. Ik had het gevoel dat ik nergens bij hoorde omdat ik niets voor mezelf had. Altijd klaar staan voor anderen, maar thuis is nooit eens iemand die zegt: 'Doe je jas aan' als het koud is. Altijd de schouder zijn waarop iemand anders uithuilt, terwijl je zelf ook wel eens op iemands schouder had willen uithuilen. Op het Leidseplein had je destijds een vlaggenstok, waaraan de vlag halfstok hing als er een verkeersongeluk met dodelijke afloop was geweest. Toen ik er op een dag voorbijreed, schoot eventjes door me heen: 'Hing die vlag nu maar voor mij halfstok.' Ik schrok er zelf van. Ik heb God gebeden mij van dat eenzame heimwee-gevoel af te helpen. Als ik daaraan had toegegeven en ik was overspannen geworden, dan zou het hele Goodwillcentrum in rep en roer zijn geraakt. 'Als de majoor het niet meer weet, wat moeten wij dan?'

Daarom heb ik er toch bewust voor gekozen alleen te blijven, in die zin dat ik niet ongehuwd wilde samenwonen met iemand, met wie ik een relatie zou hebben. Op mijn etage in het Goodwillcentrum heb ik nog wel samengewoond met een andere vrouw, maar dat was omdat ik in mijn eentje de huur niet kon opbrengen. Een meisje dat ook op de sociale academie zat, heeft een tijdje in de achterkamer gewoond: Ita Stelstra, de dochter van een dominee uit Bloemendaal. Zij betaalde vijfendertig gulden huur en ik vijfenveertig. Later heeft Ada van Voorst, die ook bij het Leger zat, er ook nog gewoond. Daarna kon ik de huur zelf betalen.

Samenwonen met een vrouw op wie ik verliefd was, heb ik echter nooit gewild. Dat paste niet in mijn denken. Ook als ik niet bij het Leger des Heils had gezeten, had ik dat niet gedaan. Ik vond het niet goed. Waarom weet ik ook niet, ik zou ook geen tekst in de bijbel kunnen aanwijzen waarin staat dat het niet mag. Maar innerlijk wist ik heel zeker: 'Dit kan niet, dit mag niet en dit moet niet.' Dat was een moeilijke situatie, maar ik heb nooit veel laten merken van mijn innerlijke onrust. Als ik wil, kan ik daar met God over praten, ik hoef er niet steeds tegen andere mensen over te zeuren. Moeilijkheden die je niet kunt overwinnen, daarvoor moet je wegvluchten. Die moet je niet opzoeken.

Achteraf bekeken heb ik een heel mooi leven gehad. Een vrouw die ik goed ken, zegt me wel eens: 'Ik wou dat ik net zo veel vrijheid in mijn leven had als jij'. Zij is in haar leven vaak in verkeerde vriendschappen gestapt en uiteindelijk in een relatie beland, waarin ze haar vrijheid volledig is kwijtgeraakt. Ze was zo gebonden, dat ze bijna niet normaal met andere mensen kon praten. Daar kun je haar man wel de schuld van geven, maar ze heeft er zelf net zo goed de hand in gehad. Als je vrijheid wilt, dan zul je daar zelf ook voor moeten zorgen.

De vrijheid en al die andere dingen die ik wél heb gekend, hebben ervoor gezorgd dat ik zonder spijt op mijn leven kan terugkijken. Anderen zitten nu misschien met de brokken en hebben wroeging over verkeerde beslissingen die ze in hun leven hebben genomen. Je kunt wel zeggen dat ik mijn levensvervulling heb gevonden in mijn werk voor het Leger des Heils, zoals een ander zijn levensvervulling vindt in het huwelijk. Door God te dienen, kon ik mensen dienen en mensen dienen is God dienen.

Hoofdstuk 9

'Over de grens'

In 1978 ben ik gestopt als leidster van het Goodwillcentrum in de Amsterdamse binnenstad. Nadat ik al mijn taken had overgedragen aan het driemanschap dat mij moest opvolgen, ben ik voor een half jaar vertrokken naar de Verenigde Staten, waar ik een internationale cursus Bejaardenzorg ging volgen. Ik was uitgenodigd door de sociale faculteit van de Universiteit van Syracuse in de staat New York. Die uitnodiging heb ik aangenomen, want het was voor mij en mijn opvolgers heel goed dat ik een half jaar gewoon weg zou zijn. Op 1 september 1978, een maand nadat ik met pensioen ging, ben ik op het vliegtuig gestapt. Mijn verblijf werd betaald door het ministerie van Onderwijs.

Van die Amerikaanse universiteit kreeg ik de laatste twaalf jaar die ik nog werkte altijd leerlingen die stage kwamen lopen in Amsterdam. Zij hadden weliswaar niets met het Leger des Heils te maken, maar een stage bij het Goodwillcentrum was heel leerzaam en een bijkomend voordeel was dat bij ons in de buurt vrij veel mensen Engels konden spreken. Ze kwamen altijd met een stuk of vijftien, twintig studenten tegelijk en huurden in de Jacob Obrechtstraat een soort schoollokaal waar hun eigen professoren – er kwamen er altijd een paar mee – lesgaven.

Die studenten liepen vier dagen per week met onze hulpverleners mee in de binnenstad en één dag per week gingen ze naar school. Omdat dit altijd zo leuk was verlopen, kreeg ik als een soort beloning die uitnodiging om nu eens voor een half jaar bij hen lessen te volgen. Ik zat daar in een groep van vierentwintig mensen, die ook allemaal uit andere landen kwamen om een cursus te volgen. Je had de keuze uit verschillende maatschappelijke onderwerpen zoals ontwikkelingshulp, drugsverslaving en internationale bejaardenzorg; ik koos voor de laatste omdat ik zelf inmiddels vijfenzestig was. Ik was ook de oudste van de hele club.

De lessen waren vrij moeilijk; ik kon wel een beetje Engels, maar ook weer niet zo goed dat ik alles kon verstaan. Ik beheerste eigenlijk alleen het Engels van de straat, want ik was met veertien jaar al van school gegaan. Daarom ben ik op een gegeven moment ook colleges Engelse taal- en letterkunde gaan volgen en kreeg ik privé-lessen Engels. Die werden op de universiteit gegeven aan buitenlanders die in Amerika wilden gaan werken, door een mevrouw uit Iran. Eén uur per week kreeg ik Engelse les van haar en zij keek ook de werkstukken na die ik moest schrijven voor de cursus Bejaardenzorg, niet op grond van de inhoud maar op grond van het taalgebruik.

In de weekeinden vond ik aansluiting bij het Leger des Heils, dat immers internationaal is en ook in Amerika vaste grond onder de voeten heeft. Ik mocht samenkomsten doen en spreekbeurten geven en ik ging overal rondkijken: in de sloppenwijken van New York, in een reservaat voor indianen en in diverse bejaardencentra, om te zien hoe de bejaardenzorg in Amerika was geregeld.

Ik logeerde in Syracuse niet op de schoolcampus zelf, want dat kostte veel te veel geld. Ik vond onderdak in een oud baptistenhotel, dat niet meer als hotel werd gebruikt maar huisvesting bood aan vrouwen en meisjes die in de problemen zaten. Op een middag kwam de hoogleraar die mijn studieprogramma begeleidde samen met zijn vrouw op bezoek, om te kijken of ik goed gehuisvest was. We zaten net gezellig aan de thee, toen de directrice van het tehuis woedend binnen kwam stuiven. 'Heb ik u niet verteld dat het in dit tehuis verboden is herenbezoek te ontvangen?' riep ze. 'Wie de regels overtreedt, moet het huis onmiddellijk verlaten.' De hoogleraar probeerde de zaak nog een beetje te sussen door te vertellen dat hij met zijn eigen vrouw was gekomen, maar de directrice was niet te vermurwen. 'Het is hoogst ongepast,' hield ze vol. 'Er staat nog een bed in de kamer ook, dus je weet maar nooit.' Zo werd ik zonder pardon het tehuis uitgezet. 's Avonds, toen de directrice was gekalmeerd, ben ik nog maar eens met haar gaan praten en kreeg ik gelukkig een herkansing.

Dat oude baptistenhotel lag een aantal kilometers van de universiteit verwijderd. Er reed wel een bus, maar ik vond dat ik ook best een minuut of twintig kon lopen, dat spaarde bovendien weer geld uit. Ook toen het winter werd en er een dik pak sneeuw viel, dacht ik dat ik nog gemakkelijk lopend naar mijn colleges kon. Dat heb ik geweten. Het was op een dag vreselijk koud en ik raakte helemaal uitgeput, voortploeterend door de sneeuw. Wat er precies is gebeurd weet ik niet, maar ik werd wakker in het universiteitsziekenhuis. Het bleek dat ik een heel etmaal buiten westen was geweest en niemand in dat ziekenhuis wist wie die bejaarde dame was die ze bewusteloos van de straat hadden gehaald. De artsen hebben me onderzocht, maar konden geen oorzaak vinden voor wat er was gebeurd. Ik kon na een paar dagen het ziekenhuis verlaten en ben maar gewoon verder gegaan met de cursus. Na een half jaar heb ik mijn studiecertificaat gehaald.

De bejaardenzorg in Amerika is veel minder goed ontwikkeld dan die in Nederland. In de Amerikaanse bejaardencentra kun je als oudere alleen terecht als je genoeg geld hebt. Voor de armen is de opvang slecht geregeld. Wat me wel opviel, was dat het vrijwilligerswerk in de Verenigde Staten veel beter is georganiseerd. De ouderen krijgen in zo'n bejaardencentrum in feite alleen kost en inwoning, de rest wordt allemaal door vrijwilligers gedaan. Kom daar in Nederland maar eens om. Vrijwilligerswerk wordt in ons land toch ondergewaardeerd, terwijl dat onbetaalde werk juist zo belangrijk is, zeg maar gerust onbetaalbaar. Pas sinds alle bezuinigingen op welzijn en de sociale gezondheidszorg in de jaren '70 en '80 is men hier in Nederland het vrijwilligerswerk weer een beetje meer gaan waarderen.

Een 'supermarkt van diensten' zoals wij in de binnenstad van Amsterdam hebben opgezet met het Goodwillcentrum, kennen ze in Amerika ook niet. Alles is gespecialiseerd en de verschillende hulpverlenende instanties werken heel erg langs elkaar heen.

Ik ben pas na 1955 voor het eerst op reis naar het buitenland gegaan, nadat mijn moeder was overleden. Ze vond het een heel eng idee als ik naar het buitenland zou gaan, daarom ging ik niet. Ik was natuurlijk ongetrouwd, een vrouw alleen, daar zou ze zich vreselijk zorgen over hebben gemaakt. Ook was ze bang dat zij zou overlijden als ik in het buitenland zat, want voor haar was het buitenland enorm ver weg, iets heel onbekends. Vakantie in het buitenland was voor haar generatie natuurlijk nog iets ondenkbaars, dat deed je niet. Mijn broer Henk is wel eens op de fiets naar België geweest, dat vond ze eigenlijk al te ver weg. Toen mijn grootouders van moeders kant nog leefden, gingen we daar wel logeren, in Gouda. Nadat mijn grootvader was overleden, ging oma naar het bejaardenhuis en was het afgelopen met deze logeerpartijen. Sinds die tijd gingen wij met ons gezin ook wel eens op vakantie naar een huis in Zeist. Dat werd verhuurd door de bewoners, die tijdens de zomermaanden zelf in de achterkamer gingen wonen, om extra inkomsten te krijgen. Daar verbleef ik dan met mijn moeder en mijn broer, want vader moest gewoon werken; die had misschien maar één weekeinde per jaar vrij. Dat is tegenwoordig niet meer voor te stellen. Sommige mensen hebben vandaag de dag zo veel vakantie, dat ze niet eens meer weten hoe ze hun vrije tijd moeten doorbrengen. Uit verveling gaan ze ook op hun vakantiebestemming maar weer in het café zitten. Mijn vader kwam ons 's avonds af en toe opzoeken, met de fiets vanuit Utrecht. De duurste vakantie die we met ons gezin hebben gehad, was een weekje Katwijk aan Zee, dat was al een enorme luxe.

Een van de eerste buitenlandse reizen die ik maakte, was een reis naar Cambridge in 1960, waarheen ik door het Leger des Heils werd uitgezonden naar het congres van de Fédération Abolitionniste Internationale, een internationaal congres over prostitutie. Ik was destijds een van de eerste officieren van het Leger die een diploma maatschappelijk werk hadden gehaald en bovendien was de prosititutie mijn werkterrein, zodat ik de aangewezen persoon was op dat congres te spreken.

De F.A.I. hield om de drie jaar een congres over prostitutie, steeds in een ander land en in een andere stad. Daardoor kwam ik terecht in steden als Athene, Rome, Parijs, New Delhi en Wenen. Daarnaast werd ik ook uitgezonden naar congressen van het internationale Leger des Heils, onder meer in Parijs, Londen, Oslo, Kopenhagen, Berlijn en Götenborg. Ik heb ook spreekbeurten gehouden voor internationale congressen over Sociaal Werk, in 1968 in Helsinki en in 1970 in Manilla. Op de verschillende congressen ontmoette ik allerlei mensen uit andere landen, die mij regelmatig op persoonlijke titel uitnodigden eens in hun land te komen kijken en te spreken. In 1980 kwam ik op die manier in Australië terecht en in 1981 kon ik op uitnodiging van een Nederlandse majoor naar Ghana, waar zij werkte. In Australië werd ik weer uitgenodigd voor een bezoek aan Indonesië, waar ik in '82 ben geweest. Van het een kwam het ander, zodat mijn werkzaamheden tot ver over de grenzen werden uitgebreid.

Op de meeste congressen van de F.A.I. was ik de enige vertegenwoordiger van het Leger des Heils en daarmee ook de enige in uniform. Het viel me op dat ik óók een van de weinigen was die in de praktijk te maken hadden met prostituees. Er waren over het algemeen alleen mensen van de verschillende overheden en sociale wetenschappers, die meer met de theorie over prostitutie bezig waren dan met de praktijk. Op het congres in Parijs heb ik de aanwezigen tijdens mijn spreekbeurt gevraagd: 'Vindt u het eigenlijk niet vreemd dat er, op een congres over prostitutie, niet één prostituee is uitgenodigd? Heeft u wel eens een congres over het bankwezen gezien zonder bankiers, of een congres over woningbouw zonder aannemers en projectontwikkelaars?' Stonden ze wel even beteuterd op hun neus te kijken. Eén vrouw stak aarzelend haar vinger op; zij was vroeger inderdaad prostituee geweest, maar was inmiddels uit het leven gestapt en in de hulpverlening aan prostituees terechtgekomen. Ik vond het heel moedig van haar dat ze daar voor durfde uit te komen.

Ik heb ook nog eens een beetje ruzie gekregen met een Duitse sociaal werker op een congres. Hij wond zich er vreselijk over op dat ik pleitte voor sociaal werk gecombineerd met geestelijk werk, vanuit de evangelische gedachte. Dat ging zelfs zo ver, dat hij medestanders om zich heen verzamelde, die mij moesten tegenspreken. 'Het maatschappelijk werk moet los staan van het geloof,' was zijn stellige overtuiging. Ik heb hem gevraagd waarom hij zo fel was in zijn reactie. 'Als ik het niet met u eens ben, ga ik toch ook niet zo tegen u tekeer?'

Zo was ik wel vaker een beetje een vreemde eend in de bijt op congressen. In 1970 ging in naar Manilla op de Filippijnen voor een internationaal congres over sociaal werk. Op de dag dat ik daar aankwam, werd een deel van de Filippijnen getroffen door een watersnoodramp. Nog niet alle congresgangers waren in het hotel in Manilla gearriveerd. De mensen die nog onderweg waren, konden niet landen op het vliegveld en wie er al was, kon niet meer weg. Omdat ik geen zin had dagenlang nutteloos in het hotel te blijven rondhangen, besloot ik het Leger des Heils in Manilla op te zoeken en te gaan helpen bij de opvang van slachtoffers van de watersnoodramp. Zo gebeurde het dat een bus vol mensen van het congres mij twee dagen later tegenkwam, geschoeid met grote kaplaarzen en wadend door de modder. Ik kwam alleen in het hotel om er wat te eten en me te douchen en af en toe zwom ik wat rondjes in het zwembad, maar ik geloof niet dat ze hebben gemerkt dat ik soms bij het Filippijnse Leger des Heils bleef slapen. Een merkwaardige cultuur daar ook, op de Filippijnen. Op een dag moesten we een man gaan vertellen dat we zijn verdronken vrouw hadden gevonden. Hij zat met zijn elf kinderen in huis en was helemaal niet genegen om het dode lichaam van zijn vrouw te bezoeken. 'Nee hoor, dan moet ik mijn huis uit en als ik terugkom ben ik het misschien kwijt,' was zijn voor ons eigenaardige reactie. Je krijgt in andere landen natuurlijk ook te maken met heel andere culturen, maar dat een man zijn overleden vrouw niet wil zien, was toch wel schokkend en verbazingwekkend. Het idee dat je met de doden geen medelijden hoeft te hebben en dat de mensen die nog leven veel belangrijker zijn, dat kennen wij helemaal niet.

We woonden ook een begrafenis bij van een belangrijke vrouw uit de Filippijnse vrouwenbeweging, die was omgekomen bij de ramp, maar de dominee die de dienst zou leiden zat ergens vast in de modder met zijn vervoermiddel. Het lijk lag opgebaard in een ruimte en wij zaten eromheen, met brandende kaarsen erbij. Omdat het nogal lang duurde, werden er op een gegeven moment borden eten uitgedeeld. Een Zweedse man, die ook voor het congres naar Manilla was gekomen, maakte de hele tijd grappige opmerkingen, zodat we uiteindelijk bijna drie uur lang etend en lachend rond de overledene zaten. Dat is in Nederland haast ondenkbaar.

In Nederland begon men zich ondertussen behoorlijk ongerust te maken, omdat ze taal noch teken van mij vernamen. Ik vond het op mijn beurt nogal vreemd dat ik niets uit Nederland hoorde. Toen ik op een dag vroeg waarom er helemaal geen brieven werden bezorgd, werd me duidelijk wat er aan de hand was. De post dreef rond in de Manilla Baai, die hadden ze gewoon in het water gegooid! Zoiets is een beetje te vergelijken met hier in Amsterdam, waar je regelmatig hele pakken kranten in de gracht ziet liggen, die door luie bezorgers in het water zijn gedumpt.

Het was niet de eerste watersnoodramp die ik meemaakte. In 1953 had Nederland zijn eigen watersnoodramp in Zeeland, toen de dijken doorbraken tijdens de zuidwesterstorm en de springvloed. Het Leger des Heils is altijd paraat als er rampen gebeuren, of het nu een groot verkeersongeluk, een vliegramp of een milieuramp is. Ik ben naar Zeeland gegaan, maar na een paar dagen op

Noord-Beveland, in Kortgene, kreeg ik heel hoge koorts. In het ziekenhuis dachten ze eerst dat ik een infectie had opgelopen, door al het dode vee dat in het rampgebied lag. Maar na een paar dagen knapte ik toch weer op en vond het Leger dat ik wel weer terug kon. Waarschijnlijk had ik alleen maar een koutje gevat, dacht men.

Het was daar ontzettend koud – het was februari – en nat, ik geloof dat ik wel vier keer in het water ben gevallen, omdat ik het verschil niet kon zien tussen het natte wegdek en het water. Toen ik terugkwam in Amsterdam, was ik mijn stem volledig kwijt. Daar bleek pas dat ik keelontsteking en een ernstige luchtwegaandoening had opgelopen, door vocht en kou. Ook mijn stembanden waren hierdoor aangetast. Een jaar lang moest ik ze wekelijks bij een dokter op de Weteringschans laten aansmeren. Aan die watersnoodramp van '53 heb ik mijn nu nog schor klinkende stem te danken.

We zaten daar heel geïsoleerd, zelfs met de helikopterpiloten die hulpgoederen kwamen brengen mochten we niet praten, omdat men nog steeds bang was voor de verspreiding van besmettelijke ziektes. Als we post van het eiland wilden sturen naar familie, moesten we de brieven ergens neerleggen onder een steen, zodat de piloten geen contact met ons hadden. Mijn moeder heeft doodsangsten uitgestaan om mij. Ze dacht: die zie ik nooit meer terug. Toen ik ten slotte weer in levenden lijve voor haar stond, was ze zo blij dat ik een horloge van haar cadeau kreeg. Het was mijn eerste horloge, terwijl ik toen al veertig jaar was.

Ik was de enige vrouw op het eiland, alle vrouwen en kinderen waren geëvacueerd. De eerste dagen ben ik ook met een reddingsboot mee geweest om mensen van de daken te halen. Ze wilden niet eens allemaal mee. Er was een man die weigerde in de boot te stappen, omdat hij nog een groot geldbedrag, iets van tienduizend gulden, in zijn huis had liggen. Ik zei: 'Ga nou maar mee, het is niet verstandig hier bij je geld te blijven zitten, straks verdrink je nog en dan heb je niks.' Maar hij is mooi verdronken met zijn tienduizend gulden. Het raakte me heel erg dat zijn geld blijkbaar belangrijker was dan zijn leven en zijn familie.

Het Leger des Heils zorgde ervoor dat iedereen die was gered en alle hulpverleners te eten hadden en warme kleding kregen. Pannen vol gehaktballen heb ik staan braden. In een door de ramp voor een deel verwoeste kerk heb ik op een zondag een kerkdienst geleid. Ik had een bijbeltekst gekozen uit Nehemia, over arbeiders die met hulp van God vol goede moed gingen herbouwen en dat sprak de aanwezigen bijzonder aan. Jaren later ontmoette ik een man op een lezing heel ergens anders in het land, die destijds bij de rijkspolitie had gezeten en ook bij die kerkdienst was geweest. Hij bedankte me zo veel jaar na dato nog eens hartelijk voor mijn mooie preek.

Het Leger des Heils heeft een heel eigen systeem van werken in geval van een ramp, dat goed werkt. Wanneer ergens een ramp gebeurt – zoals de overstroming in Tuindorp Oostzaan in 1959, de treinramp in Harmelen in 1962 of, recenter nog, de Bijlmer-vlieg-ramp op 4 oktober 1992 – is het Leger altijd paraat. Wie twee kilometer of minder in de omtrek van de ramp woont, moet onmiddellijk ter plaatse zijn. De divisie-officier die het dichtste bij de ramp zit, moet ook meteen aanwezig zijn om de werkzaamhe-den te coördineren. Mensen van het Leger die vijf kilometer van de ramplocatie wonen, moeten brood gaan klaarmaken en wie tien kilometer verwijderd woont, zorgt voor de soep. Wie nog verder weg woont, moet zorgen dat hij telefonisch bereikbaar is voor het geval men hem nodig heeft. Zo weet iedereen precies zijn taak.

De vliegtuigramp in de Bijlmermeer, waar een Boeing van de Israëlische vliegtuigmaatschappij El Al neerstortte op de flats Klein Kruitberg en Groeneveen, was natuurlijk een enorm drama. Bijna iedereen in Nederland weet nog precies wat hij, op het moment dat het nieuws van de ramp bekend werd, aan het doen was. Net zoals de mensen in de Verenigde Staten zich precies herinneren wat ze deden toen president Kennedy werd vermoord. De Boeing stortte neer op zondag 4 oktober 1992. Veel mensen zaten op dat moment naar Studio Sport te kijken, dat werd onderbroken voor de extra nieuwsuitzending. Wij zaten in het korpszaaltje aan de Oudezijds Achterburgwal, waar de avonddienst net was begon-nen. Zodra we hoorden welke ramp zich in de Bijlmer had voltrok-ken, zijn we ijlings naar het rampgebied gegaan. Het was er een enorme chaos. Kinderen liepen zonder ouders rond en ouders zochten hun kinderen, die hebben we allemaal zo goed mogelijk proberen op te vangen in de eerstehulp-barakken. We zorgden voor kleding, bedden, maaltijden, speelgoed, noem maar op. Veel slachtoffers zijn door hulpverleners van het Leger des Heils ter zijde gestaan om onderdak en uitkering te regelen. Ook de slachtoffers die in het ziekenhuis of het brandwondencentrum lagen, werden bezocht en de maatschappelijk werkers zijn ook in de omringende flatgebouwen op huisbezoek geweest. Want ook onder die mensen waren er heel veel getraumatiseerd.

Ik ben alleen de eerste avond in het rampgebied geweest, maar ik had het gevoel dat ik de anderen meer tot last was dan dat ik daadwerkelijk kon helpen. Het was donker, het was een onbeschrijflijke bende, ik kon niet zo heel goed zien waar ik liep en was bang dat ik zou vallen. De volgende dag heb ik nog wel bij de telefoon gezeten voor het geval mijn hulp nodig was.

Het Leger des Heils verleent niet alleen hulp in het eigen land, maar zendt ook mensen uit naar ontwikkelingslanden en biedt financiële steun. Ik praat liever over 'landen in ontwikkeling' dan over 'derdewereldlanden'. Er is immers maar één wereld waarin we met elkaar moeten leven. Tal van landen in Afrika heb ik bezocht. In Biafra, waar begin jaren '70 zo'n enorme hongersnood heerste en waar een grote stammenoorlog woedde, kwam ik samen met Jan Pronk van het ministerie van Ontwikkelingssamenwerking, die zich toen ook al intensief bezighield met ontwikkelingshulp. Ik weet nog dat hij daar vertelde dat het in die cultuur heel gewoon was dat ze elkaars koppen er afhakten, omdat ze daar geen christelijke beschaving hadden. Deze mensen leefden, zo legde Pronk uit, volgens het principe van 'oog om oog, tand op tand'. Een beetje een boude bewering, vond ik toen, want je kunt toch niet zeggen dat de christenen door de eeuwen heen altijd van die lieverdjes zijn geweest. Denk maar aan de slavenhandel of, dichter bij huis, aan de godsdiensttwisten in Noord-Ierland. Daar schieten de katholieken ook op de protestanten en omgekeerd.

Ik heb veel positieve ervaringen met andere culturen opgedaan. In landen als India en Bangladesh hebben de mensen het wel heel arm, maar ze leven veel gemoedelijker dan in het rijke Westen. In Bangladesh was ik in 1972, na een congres in New Delhi. De eigenaar van het hotel waar ik logeerde – een primitief onderkomen, met jute gordijnen tussen de kamers – had zo zijn eigen ideeën over de westerse samenleving, die veel indruk op me hebben gemaakt. 'Jullie besteden je tijd alleen maar aan geld verdienen en geld uitgeven,' wist hij te vertellen. 'Alles draait om geld, de hele dag. En als je dan nog eens een uurtje overhebt, ga je misschien nog even naar de kerk. Dat doen wij heel anders. Ik ben zelf ook christen en zit 's avonds met de hele familie aan tafel, waar we samen mediteren en met elkaar zingen. Jullie in Nederland hebben veel te weinig tijd om je bezig te houden met de spirituele wereld.'

Mensen van het Leger des Heils die in dit soort landen hebben gewerkt, kunnen vaak niet meer goed aarden als ze terug zijn in Nederland. Ze zijn niet meer gewend aan het jachtige leven hier en hebben een heel andere mentaliteit gekregen.

Ik ging naar Bangladesh en Nepal na een congres van de F.A.I., voor een soort werkbezoek, om te zien in welke uitzichtloze toestand de mensen daar moeten leven en hoe het Leger des Heils probeert de helpende hand te bieden. Ik zou vanuit New Delhi met het vliegtuig naar de stad Dhaka in Bangladesh reizen, maar dat vliegtuig bleek niet te gaan. Er zou wel een luchtverbinding zijn tussen Calcutta en Dhaka, dus vloog ik eerst van New Delhi naar Calcutta. Men had mij verteld dat ik hier in de buurt zou kunnen overnachten bij een post van het Leger des Heils. Het was al avond toen ik in Calcutta aankwam en een vriendelijke man, een Europeaan die bekend was met het Leger, wilde me er wel even heen brengen. Die nachtelijke reis, door donker India, duurde zo lang dat ik op een gegeven moment begon te denken: 'Die chauffeur kan me wel ontvoeren, misschien gaan we wel helemaal niet naar die Legerpost.' Maar gelukkig kwamen we uiteindelijk bij de post van het Leger des Heils, misschien wel honderd kilometer buiten Calcutta terecht, midden in de nacht. Daar werd aanvankelijk de deur helemaal niet opengedaan, maar ten slotte kwam er toch een mannetje kijken wie daar aan de deur stonden te kloppen.

De directrice, een Finse vrouw, werd uit haar bed gehaald en was daardoor slecht gehumeurd. Ze was heel kortaf en liep maar te mopperen over die juffrouw uit Holland die op zo'n vreemd tijdstip aankwam. De volgende morgen, toen ze was uitgeslapen, bleek ze gelukkig een stuk vriendelijker. We zijn toen op bezoek geweest bij moeder Teresa, in het tehuis voor arme en zieke kinderen en volwassenen. Een heel armoedig geheel was het. In de barakken hingen ook weer van die jute doeken, waarmee een soort zaaltjes werden gecreëerd. Er was van alles te kort. Het ene moment lag een vrouw te bevallen op een bed, maar een half uur later lag ze weer op de grond en werd het bed alweer door een volgende patiënt bezet. Zonder dat de lakens waren verschoond, het was heel primitief allemaal.

In Nederland ben ik regelmatig vergeleken met moeder Teresa.

Dat vind ik altijd een beetje overdreven, want tussen de binnen-landen van India en de binnenstad van Amsterdam zit een we-zenlijk verschil. Ik heb nooit te maken gehad met leprapatiënten en mensen die omkwamen van de honger. Bovendien ben ik door het Leger des Heils in de binnenstad aangesteld, ik heb niet zelf voor het Goodwillwerk in Amsterdam gekozen, hoewel ik daar wel het meest op mijn plaats was. Maar als ik was aangesteld in een kindertehuis in Apeldoorn, had niemand in Nederland me waar-schijnlijk gekend en was het heel anders gelopen. Dus als ze mij 'de Nederlandse moeder Teresa' noemen, neem ik dat maar met een korreltje zout.

Er zijn misschien wel wat overeenkomsten, bijvoorbeeld dat we allebei ons leven lang met de misdeelden in de samenleving hebben gewerkt. Zij vanuit haar rooms-katholieke overtuiging, ik vanuit mijn christelijke geloof binnen het Leger des Heils. Een psycholoog zou tussen mij en moeder Teresa waarschijnlijk veel gelijke karaktertrekken kunnen ontdekken, eenzelfde drijfveer om dit werk te kunnen volhouden. Aan de andere kant vond ik mezelf veel moderner dan moeder Teresa, hoewel zij geloof ik een paar jaar jonger was dan ik. Ik heb een kwartiertje, twintig minuten met haar kunnen spreken en die kans heb ik aangegrepen om eens te vragen naar de voorlichting over geboortebeperking. Daar wilde zij, als katholieke zuster, helemaal niets van weten. 'Maar,' zei ik, 'het zou toch goed zijn als hier wat minder kinderen worden geboren, dan zijn hier ook minder monden te voeden en hebben de anderen meer overlevingskansen.' Zij hield zich echter aan het standpunt van de paus; voorlichting over bijvoorbeeld voorbe-hoedmiddelen was onbespreekbaar. Gelukkig is het Leger des Heils wat dat betreft veel meer met zijn tijd meegegaan. In veel ontwikkelingslanden heeft het Leger ziekenhuizen, waar voorlich-tingsprogramma's worden getoond in de wachtkamer. In die wachtkamers zitten soms meer dan dertig mensen, maar die hoeven zich geen moment te vervelen met al die informatie over de pil, condooms en andere maatregelen voor geboortebeperking.

Toen moeder Teresa in 1997 overleed, werd ik meteen gebeld door kranten en programmamakers van de radio en televisie. 'Wat vindt u ervan dat moeder Teresa dood is?' Daar ben ik dan wel heel nuchter in. 'Ze had er de leeftijd voor,' heb ik geantwoord. 'Daar hoeft de wereld niet zo treurig over te zijn, ze komt onge-twijfeld in de hemel en zal daar deel hebben aan het eeuwige leven, in en door haar geloof in God en Jezus Christus. Bovendien heeft ze uiteindelijk, hoewel dat lang heeft geduurd, een goede opvolgster gevonden, dus het werk gaat door.' Het was natuurlijk een goed mens en ze heeft veel goed werk gedaan, maar niemand heeft het eeuwige leven op aarde. Kijk, dat prinses Diana dat jaar ook is omgekomen bij een auto-ongeluk in Parijs, dat vond ik wél heel erg. Die kinderen verloren hun moeder, terwijl ze nog in de bloei van haar leven was en ze hebben al geen gemakkelijk leven als prinsjes. Daar kan ik eerder om huilen dan om de dood van moeder Teresa, die gewoon van ouderdom stierf. Ik heb Diana twee keer kort ontmoet en een paar woorden met haar gewisseld, maar ik was niet zo heel erg van haar onder de indruk. Nu ze dood is, worden haar daden heel erg opgehemeld, maar zij heeft natuurlijk ook niet alles goed gedaan en datzelfde kun je over prins Charles zeggen. Maar goed, ik heb ze niet persoonlijk gekend en ken alleen de verhalen, dus ik zal er verder maar niet over oordelen.

Vanuit Calcutta ben ik met een helikopter van het Rode Kruis naar mijn bestemming in Bangladesh gebracht, in Faridpur. Omdat het Rode Kruis alleen gebruik mag maken van de helikopter ten behoeve van mensen in nood, vloog ik mee als begeleidster van een man in een rolstoel, die uit Faridpur kwam en in Calcutta was behandeld. Zijn benen waren geamputeerd, terwijl hij bij zijn volle bewustzijn was! Dus zonder narcose, zonder verdoving, een heel naar idee. Op de terugweg van Faridpur naar Calcutta zou de helikopter medicijnen meenemen. Voor mij was het Rode Kruis echt een uitkomst, want anders had ik met het vliegtuig naar Bangladesh gemoeten en dan nog tien uur met de auto moeten reizen vanaf de luchthaven van Dhaka naar Faridpur.

Een paar jaar geleden, toen ik 82 jaar was, ben ik nogmaals in India geweest, dit keer op uitnodiging van de hulpverleningsorganisatie Tearfund uit Driebergen. Die organisatie werkt daar tussen de allerarmsten, in de armste gebieden. In New Delhi, Bangalore en Hardon bezochten we de sloppenwijken, de leprakolonies en steengroeven waar de mensen, soms zelfs de kinderen, nog wat proberen te verdienen met zwaar werk. Je maakt ongelooflijke dingen mee in dat land. In onze hotelkamer was op een gegeven moment een gevaarlijke slang gesignaleerd. Een van de Indiërs wist het beest bij zijn kop te pakken en hield hem uitdagend vlak voor mijn gezicht. Maar ik laat me niet zo snel van de wijs brengen en gaf geen kik. Omdat die man zo stoer liep te doen met die slang, lette hij niet goed op en werd hij zélf gebeten. Hij kreeg meteen een enorme zwelling op zijn arm. Een blanke zou onmiddellijk dood zijn geweest, hoorde ik later, maar blijkbaar kon hij er beter tegen en was hij op tijd in het ziekenhuis waar ze hem een tegengif toedienden. Bijna iedereen van ons gezelschap is hevig ziek geweest door de warmte of door het andere eten, maar ik had nergens last van. Zo kon het gebeuren dat ik al in de trein zat van Allahabad naar New Delhi, terwijl de rest van de mensen nog met maag- en darmklachten op bed lag. Ik had pakjes hutspot en sperzieboontjes uit Nederland meegenomen, omdat ik van tevoren al wist dat ik dat vreemde eten niet zou kunnen verdragen, dat was mijn geluk.

Tearfund financiert allerlei projecten om die mensen een betere toekomst te geven. Onderwijsprojecten, medische instellingen, watervoorzieningen, landbouwtechnieken en voorlichting over hygiëne. Er worden bijvoorbeeld scholen opgezet, waar de kinderen ook goede maaltijden krijgen en waar regelmatig een verpleegster langskomt om de kinderen te onderzoeken. Op die manier kun je heel veel bereiken.

In Nederland wordt binnen de politiek veel getwist over de hoogte van de ontwikkelingsgelden, maar ik denk dat je daar zeker niet op moet bezuinigen. Integendeel: wanneer je de mensen in hun éigen land helpt, is het voor hen ook niet nodig weg te vluchten voor hun erbarmelijke omstandigheden en bijvoorbeeld in Nederland asiel aan te vragen. Het lijkt me ook veel beter als mensen in hun eigen omgeving blijven, waar ze zijn opgegroeid, in hun eigen cultuur. Als je het aantal economische vluchtelingen wilt verminderen, zul je er toch aan moeten bijdragen dat het in hun eigen land beter wordt. Ik heb met eigen ogen gezien dat ontwikkelingshulp uiteindelijk toch vruchten afwerpt, zoals in India, maar er is nog heel veel hulp nodig.

Op een van de Leger des Heilscongressen ontmoette ik Annie Freese, een Nederlandse heilsofficier die in Ghana werkte. Ze was de dochter van kennissen van mij uit Nederland, dus ik kende haar al sinds ze een kind was. Zij drong erop aan dat ik een keertje in Ghana op bezoek zou komen. Dat bezoek moest worden uitgesteld tot 1981, toen ik was gepensioneerd en wat meer tijd had. Ik heb in Ghana de diverse Legerposten bezocht en gekeken wat de hulpverleners daar allemaal nodig hadden. Het bleek bijvoorbeeld een probleem de studieboeken in te voeren voor de Ghanese kweekschool voor Leger des Heilsofficieren, omdat er hoge invoerrechten betaald moesten worden. Ik wist het voor elkaar te krijgen dat die invoerrechten vrijgesteld werden. Door mijn ervaring die ik in de loop der jaren had opgedaan in het buitenland, wist ik een beetje beter welke contacten daarvoor nodig waren.

Een jaar voordat ik naar Ghana ging, heb ik als het ware een reis om de wereld gemaakt. In 1980 was ik voor de tweede keer in Syracuse, bij New York. Vanaf hier was een hele rondreis door de Verenigde Staten en Canada georganiseerd, waarbij ik moest spreken in New York, New Jersey, Kansas, Denver, Las Vegas, San Francisco en in de Canadese steden Ottawa en Toronto. Tussendoor kwam ik ook nog in kleinere plaatsen; ik heb tijdens die reis echt heel Amerika gezien. Vanuit Los Angeles in de Verenigde Staten ging ik rechtstreeks door naar Australië, waar ik was uitgenodigd voor een congres in Adelaide. Na dat congres kreeg ik de kans een bezoek te brengen aan Melbourne en Sydney. In Australië ontmoette ik iemand van het Leger des Heils uit Indonesië. Hij wilde eigenlijk dat ik meteen vanuit Australië naar Indonesië zou komen, maar ik was inmiddels al vijf weken op reis en verlangde zo langzamerhand wel weer naar mijn eigen bed. Omdat ik het jaar daarna al naar Ghana zou gaan, is mijn bezoek aan Indonesië uitgesteld tot 1982.

Het is een van mijn mooiste reizen geweest. Ik heb een tour gemaakt over Java, Bali en Timor; de commandant van het Indonesische Leger des Heils, die mij had uitgenodigd naar Indonesië te komen, kwam zelf van Timor. Het was vooral bijzonder omdat ik er, op een nachtje in een hotel na, verbleef tussen de gewone bevolking in gewone gezinnen, niet in een of ander luxe hotel. Toeristen uit de hotels gingen op excursie naar een zilverfabriek, of een zijdeweverij, maar ik zag de bevolking werken op de cacao- en theeplantages en maakte het dagelijks leven van dichtbij mee.

Op een dag liep ik over de markt in Soerabaja, maar ik had niet, zoals gewoonlijk, mijn Legeruniform aan. Dat was doorweekt geraakt tijdens een hoosbui, vandaar dat ik een Indonesische sarong had aangetrokken van bruine batikstof. Toch werd ik herkend door een Nederlandse vrouw, de echtgenote van een zeeman die voer voor de Koninklijke Nederlandse Stoomboot Maatschappij, de KNSM. 'Ik ken u van de televisie,' begroette ze me. Ze heeft later met haar man een bezoek gebracht aan het Leger des Heils-ziekenhuis in Soerabaja en kwam langs op een van onze dia-avonden en wij kregen een diner aangeboden op zijn boot, die in de haven van Soerabaja lag. Toen we eenmaal terug waren in Nederland, is het contact altijd gebleven.

In Jakarta bezocht ik een kerkgemeenschap voor oorspronkelijk Hollandse mensen, die misschien al generaties lang in Indonesië wonen, maar nog altijd kerkdiensten houden in de Nederlandse taal. Zulke kerken ben ik op mijn reizen vaker tegen gekomen. In New York had je een Hollandse kerk, maar ook een Zweedstalige, een Spaanstalige en een Chinese kerk. Zo kun je aan de kerk zien in welke wijk de Nederlanders, Zweden en andere bevolkingsgroepen zich het eerst hebben gevestigd toen ze in Amerika waren geland. De kerkdiensten in hun eigen, oorspronkelijke taal, zijn een middel om hun eigen identiteit te bewaren.

Van het een kwam het ander; de reis naar Indonesië leidde weer tot een uitnodiging voor een bezoek aan Frans Kongo – ook wel Kongo-Brazzaville genoemd – en Zaïre in Afrika. Ik ben daar op Legersamenkomsten geweest die door meer dan duizend heilssoldaten werden bezocht. Die mensen daar waren zo spontaan en zo enthousiast, dat kennen we in Nederland helemaal niet. Op een samenkomst in ons korpszaaltje aan de Oudezijds Achterburgwal zijn we al dolblij met honderd bezoekers.

Ik zat in Kongo echt diep in het binnenland. Als we op zondag om tien uur in de kerk wilden zijn, moesten we voor zeven uur 's ochtends al vertrekken om op tijd te komen. Het laatste stukje moest onze auto getrokken worden, want die raakte helemaal vast in het zand.

Na een van mijn spreekbeurten kreeg ik van de organisatie een levende kip cadeau, in een grote mand. Weigeren was natuurlijk onbeleefd, dus nam ik die kip maar mee naar Brazzaville en heb hem daar aan de mensen gegeven bij wie ik logeerde. Vanuit Brazzaville stak ik de rivier over voor een bezoek aan Kinshasa in Zaïre, de tegenwoordige Democratische Republiek Kongo, sinds dictator Mobutu vorig jaar is verdreven door de nieuwe president Kabila. Voor de zekerheid had ik mijn hele koffer meegenomen, want ik was er al op voorbereid dat ik niet terug mocht naar Brazzaville, vanwege alle politieke toestanden.

Ik kreeg inderdaad geen toestemming om terug te keren en via het kantoor van de KLM werd mijn vliegticket omgezet in een reis van Kinshasa naar Amsterdam. Stomverbaasd was ik toen bleek dat mijn vliegtuig wel een tussenlanding maakte in Brazzaville! Ik ben echter blijven zitten, want ik had telefonisch al afscheid genomen van mijn logeeradres.

Na de afschaffing van de apartheid in Zuid-Afrika kreeg ik ook de kans dat land te bezoeken. Ik moet zeggen dat de situatie me helemaal niet tegenviel. Ik had veel meer rassendiscriminatie en onderlinge haat verwacht dan ik tegenkwam. In Soweto, de zwarte woonwijk bij Johannesburg, sprak ik met de blanke wethouder en de zwarte burgemeester, die heel goed met elkaar konden samenwerken. Volgens hen speelde de apartheidskwestie vooral in de hogere kringen en waren de gewone mensen niet zo anti-blank of anti-zwart. Zij noemden Zuid-Afrika zelfs een van de beste Afrikaanse landen en het viel me inderdaad mee. We zijn met een jeep langs allerlei dorpen in de Zulu-provincie Natal geweest. De zwarte bevolking had het weliswaar niet breed – de vrouwen moesten voor een emmer water een half uur lopen – maar ik heb geen hongerlijdende mensen gezien en geen kwaadaardigheid kunnen ontdekken jegens mij. Maar dat laatste hoeft niet te betekenen dat ze alle blanken zo aardig vonden; ik heb wel gemerkt dat er gewoon meer deuren voor je opengaan als je een uniform van het Leger des Heils aanhebt. Als het Leger in dat land een beetje een goede naam heeft, dan word je vanzelf positief benaderd.

Het Leger des Heils is tegenwoordig actief in meer dan honderd landen. Eerst waren het er minder dan honderd, maar met het vallen van de Berlijnse muur en de onafhankelijkheid van allerlei staten in het Oostblok en de voormalige Sovjet-Unie is het getal automatisch hoger geworden. In veel Oostbloklanden bestond het Leger des Heils wel, maar werden omstreeks 1950 alle evangelisatie-activiteiten verboden, zoals in Oost-Duitsland en Tsjechoslowakije. De landen die het moeilijk hadden, werden als het ware 'opgevangen' door de rijkere landen met mankracht en geld. Het Leger des Heils in Amerika zorgde voor de broeders en zusters in Rusland, Denemarken had Estland, Letland en Litouwen onder zijn hoede en Nederland was verbonden met Tsjechoslowakije. Ik ben een keer of vier naar Tsjechoslowakije geweest toen het Leger des Heils daar nog verboden was en ook een aantal malen naar Oost-Duitsland. Leger des Heils-officieren uit Denemarken en

Nederland konden veel gemakkelijker naar de Oostbloklanden reizen dan officieren uit West-Duitsland; dat lag op een of andere manier veel gevoeliger.

In Tsjechoslowakije werden samenkomsten georganiseerd in huiskamers, waar ik was uitgenodigd om te spreken. Sommigen waren best bang dat ze zouden worden opgepakt of gestraft, maar ik heb nooit iets meegemaakt in die richting. Een Tsjechische majoor, Josef Korbel, heeft minstens tien jaar gevangengezeten. Zijn kinderen gingen niet naar de communistische jeugdclubs, maar zaten op een jeugdclub van het Leger des Heils. Bovendien schreef hij voor de Tsjechische variant van de Strijdkreet en zijn daden werden op een gegeven moment bestempeld als 'politiek vijandig'. Toen hij uiteindelijk vrijkwam, is over hem een boek geschreven, *My Enemy*, in het Nederlands vertaald als 'In het kamp van mijn vijand'. Zijn verhaal – en dat van zijn vrouw Erna en hun drie kinderen – werd daarmee exemplarisch voor wat tientallen andere mensen van het Leger des Heils en andere christenen hadden meegemaakt. Het gezin is na zijn vrijlating naar de Verenigde Staten geëmigreerd, waar Erna Korbel inmiddels is overleden.

Als ik naar Tsjechoslowakije of Oost-Duitsland ging, laadde ik de achterbak van mijn auto vol met Strijdkreten, wat bijbels in het Duits of Tsjechisch – van de stichting Vervolgd Christendom – en verder nam ik handdoeken mee, koffie, thee en andere levensmiddelen. Ik heb altijd de grens mogen passeren, al werd mijn hele auto wel van boven tot onder nagekeken. De douane stond zelfs met een stok door de benzinetank te roeren, maar ik zat gewoon in de berm mijn boterhammetjes te eten en dacht: 'Zoeken jullie het maar lekker uit.' Ze hebben nooit iets in beslag genomen en ik mocht uiteindelijk altijd het land in en uit. Sinds de val van de Berlijnse muur ben ik er nog een paar keer geweest.

Voor al die reizen naar ontwikkelingslanden moest ik mij laten inenten tegen allerlei tropische kwalen en pillen innemen tegen malaria. Als ik maar goed oplette wat ik at, was er meestal niets aan de hand. Daardoor ben ik bijna nooit ziek geweest op mijn vele reizen. Alleen aan het slot van een van de laatste reizen die ik heb gemaakt, naar Chili, ben ik verschrikkelijk ziek geworden. Ik was eerst op bezoek geweest in een kindertehuis in Mexico en vanaf daar vloog ik door naar Chili. Ik had een cheque bij me die ik mocht overhandigen aan een bejaardentehuis even buiten de hoofdstad Santiago, dat door een aardbeving voor een groot deel was verwoest. Vervolgens heb ik in Punta Arenas, het uiterste zuiden van Chili en het armste gedeelte van dit land, nog enkele samenkomsten mogen doen voor de plaatselijke afdelingen van het Leger des Heils.

We zaten op het vliegveld van Santiago op het vliegtuig naar Nederland te wachten, dat een paar uur vertraging had. Daar kregen alle mensen die vertraging hadden een ontbijt voorgeschoteld, waar ook een soort warm vlees bij werd geserveerd. Ik denk dat dat vlees de boosdoener is geweest. In het vliegtuig kreeg ik het al snel te kwaad, evenals een van de stewardessen die ook van het vlees had gegeten. Misselijk, krampen in mijn darmen, koorts, het was zo erg dat men overwoog het vliegtuig in Argentinië aan de grond te zetten om mij naar een ziekenhuis te brengen. Dat zag ik echter helemaal niet zitten: ik stelde me al voor dat ik helemaal alleen in een vreemd ziekenhuisbed zou liggen, met alleen maar Spaans sprekende verpleegsters om me heen. Ik wilde het liefst naar mijn eigen huis, in mijn eigen bed liggen. Daarom ben ik maar heel rustig blijven zitten, zo stil mogelijk, want elke beweging was me eigenlijk al te veel. Toen we waren geland, moest ik op Schiphol nog vreselijk overgeven. Doodziek kwam ik thuis, waar ik meteen in mijn bed kroop. Na een paar uur kwam er iemand aan de deur, die wilde weten of ik al thuis was. Op dat moment mocht ik blij zijn dat ze me nooit met rust laten. Mensen uit de buurt hadden mij wel zien thuiskomen, maar ik reageerde niet op de bel. Met de reservesleutel wist hij toch binnen te komen, waar ik min of meer in coma werd aangetroffen op bed, buiten westen.

De dokter stuurde onmiddellijk een ambulance, waarmee ik naar het ziekenhuis ben gebracht. Daar bleek dat ik bewusteloos was geraakt als gevolg van uitdroging. Ik had de hele reis ook niets gedronken, omdat ik toch niets kon binnenhouden. Vijf of zes dagen moest ik in het ziekenhuis blijven, voordat het vochtgehalte weer een beetje op peil was.

Dat was de enige keer dat ik het heel naar vond om zo lang in het vliegtuig te zitten. Ik reis gewoonlijk in de economy-class, maar het komt wel eens voor dat de luchtvaartmaatschappij meer passagiers wil meenemen. Als er dan nog plaats is in de business-class, bieden ze mij daar een stoel aan. Ze hebben liever majoor Bosshardt in de eerste klas dan een groepje jongeren. Meestal zit ik een beetje te slapen in het vliegtuig. Ik vraag altijd een stoel aan het gangpad, zodat ik naar het toilet kan zonder andere mensen steeds te storen en bovendien kun je door het raampje meestal toch weinig zien. Met een borduurwerk, een boek of een brief die ik nog moet schrijven ben ik een groot deel van de tijd zoet. Als er een film wordt gedraaid, kan ik heerlijk slapen, dan hoeven ze mij niet wakker te maken voor het eten of wat te drinken.

Tien jaar geleden kreeg ik de eer een vliegtuig van Air Holland met mijn eigen naam te dopen. Het was een Boeing 757, de 'Majoor Alida Bosshardt'. De directeur van Air Holland was John Block, die inmiddels is overleden. Hij was begonnen met het vernoemen van zijn nieuwe vliegtuigen naar bekende Nederlanders. Prinses Juliana was geloof ik de eerste die een 'eigen' vliegtuig kreeg, vervolgens kwam ik. Sindsdien werd ik altijd uitgenodigd als er weer een nieuw vliegtuig werd gedoopt, bijvoorbeeld dat van prins Bernhard en de ruimtevaarder Wubbo Ockels. Ik vond het natuurlijk een hele eer dat mijn naam door de lucht vloog, maar hechtte er nu ook weer niet zo veel waarde aan, zoals een echtpaar, dat ik een paar jaar geleden ontmoette. Zij vertelden: 'Wij zijn met úw vliegtuig naar Portugal gevlogen! Nou, daardoor voelden we ons hartstikke veilig, we waren geen moment bang voor een ongeluk.' Het toestel is een tijdje geleden verkocht en waar het is gebleven is mij niet bekend.

Behalve een vliegtuig zijn er ook talloze bloemen naar mij vernoemd, een roos, een tulp, een gladiool, een chrysant, wel vijf verschillende soorten. Er is ook nog een kapel op een camping in Ede die de Bosshardt-kapel is genoemd, waar ik wel eens ben wezen spreken. En ja, als ik straks niet meer leef, zullen ze ongetwijfeld ook nog wel eens een straat naar me noemen. Misschien dat de Oudezijds Armsteeg, naast de Leuwenburgh, dan de Majoor Bosshardtsteeg wordt.

Ik ben een jaar geleden ook nog de lucht in geweest met zo'n klein vliegtuigje, voor een reclamestunt van Hak. Ik moest een aantal potjes met fruitmoes uit het vliegtuig gooien. De potjes hingen aan kleine parachutes en een van die parachutes was goudkleurig. Wie die goudkleurige vond, kreeg een jaar lang gratis fruitmoes. Het was verschrikkelijk koud daarboven. Gelukkig hoefde het maar één keer opgenomen te worden, terwijl ik een vluchtje boven Hilversum maakte. Later hebben ze dat zo gemonteerd dat het leek alsof ik boven Utrecht vloog en later weer boven Amersfoort en Arnhem. De actie deed ik natuurlijk niet voor niets: ze leverde het Leger des Heils vijfhonderd gratis kerstpakketten op.

Naar het buitenland ging ik eigenlijk alleen als ik was uitgenodigd voor een congres of een werkbezoek, zodat mijn reisgeld werd betaald. Nu ik vijfentachtig ben, is het reizen een beetje afgelopen. De reis naar Los Angeles en San Diego, afgelopen voorjaar, is vermoedelijk mijn laatste reis naar Amerika geweest. Ik denk er nog wel over nog een keer op vakantie te gaan naar Zwitserland. Daar ben ik jaren achtereen op vakantie geweest en ik vind het een heerlijk land. Als ik nog eens ga, dan wil ik wel met de auto, anders kan ik me daar niet verplaatsen. Misschien dat het nu toch een beetje te ver is, ik kan natuurlijk net zo goed wat dichter bij huis blijven. Vroeger draaide ik mijn hand er niet voor om, zo'n grote afstand te rijden.

Ik ben zelfs een keer in één ruk naar Berlijn gereden, om de musical 'Guys and Dolls' te kunnen zien, waarin de actrice Tetske van Ossewaarde een hoofdrol vertolkte. Ze speelde een heilssoldate van het Leger des Heils, die in New York op Times Square werkte te midden van gangsters en prostituees. Zij had zich op deze rol voorbereid door een avond met mij mee te gaan door donker Amsterdam, net zoals Beatrix twintig jaar daarvoor. Het was januari 1985 en er woedde een hevige sneeuwstorm. Toch wilde ik de première niet missen, zodat ik eigenwijs in mijn auto stapte en de barre tocht ondernam. Tetske, die mij nu nog regelmatig belt, was heel erg ontroerd. 'Dat had u toch niet moeten doen,' zei ze. Toch ben ik ook weer door de sneeuw terug gereden, hoewel het inmiddels nog harder was gaan sneeuwen en de wegen glad waren geworden. Gelukkig ben ik veilig thuisgekomen.

In Zwitserland ben ik jaren achtereen op vakantie geweest. De bergen, de frisse lucht, de vriendelijke bewoners: in allerlei opzichten is het altijd mijn favoriete land gebleven, waar bovendien de wortels van de familie Bosshardt liggen. In het begin had ik daar een vakantiehuisje aan een meer, van een bevriende familie. Normaal gesproken gingen ze hier zelf heen met de kinderen, maar die gingen op een gegeven moment liever zonder ouders op vakantie, naar een oord dat meer voor jongeren geschikt was, in Italië of Spanje. Voor mij was het een heerlijk huisje; ik vind het altijd prettig als ik mijn eigen bedoening heb en rustig mijn eigen gang kan gaan. Ik at één keer per dag bij het echtpaar – later is die man overleden – dat eigenaar was van het huisje. Zij hadden een huishoudster die werkelijk heerlijk kon koken. Het was erg jammer dat het huisje uiteindelijk is verkocht. Ik bleef Zwitserland echter trouw en vond twee zussen die een groot huis hadden geërfd. Zelf woonden ze op de bovenste verdieping en ik betrok tijdens mijn vakanties de benedenverdieping. Maar ook dit huis is na een paar jaar permanent verhuurd door de zusters. Zo kwam ik terecht in het vakantiehuis van het Leger des Heils, niet ver daarvandaan. Hier kunnen mensen van het Leger een kamer bespreken voor hun vakantie. Ik nam altijd een kamer met balkon. Toch vond ik het hier minder leuk dan in mijn eerdere vakantieverblijven, want in dit huis zat je nooit alleen en ik zat eigenlijk niet te wachten op contacten. Daarom ging ik na het gemeenschappelijke ontbijt meestal wat voor mezelf doen; ik zwom bijvoorbeeld dagelijks een keertje het meer rond. Verder vulde ik mijn tijd met het behandelen van achterstallige post, lezen, borduren, al dat soort dingen waarvoor ik normaal gesproken geen tijd heb. Die vakanties waren voor mij echt bedoeld om tot rust te komen; even geen telefoontjes, geen vragen, geen mensen om me heen.

Blank of zwart, arm of rijk, als ik één ding heb geleerd van al mijn reizen is het wel dat iedereen in wezen gelijk is. Ik vind het verschrikkelijk als ik in de krant lees of op televisie zie wat er allemaal gebeurt in landen waar ik ook ben geweest. Als je die mensen persoonlijk hebt ontmoet en later hoort dat hele bevolkingsgroepen in een land worden uitgemoord, voel je je daar toch sterk bij betrokken. Waarom kunnen ze dat niet tegenhouden? In zulke gevallen ben ik zeker een voorstander van militair ingrijpen, als dat zo veel mensenlevens kan sparen. Het Leger des Heils is wat dat betreft niet politiek gekleurd; er zullen ook wel heilssoldaten zijn die een puur pacifistische inslag hebben en praten is ook altijd beter dan vechten. Maar je mag het toch ook niet zomaar laten gebeuren, zoals dit jaar nog in Kosovo, waar de Serviërs hele dorpen hebben verwoest en de burgerbevolking bedreigden. Ik kan het politiek gezien niet allemaal goed beoordelen, maar ik begrijp niet hoe ze dit kunnen toestaan.

Hoofdstuk 10

'Normloosheid mag niet de norm worden'

In 1982 ontving ik van de Helene de Montigny-stichting een geldprijs voor mijn werk. Helene de Montigny was een vrouw uit een zeer welgestelde familie en echtgenote van de heer Jonas, een effectenmakelaar in Amsterdam. Omdat zij kinderloos waren, lieten zij hun kapitaal na in een fonds, met de bedoeling financiële steun te verlenen aan personen die zich verdienstelijk maken voor de maatschappij. Helene de Montigny overleed in 1949, haar man veertien jaar eerder, maar het fonds, de Helene de Montigny-stichting, bestond al tijdens hun leven. De rector-magnificus van de Universiteit van Amsterdam zit, overeenkomstig hun wens, in het stichtingsbestuur en reikt nog altijd jaarlijks een geldprijs uit. Ik kreeg sinds 1982 altijd een uitnodiging voor de prijsuitreiking, zo ook afgelopen jaar.

De prijs was dit keer in tweeën gedeeld. De ene prijs was voor een vrouw die kinderen helpt met een Vietnamese moeder en een Amerikaanse soldaat als vader. Deze kinderen worden vaak verstoten door de Vietamese samenleving en in Amerika, waarheen ze soms emigreren, horen ze eigenlijk ook nergens bij. Een aantal half-Amerikanen, half-Vietnamezen is – veelal als pleegkind – in Nederland terechtgekomen.

Nog een prijs was er voor een manege in Bennekom, waar zwaar geestelijk gehandicapte kinderen kunnen paardrijden. Tijdens de prijsuitreiking werd ik door de mensen van die manege uitgenodigd daar eens een kijkje te komen nemen. Dat was bijzonder indrukwekkend.

Die kinderen kunnen natuurlijk niet echt paardrijden, want dan zouden ze van het paard af vallen. Ze worden op een soort matras tussen twee paarden in gelegd en achter die paarden hangt een wagentje waarop een van de medewerkers zit samen met de ouders. Door de bewegingen van de paarden en hun geur en warmte, worden die kinderen helemaal rustig. Je kunt echt zien dat ze er iets moois aan beleven, hoewel sommigen zo ernstig gehandicapt zijn dat ze schijnbaar nergens op reageren. De ouders kunnen met hun kind ook logeren op de manege, die in een soort boerderij is gevestigd.

Het is heel bewonderenswaardig hoe de ouders die ik daar heb ontmoet hun leven met een gehandicapt kind hebben ingericht. Een van de kinderen was een jongen, die als elfjarige met zijn fiets door een auto was geschept en sindsdien volledig geestelijk gehandicapt was. Een moeder vertelde dat haar kind tot zijn tweede jaar heel normaal leek, maar toen bleek toch dat hij een hersenbeschadiging had waardoor hij steeds verder aftakelde. Dan kom je toch te spreken over het geloof en over God: welke kracht zit erachter? Ik kan niet geloven dat God wil dat er zo veel gehandicapte kinderen worden geboren, of dat Hij denkt: 'Die mensen hebben al drie gezonde kinderen, nu maar eens een die gehandicapt is.' Dat kan niet, maar het gebeurt toch. Een vader vertelde me dat hij dacht dat het een soort beproeving is, waarvan je iets moet leren. Dat je meer geduld krijgt, meer liefde leert te geven en meer barmhartigheid voelt.

Het is een van de moeilijkste vragen, waarop ik ook geen antwoord weet. Waarom greep God niet in tijdens de oorlog, toen zo veel joden zijn vermoord? Er zijn wel mensen die verklaren dat zoiets gebeurt omdat er te veel mensen op aarde zijn. Maar dan vraag ik me af wie moet bepalen wie de overcomplete mensen zijn. Je zult er maar bij horen.

Ik ben met een van de leidsters van die manege nog op bezoek geweest bij ouders die ook jarenlang met hun gehandicapte zoontje op de manege kwamen. Hun kind was nu zo ver afgetakeld, dat ze niet meer naar Bennekom konden komen: hij zou eerdaags komen te overlijden. Als ik zo'n jochie dan zie liggen, helemaal verstijfd en zonder enig reactievermogen, denk ik ook bij mezelf: 'Heer, neem hem maar weg, laat hem en zijn ouders niet langer lijden.' Principieel ben ik geen voorstander van euthanasie, maar ik kan wel begrijpen dat het gebeurt, vooral in dit soort uitzichtloze situaties. Dat geldt ook voor abortus. Ik ben er beslist niet voor, maar als mensen weten dat ze een heel zwaar gehandicapt kind zullen krijgen, kan ik me wel voorstellen dat ze het overwegen.

Toen ik nog op het Goodwillcentrum werkte, kreeg ik eens te

maken met een geestelijk gehandicapt meisje van veertien jaar, dat zwanger was geraakt. Ze wist ook niet eens van wie en haar moeder was ten einde raad. Ik heb verder geen druk op die moeder uitgeoefend, maar haar wel het adres gegeven van een dokter van het VU-ziekenhuis, van wie ik wist dat hij informatie kon geven over abortus In dit soort extreme gevallen kun je bijna niet anders.

Je moet iedereen accepteren zoals hij is. Dat is mijn uitgangspunt altijd geweest en ik heb voor iedereen waardering. Ieder mens is uniek en heeft zijn eigen verhaal. Een van de medewerksters van de manege bijvoorbeeld, leek op het eerste gezicht een rustige vrouw die haar werk met hart en ziel deed. Maar toen ik die middag met haar in de auto zat, op weg naar de manege, vertelde ze haar eigen verhaal. Zij was zwaar aan de drank geweest en heeft veel drugs gebruikt. Op een gegeven moment zat ze zo diep in de problemen dat ze zelfmoord wilde plegen. Via de hulpverlening werd ze gewezen op het bestaan van deze manege en daar heeft ze, nadat ze is afgekickt, nu een heel mooie baan, waar ze zinvol werk doet voor die kinderen. Dat maakte haar leven ook weer zinvol.

Zoiets vind ik nog steeds uitermate boeiend. Achter ieder mens zit een verhaal. Ik rijd wel eens met mijn autootje langs de Bijlmer en dan denk ik: 'Achter elk raam van die hoge, grote flats woont iemand. Wie zijn deze mensen, wat doen ze de hele dag, waar denken ze aan?' Ik ben wel eens bij iemand op huisbezoek geweest in een van die grote flats. In de lift begroette ik een man die ook naar boven moest. Hij antwoordde: 'Krijg ik dat nou elke dag, dat ik mensen gedag moet gaan zeggen in de lift?' Ik kon hem geruststellen: 'Ik woon hier niet, dus u zult mij hier niet elke dag zien.' Wat dat betreft heb ik de bewoners van de binnenstad altijd een stuk vriendelijker gevonden.

Ook als ik in een café ben, kijk ik graag naar de mensen als ik even zit uit te rusten. Mensen vervelen me nooit en ik kan ook heel gemakkelijk met iedereen in gesprek komen. Dat is het voordeel van zo'n uniform, je bent echt een aanspreekpunt.

Mensen spreken met mij eerder dan met anderen over persoonlijke zaken en over hun geloof. Als iemand me dan vertelt dat er zo veel wordt gevloekt in de wereld, is mij dat nooit opgevallen. Want in mijn buurt vloekt niemand.

'Maar wat roept u dan, als u met een hamer op uw duim slaat?'

vroeg Sonja Barend me, toen ik in haar Goed Nieuws Show was uitgenodigd als lid van de Bond tegen het Vloeken. Zij wilde een discussie over vloeken losmaken. 'Vloeken mag, want in Nederland hebben we vrijheid van meningsuiting,' was de stelling. Daarmee was ik het niet eens. Ik gebruik nooit een hamer, maar als ik op mijn duim zou slaan, dan zou ik gewoon 'AU' roepen. Ik vind dat een christen niet hoort te vloeken, maar iemand die niet in God gelooft, hoeft ook niet Zijn naam te misbruiken. Daarmee kwets je de mensen die wél gelovig zijn en dat is toch nergens voor nodig.

In de tramhokjes en op de NS-stations hangen nog steeds posters van de Bond tegen het Vloeken, waarvan ik nog steeds lid ben. Tegen die posters kwamen in de jaren '70, ten tijde van dat televisieprogramma, protesten uit, ik zal maar zeggen, de progressieve hoek van Nederland. Men vond dat de tekst 'Vloek niet. God hoort u,' betuttelend was en de vrijheid van meningsuiting beperkte. Dat de gemeente en het trambedrijf die posters ophingen, konden ze niet begrijpen. Maar ik kon en kan er helemaal niets verkeerds op lezen. Er staat toch niet op 'Vermoord al je medemensen' of een andere kwetsende tekst? De gemeente, het trambedrijf en de NS kijken volgens mij trouwens niet naar de boodschap die op de posters staat. De Bond tegen het Vloeken betaalt er gewoon voor. Vroeger hingen er ook posters van het sekstheater Casa Rosso, maar daarover heb ik nooit iemand horen klagen, zeker niet uit linkse hoek.

Als mensen expres gaan vloeken in mijn buurt, dan zegt me dat meer over die mensen dan over mezelf en het zegt me nog minder over God. Het lijkt me een heel vreemde zaak als mensen het vloeken zouden gaan goedpraten of zelfs bevorderen. Wie bereik je met zo'n opvatting? Ik denk niet dat veel mensen daarvan gediend zijn. In het programma van Sonja Barend moest ik luisteren naar een zanger of cabaretier die een lied zong dat werkelijk bol stond van het gevloek. Ik vond het wel erg provocerend. In de krant stond de volgende dag: 'Majoor Bosshardt stond aan de grond genageld', maar dat kwam niet door dat liedje. Ik stond helemaal in het donker en was bang dat ik zou vallen als ik ook maar een stap zou verzetten.

Achteraf bleek dat heel veel mensen die televisie hadden gekeken mij steunden in mijn opvatting. De VARA was er ook niet zo blij mee, want er waren nogal wat mensen die hun lidmaatschap opzegden vanwege het vloekliedje. Ik heb nog gevraagd: 'Is dat nou nodig? Wie doen jullie hier nu een plezier mee? Het Leger des Heils heeft altijd een goed contact gehad met de VARA, denk maar aan de Speelgoedactie.' De uitzending is een behoorlijke rel geworden, waarover in de media nog lang is nagediscussieerd. Ik geloof zelfs dat Sonja nog een tijdje van het scherm af moest met haar Goed Nieuws Show en ik ben nooit meer door haar uitgenodigd.

Ik ben geen type om ruzie te maken met mensen. In mijn werk heb ik er altijd naar gestreefd iedereen in zijn waarde te laten en aardig te blijven. Er zullen misschien wel mensen zijn die me als leidster van het Goodwillcentrum een beetje autoritair vonden, maar dat heb ik zelf nooit zo gezien. Ik gaf wel eens een opdracht en als bijvoorbeeld een heilssoldaat dan aangaf dat het te veel gevraagd was, zei ik meestal: 'Dan doe ik het zelf wel.' Dat werkte erg goed, want dat vonden ze dan ook weer te ver gaan. Van gezeur hield ik niet. De medewerkers wisten wel dat ze zich tegenover mij niet te vaak moesten beklagen. Als ze eten hadden en een bed, moesten ze zichzelf verder maar weten te redden, dat kon ik immers ook.

Ook de mensen die met problemen bij me kwamen, hadden de keuze: of onze hulp aanvaarden, of niet zeuren, hoewel we altijd weer bereid waren te luisteren. Zo kreeg ik een tijd lang bijna dagelijks een meisje op kantoor dat zei dat ze het zo moeilijk had en zelfmoord wilde plegen. Uren en uren heb ik met haar gepraat, maar steeds kwam ze weer met hetzelfde verhaal. Dan houdt het voor mij ook een keer op, ik had nog wel meer dingen te doen. Dus op het laatst heb ik gezegd: 'Weet je wat, dóe het dan maar. Mijn zegen heb je, maar het is je eigen verantwoordelijkheid.' Dat klinkt hard, maar er zijn nu eenmaal grenzen. Een man die in de Gastenburgh wilde slapen maar weigerde eerst onder de douche te gaan, stuurden we zonder pardon weg. Maar als hij wel wilde douchen en daarbij hulp nodig had, waren we er ook. Dat was soms een heel onaangenaam karwei. Ik heb eens kokhalzend een vrouw staan wassen, die stonk echt ongelooflijk. Een oude zwerver die amper op zijn voeten kon staan, zette ik onder de douche neer op een kruk, maar hij was zo vies dat de kruk aan zijn billen bleef kleven. Dat zijn van die dingen, die horen er nu eenmaal bij.

Er zijn ook genoeg zwervers geweest die bij ons een jas kwamen halen als het koud was. Die jas kregen ze altijd, maar als het warmer werd verkochten ze hem weer. Het kwam niet bij ze op dat het 's avonds wel eens kon gaan regenen; zo ver denken daklozen meestal niet vooruit. Vaak lieten we ze hun oude kleren bij ons inleveren, want anders zouden ze hun nieuwe broek en trui ook meteen doorverkopen. Het is echt niet nodig dat een dakloze op blote voeten door de stad loopt, maar toch gebeurt het. Voor dit soort problemen heeft het Leger des Heils vaak ook geen oplossing. Dan sta je gewoon machteloos, maar toch moet je blijven proberen.

Gelukkig zijn er ook veel positieve verhalen te vertellen. We hebben veel dak- en thuislozen geholpen een eigen bestaan op te bouwen. Een heel mooi verhaal vind ik dat van Marcel, een verslaafde jongen die in de jaren '70 door de binnenstad van Amsterdam zwierf. Hij was een jaar of dertig en had niets: geen inkomsten, geen eigen woning, geen goede kleding. Hij sliep op straat, in kraakpanden of op bootjes en zakte steeds verder in de ellende weg.

In dezelfde tijd zwierf er op de Veluwe een schaapherder rond, de bekende journalist en schrijver Eelke de Jong. Hij is onder meer bekend geworden met zijn stukken over de journalist Koos Tak, die hij samen met acteur Rijk de Gooijer schreef. Eelke de Jong was in de jaren '50 journalist bij De Telegraaf en later bij de Haagse Post, maar op een gegeven moment werd het hem te veel en trok hij zich terug op de Veluwe als schaapherder. Het bloed kruipt echter waar het niet gaan kan en na een aantal jaren begon hij toch weer met schrijven. Daardoor had hij geen tijd meer om zijn schapen, honderd tot honderdvijftig stuks, te hoeden. Eigenlijk wilde hij de kudde verdelen over de weinige andere schaapskuddes in ons land, zodat hij zich weer helemaal aan zijn schrijverschap kon wijden.

Marcel kwam via het Goodwillcentrum in de afkickkliniek in Ugchelen terecht. Daar in de buurt, op de hei bij Hoog-Buurloo, kwam hij in contact met Eelke de Jong en zijn schaapskudde. De jonge zwerver, zelf een verloren schaap, kwam helemaal tot rust tussen de schapen op de Veluwe. Hij volgde het afkickprogramma met succes en kreeg kost en inwoning bij Eelke, in ruil voor zijn hulp bij het hoeden van de schaapskudde. Hij bleek wonderbaarlijk goed met de schapen overweg te kunnen. Na overleg met Staatsbosbeheer kreeg Marcel uiteindelijk een vaste aanstelling als schaapherder aangeboden.

Mensen vragen me wel eens of het niet frustrerend is dat je probeert hulp te bieden aan daklozen, aan verslaafden en prostituees en andere mensen in moeilijkheden, terwijl het lijkt alsof er alleen maar méér probleemgevallen bijkomen. Je zou het bijna dweilen met de kraan open kunnen noemen. Toch weet ik dat er ontzettend veel personen wél door ons weer op het rechte pad zijn gekomen. Maar voor hen zijn weer anderen in de plaats gekomen. Het is naar mijn mening beslist niet het Leger des Heils dat heeft gefaald, maar de hele maatschappij. Iedereen is verantwoordelijk voor zijn medemensen.

Toen ik in 1948 met het Goodwillwerk in de binnenstad begon, was er waarschijnlijk minder ellende dan nu. Er zijn meer drugsverslaafden bijgekomen en een groter aantal mensen met psychiatrische problemen. Er is veel meer harde misdaad dan vroeger. En toch zeg ik dat het Leger des Heils goed werk heeft gedaan en nog steeds doet. Juist nu is het goed dat er iemand is die de helpende hand kan uitsteken. Niet alleen aan de verslaafde, maar als het moet ook aan de dealer. Ik heb eigenlijk medelijden met zo'n persoon. Ooit zal hij tot het inzicht komen dat hij, direct of indirect, levens heeft verwoest door drugs te verkopen. Ik zou graag eens met zulke mensen praten, maar dan moeten ze wel openstaan voor een gesprek.

De maatschappij is heel hard geworden. Dat komt volgens mij vooral doordat iedereen te veel geld heeft en alsmaar meer begeert. Je zou zeggen dat de welvaart een betere maatschappij zou brengen, maar er is heel veel mis. Het geld is ook niet eerlijk verdeeld. Een vrouw die bij mij op zwemmen zit, heeft maandenlang moeten wachten op een nieuwe heup. Als het dan zo goed gaat met de economie, waarom is er dan zo'n lange wachtlijst, vraag je je af. De welvaart maakt de mensen over het algemeen ook niet aardiger en socialer. Alsof de waarde van het leven vooral afhangt van wat je krijgt, niet van wat je zelf kunt geven. Terwijl in de bijbel staat: 'Het is zaliger te geven dan te ontvangen.'

Het begint al bij de jeugd. Ouders willen niet dat hun kind op school wordt gepest en kopen dan maar alles voor hem wat zijn vriendje ook krijgt. Dure merkkleding, dure gymschoenen, een splinternieuwe fiets, een computer, er zijn zelfs jonge kinderen die al met zo'n zaktelefoon rondlopen. Het is toch niet normaal, zo veel geld als sommige kinderen bij zich hebben. Daardoor kunnen ze ook weer dingen kopen als drank en drugs. Ik was vroeger al gelukkig met een dubbeltje en dat stopte ik vaak nog in mijn spaarpot ook. Gelukkig is het maar een klein percentage van de jeugd dat daadwerkelijk rottigheid uithaalt. Ik heb een keer meegewerkt aan een onderzoek onder de jeugd van Noord-Holland en Amsterdam, waaruit bleek dat maar drie procent van de jongeren er echt een potje van maakt: spijbelen, inbreken, stelen, drugs gebruiken, noem maar op. De rest studeert, werkt, of doet dit allebei. Daar wordt in de media veel te weinig nadruk op gelegd, op het overgrote deel dat wél goed bezig is en over het algemeen goed terechtkomt.

Van de jongeren die rottigheid uithalen zal het grootste deel gerust wel goed terechtkomen. Vroeger had je in Amsterdam die jongens, zoals de anti-rookmagiër Robert Jasper Grootveld en die andere provo, Rob Stolk, die in de jaren '60 allerlei acties tegen de politie hielden op het Spui, bij het beeld van Het Lieverdje. 'Wat moet daar nu van terechtkomen?' zal menigeen zich hebben afgevraagd. Maar toen ze hun wilde haren kwijt waren, werden de meeste provo's en hippies veel rustiger en gingen de meesten gewoon aan het werk. Sommigen kwam ik nog wel eens tegen terwijl ze achter de kinderwagen liepen.

In mijn tijd woonden er een paar duizend kinderen in de binnenstad, terwijl je er nu bijna niet een meer ziet. Destijds waren er net zo veel kinderen als bejaarden. De gezinnen zijn in de loop der jaren veelal vertrokken naar de nieuwe wijken zoals Osdorp en Sloten, of naar andere gemeenten zoals Purmerend, Almere en Lelystad. Zelfs ons eigen Hoofdkwartier koos ervoor naar Almere te gaan; het heeft daar een heel groot, modern gebouw vlak bij het station. Persoonlijk had ik liever gezien dat het Hoofdkwartier in de hoofdstad was gebleven.

De gezinnen van de Wallen werden vaak bestempeld als 'asociale gezinnen' met 'verwaarloosde kinderen'. Er is eens een fotograaf geweest, in de jaren '50, die een mooie fotoreportage had gemaakt over de kinderen uit de binnenstad. Daarmee heeft hij een prijs gewonnen. Een van de winnende foto's stond afgedrukt in de krant met daarboven de kop 'Verwaarloosde kinderen'. De vader van die kinderen was daarover verschrikkelijk beledigd.

Het Goodwillcentrum startte verschillende kinder- en jeugdclubs. We gingen regelmatig met ze op kamp of organiseerden boottochten. Die vakantiekampen waren altijd gemengd, hoewel het Hoofdkwartier daar in het begin wat bezwaren tegen had. Het heeft echter nooit problemen opgeleverd. Nergens waren de kinderen zo goed seksueel voorgelicht als op de Wallen, ze groeiden als het ware op met de seksualiteit en daardoor stonden ze er als kind vrij onverschillig tegenover. In tegenstelling tot andere kinderen waren zij allang niet meer nieuwsgierig. Ze vonden het heerlijk om naar buiten te gaan, de stad uit, en daar in alle vrijheid te spelen, te voetballen en te ravotten. Koos en Hennie Tinga woonden met hun kinderen in de Leuwenburgh en hebben het nooit als probleem gezien dat hun kinderen in de rosse buurt opgroeiden. 'Dan weten ze tenminste wat er aan de hand is. Ze staan veel steviger in het leven. Omdat ze er elke dag mee worden geconfronteerd heeft het alle aantrekkingskracht verloren,' verklaarde Hennie altijd. Eén zoon zit nu bij de politie, de andere zoon zit op de politieschool, terwijl hun dochter in het VU-ziekenhuis werkt. Ze zijn alle drie altijd trouw aan het Leger des Heils gebleven.

Een van de meisjes uit de binnenstad, een knap grietje van een jaar of elf, is op een zomerkamp met een voor ons onbekende ijscoman meegelopen. Hij kwam op het kampeerterrein ijsjes verkopen en beloofde haar een hele doos vol met ijs, als ze even mee zou gaan. De politie, die zelf helemaal was aangedaan, bracht haar weer bij ons terug. Er was weliswaar niets gebeurd, maar de agenten wezen het meisje erop dat het héél gevaarlijk was om met een onbekende man mee te gaan. Maar zij antwoordde bijdehand: 'Hoe bedoelt u, gevaarlijk. Ik kan u nog veel meer vertellen daarover. Ik weet best wat mannen willen hoor, en ik kan heus wel op mezelf passen.'

Er was ook een klein jongetje, dat precies zei te weten wat er gaande was op de Wallen: 'Ze poepen of plassen tegen elkaar aan en daarvoor betalen ze veel geld.' Een ander jongetje, misschien vijf jaar oud, is een keer bij een prostituee onder het bed gekropen omdat hij wel eens wilde weten wat die mevrouw daar aan het doen was.

Er gingen ook wel eens kinderen mee uit de wat rijkere milieus en daarmee hadden wij vaak meer problemen dan met 'onze' kinderen. Omdat die rijkere kinderen beschermd werden opgevoed, hadden ze nog nooit wat meegemaakt. Zodra ze de vrijheid kregen in een kamp, werden ze verschrikkelijk druk en moeilijk handelbaar. Ze wisten niet hoe ze zichzelf moesten vermaken, terwijl de kinderen in de binnenstad altijd op straat aan het scharrelen waren. Met een voetbal, wat zand en stenen konden ze zich al helemaal uitleven. Veel kinderen uit de binnenstad kwamen heel goed terecht en belandden bijna nooit in de prostitutie, omdat ze al hadden gezien wat voor wereld dat is.

De mentaliteit van veel jongeren en ouderen baart me tegenwoordig veel meer zorgen. Het begint al met kleine dingen, zoals rondrijden op een fiets zonder licht. Als ik door de stad rijd in mijn autootje, moet ik echt heel goed uitkijken voor al die onverlichte fietsers, die maar door het rode licht rijden en afslaan zonder hun hand uit te steken. Is het nu zo moeilijk om je aan bepaalde regels te houden? De politie dwingt wat dat betreft ook helemaal geen ontzag meer af. Als ik vroeger als kind wel eens op de stoep fietste en ik zag een agent, wist ik niet hoe snel ik moest afstappen. Tegenwoordig wordt de politie gewoon uitgelachen, want de jeugd weet dat ze toch niets heeft te verliezen. Ik moet bekennen dat ik mijn auto ook wel eens ergens parkeer waar het niet mag en dat ik ook wel eens een verboden rijrichting insla, maar ik zorg er wel voor dat niemand last van me heeft. Ik krijg nooit een bekeuring, maar dat komt misschien ook doordat de politie een oogje dichtknijpt, omdat ik het ben.

Vorig jaar kregen twee jongens van een jaar of achttien ruzie met elkaar bij een café op de Gelderse Kade. Ik kende ze alletwee, ze hadden beiden alleen nog een moeder en ze woonden op de Zeedijk. De ruzie ging hoogstwaarschijnlijk over drugs. De kroegbaas had geen zin in rottigheid en stuurde ze de straat op met de woorden: 'Gaan jullie het buiten maar uitvechten.' Daar is de situatie zo geëscaleerd, dat de ene op een gegeven moment de andere heeft doodgestoken. De dader schrok er zelf zo van, dat hij zich bij de politie heeft gemeld. Ik ben nog bij de moeder van die neergestoken jongen op bezoek geweest, ze had er uiteraard vreselijk veel verdriet van.

De volgende avond loop ik door de Stoofsteeg, zie ik ineens die jongen in een café zitten. 'Gut, ben jij alweer vrij?' vroeg ik hogelijk verbaasd. Want iemand doodsteken is toch niet zomaar wat. 'Ja,' zegt hij met een air van: mens, waar maak je je druk om. 'Ik heb toch alles bekend? Ik hoor vanzelf wel wanneer ze me oproepen.' Daar kan ik met mijn hoofd niet bij, zoiets was vroeger ondenkbaar. En ik begreep al helemaal niet dat die jongen met de grootste babbels in de kroeg ging zitten en niet het fatsoen had om thuis bij zijn moeder te blijven. Blijkbaar voelen ze dat tegenwoordig niet meer zo.

Die jongen die in de Voetboogsteeg Joes Kloppenburg heeft doodgeschopt, toonde bij de rechtszaak maar weinig berouw. Misschien speet het hem wel, maar dat kon hij niet zeggen. Dit soort onverschilligheid over leven en dood lijkt de laatste jaren meer en meer voor te komen. Kinderen zien op televisie ook allerlei moordpartijen en beginnen te denken dat het normaal is. En een gewoon spelletje voetbal loopt al uit op een slachtpartij, zoals vorig jaar, toen Feyenoord-supporters en Ajax-aanhangers elkaar te lijf gingen op een weiland bij Beverwijk. Het leek wel een echte oorlog, dat vind ik een heel griezelige ontwikkeling. De bedoeling van sport is toch juist dat mensen zich sportief gedragen. Het is toch maar een spel? Vroeger ging ik op vrijdagavond altijd met de Strijdkreet naar de clubavonden van de Ajax-supporters, toen ze nog in hun oude stadion in de Watergraafsmeer zaten. Ik heb wel eens tegen ze gezegd: 'Ik vind het leuk dat jullie kampioen zijn geworden, maar als er eens een andere club wint, vind ik het ook goed. Dat is voor die andere club leuk en het is goed om te weten wat verliezen is. Want als je nooit verliest, kun je uiteindelijk ook niet meer van de overwinning genieten.' Ook tijdens het Wereldkampioenschap voetbal dit jaar heb ik dat gezegd, al vond ik het wel heel leuk dat het Nederlands elftal zo ver is gekomen. Want steeds als ze hadden gewonnen, deden de mensen die in een café naar de wedstrijd hadden gekeken, veel geld in mijn collectebus.

De televisie heeft naar mijn idee geen positieve invloed op het gedrag van de jeugd. Ik kijk bijna nooit, maar weet wel dat er veel geweld is te zien op de televisie. Als kind vonden wij dat soort programma's eng, tegenwoordig zitten kinderen juichend voor de televisie als er een serie is met vechtpartijen, moord en doodslag. En dan al die overtrokken seksprogramma's... Wij werden vroeger misschien te weinig voorgelicht, maar wat je nu allemaal op het scherm ziet, is gewoon te veel van het goede. Men is een beetje doorgeslagen naar de andere kant. De overheid zou wat mij betreft best meer invloed mogen hebben in wat wel en niet vertoond kan worden op televisie.

Laatst was ik op een avond op bezoek bij een gezin met drie kinderen, ik geloof dat de jongste acht jaar was en de oudste twaalf. Om elf uur waren zij nog niet naar bed. 'Ze willen niet naar bed, ze willen televisie kijken,' verontschuldigde hun moeder zich. Nou vraag ik je. Dat zou mij toch echt niet overkomen als ik moeder was. Ik begrijp best dat de ouders van tegenwoordig vriendelijk, aardig en tolerant willen zijn ten opzichte van hun kinderen, maar je kunt het ook overdrijven. Het is juist erg belangrijk je kinderen bepaalde normen en waarden mee te geven, daar krijgen ze helemaal niks van. Je hoeft ze niet direct te slaan als ze niet luisteren, maar een beetje streng optreden kan beslist geen kwaad. De christelijke normen en waarden zijn naar mijn mening de beste basis voor een goede maatschappij. Respect hebben voor elkaar, naastenliefde, aardigheid, dat zijn algemene normen en waarden die je ook kunt hanteren als je niet christelijk georiënteerd bent. Want waarom zou je je kinderen wel verzorgen met pap, sinaasappelsap, speelgoed en een huisdier, maar het geestelijk honger laten lijden? Als normloosheid de norm wordt, zijn we helemaal nergens meer.

Wat er in België is gebeurd met die hele affaire rond Marc Dutroux, is een typisch voorbeeld van normloosheid en verwording. Zo'n man die kleine kinderen seksueel misbruikt en ze vermoordt of opsluit in een kelder en laat verhongeren, die heeft blijkbaar geen enkel menselijk gevoel meer. Toen hij afgelopen jaar uit de gevangenis ontsnapte, waren er ook in Nederland veel ouders die angsten uitstonden voor hun kinderen. 'Ik ga naar Amerika emigreren!' hoorde ik van een moeder. Maar ook Amerika is al lang niet meer het beloofde land. Al een paar keer achter elkaar hebben jonge kinderen daar leeftijdgenootjes doodgeschoten op school. Ik kan niet begrijpen dat ze kinderen met wapens laten rondlopen.
Wat ik me afvraag is: zouden die kinderen er echt weet van hebben wat ze aanrichten? Het CDA heeft bij de laatste kamerverkiezingen gepleit voor strafrecht voor kinderen vanaf tien jaar. Daarmee werd ingespeeld op een gebeurtenis in Lelystad, waar twee jongetjes van die leeftijd een kleuter letterlijk over één nacht ijs hadden gestuurd. Dat meisje was door het ijs gezakt en die jochies hebben haar niet uit het water gehaald, zodat ze uiteindelijk is verdronken. Die jongetjes uit Engeland die een paar jaar geleden de peuter James Bulgar hebben vermoord door hem te slaan en vervolgens op de spoorrails te leggen, zitten nu in een jeugdgevangenis. Ik vraag me af of kinderen op die leeftijd al beseffen wat ze doen. Ze in de gevangenis stoppen lijkt me in ieder geval niet gunstig voor het verdere verloop van hun jonge leven.

De burgeroorlog in voormalig Joegoslavië, de eeuwigdurende ruzie tussen Israël en Palestina, de conflicten tussen protestanten en katholieken in Noord-Ierland, ik kan er soms niet over uit. Het is misschien een kinderlijke vraag, maar waarom kunnen die mensen niet gewoon in vrede naast elkaar leven? Ik kan ook in vrede met mijn medemensen leven en stel ook geen eisen aan een ander. Het enige wat nodig is, is de bereidheid elkaar te respecteren. Ik begrijp er ook niets van dat het op sommige scholen voor islamitische meisjes verboden is een hoofddoekje te dragen. Jongeren mogen wel met een kaalgeschoren hoofd op school komen, of met een kaal hoofd waar nog een malle pluk haar als een staartje aan hangt, met rare broeken en een pet op, maar over een hoofddoekje – dat om godsdienstige redenen gedragen wordt – maken ze zich vreselijk druk.

Tegenover andere godsdiensten sta ik helemaal niet afwijzend. Het christendom is niet de enige mogelijkheid, ik kan me niet voorstellen dat mensen die een andere godsdienst aanhangen – de islam, het boeddhisme, het hindoeïsme – het allemaal verkeerd hebben en voor eeuwig verloren zouden gaan. In diepste wezen zijn alle godsdiensten misschien wel gelijk, maar die vraag zou ik niet kunnen beantwoorden.

In Nederland gaan steeds minder mensen naar de kerk, maar toch zie je bij veel mensen een behoefte aan een vorm van geloof, aan een compensatie. Ze gaan niet naar de kerk maar naar een spiritueel centrum, geloven niet in God maar wel in een alternatieve genezer. En heel veel jonge mensen die gaan trouwen, willen graag een kerkelijke inzegening, omdat dat zo veel sfeer heeft. Voor mij bewijst dit dat mensen in hun hart gelovig zijn.

Ik ben nog altijd van plan eens langs te gaan bij Oibibio, dat spirituele centrum van Ronald Jan Heijn op de Prins Hendrikkade. Hij is de zoon van de destijds ontvoerde en vermoorde Gerrit Jan Heijn, uit het befaamde kruideniersgeslacht. Niet dat ik me persoonlijk tot de new age-beweging voel aangetrokken, maar ik heb zijn moeder – met wie ik contact kreeg toen haar man was ontvoerd – beloofd dat ik hem zou bezoeken en ik wil er best iets meer over weten om er beter over te kunnen oordelen.

Ik ben ook een keer door de NCRV gevraagd of ik in een programma wilde komen samen met Jomanda, die genezeres die al jarenlang overvolle zalen trekt in Tiel met haar 'healing'-bijeenkomsten. Jomanda had daar zelf om verzocht. Ik vond het best, maar zei er wel duidelijk bij dat ik mijn eigen mening over de dingen zou geven. Achteraf is het programma niet doorgegaan, ik geloof dat zij het niet heeft aangedurfd, maar dat weet ik niet zeker. Ach, als zij gelooft dat ze een gave heeft om mensen te genezen en de mensen hebben er baat bij, dan is dat haar eigen verantwoordelijkheid. Zelf zou ik nooit naar zo'n bijeenkomst gaan als ik ziek werd. Eigenlijk ben ik ook helemaal niet nieuwsgierig naar wat zij doet, ik heb al genoeg aan mijn hoofd. Ik zal ook wel een gave van God hebben, alleen ik loop er niet zo mee te koop. Ik ben gezegend met doorzettingsvermogen en een sterke wil en daar ben ik dankbaar voor.

Dat mensen toch behoefte hebben aan een of andere manier van geloven, komt misschien ook wel omdat in de moderne techniek en de medische wetenschap tegenwoordig alles lijkt te kunnen. De meeste ontwikkelingen zijn voor mij niet meer te bevatten.

Een van de eerste dingen die mijn opvolgers op het Goodwillcentrum hebben gedaan, is het aanschaffen van computers om de administratie te regelen. Gelukkig heb ik daar nooit mee hoeven te werken; als ik ze daar nu op bezig zie, word ik er helemaal eng van. Ik hield de uitgaven en inkomsten altijd gewoon schriftelijk bij, in keurige kolommen in de kasboeken en er ging nooit iets mis. Ik wist precies hoeveel we hadden verdiend met de Strijdkreten, welke giften waren binnengekomen en dus ook hoeveel er te kort was.

Af en toe moest je wel een beetje creatief zijn. Als iemand bijvoorbeeld heel dringend een invalidenwagentje nodig had, of er was een arm gezin dat om schoenen vroeg en daarvoor was geen geld, dan 'leende' ik dat uit de pot voor de kerstviering en boekte het af onder het kopje 'Hulp in Nood'. Dat was zo'n post waarop ik allerlei onverwachte uitgaven kon verboeken. Ik moet bekennen dat ik in het begin ook de werkster heb betaald uit het potje 'Hulp in Nood', want zij was niet officieel in dienst en kreeg haar vijfentwintig gulden per maand zwart uitbetaald. Later kon dat natuurlijk niet meer. Maar het kasboek heeft altijd geklopt, er is nooit geld zomaar verdwenen of gestolen.

De recente ontwikkelingen in de medische wetenschap gaan me helemaal boven mijn pet. Natuurlijk is het goed als ze geneesmiddelen uitvinden voor bepaalde ziektes. Maar er worden ook veel andere dingen bedacht waarvan ik denk: is dat nou echt nodig? Ik begrijp bijvoorbeeld niet precies wat 'klonen' inhoudt. Van één schaap kunnen ze nieuwe schapen maken die er precies hetzelfde uitzien, zonder dat er een ram bij hoeft te komen, zo veel is me duidelijk gemaakt. En dat willen ze dan misschien ook met mensen gaan doen. Dit lijkt mij een griezelige en tegennatuurlijke ontwikkeling. Er kán zo veel tegenwoordig, maar de vraag is of je het ook allemaal moet dóen.

Vrouwen die ouder zijn dan vijftig jaar, kunnen sinds een aantal jaar dankzij de medische wetenschap ook nog kinderen krijgen. Ik hoorde een tijd geleden een interview met zo'n oude moeder, die er heel gelukkig mee was en haar kinderwens verklaarde met de woorden: 'Ik heb zo veel liefde te geven aan een kind.' Daar sta ik nogal sceptisch tegenover. Als moeder van zestig kun je misschien goed voor een baby'tje zorgen, maar je moet ook bedenken dat het kindje groot wordt. Straks is het een dondersteen van dertien, veertien jaar, met een moeder van bijna vijfenzeventig die haar kind niet meer aankan. Het hoeft natuurlijk niet altijd verkeerd te gaan: ik ken ook wel gevallen waarbij een kind met succes door zijn grootmoeder werd opgevoed, maar dat gebeurt vrijwel altijd vanuit een noodsituatie. Zo'n situatie hoef je niet zelf op te zoeken, lijkt mij.

Omdat de mensen tegenwoordig veel ouder worden – ook een van de gevolgen van de medische wetenschap – is er veel meer zorg nodig. Maar als je dan oud bent en hulpbehoevend of je wordt ernstig ziek, begint men over euthanasie te praten. In onze maatschappij is er alle aandacht voor de geboorte; vanaf het prille begin van de zwangerschap zijn er alle mogelijke vormen van begeleiding. Voor het onvermijdelijke overlijden zou ook veel meer aandacht moeten zijn. Ook hierop moet je je geestelijk kunnen voorbereiden. Een goede stervensbegeleiding is daarbij onontbeerlijk. Materieel gezien bereiden de meeste mensen zich wel voor: ze maken een testament, nemen een uitvaartverzekering, maar op het werkelijke levenseinde is men niet voorbereid. Terwijl het leven toch veel te mooi is om er onverzorgd en onvoorbereid afscheid van te nemen. Ik geloof in het eeuwige leven, na onze lichamelijke dood komt onze ziel voor eeuwig in het koninkrijk van God.

Als ik kom te overlijden – waarmee ik helemaal geen haast heb – wil ik in Amsterdam worden begraven, op de Nieuwe Oosterbegraafplaats. Het Leger des Heils heeft hier een eigen graf voor officieren. Op de steen staat het wapen van het Leger, je naam, geboortedatum en sterfdatum, voor iedereen in hetzelfde lettertype. Niet alle Legerofficieren worden hier begraven, dat gebeurt alleen als je het zelf wilt. De familie Bosshardt heeft een familiegraf in Utrecht, maar dat spreekt me eigenlijk veel minder aan. Mijn vader ligt daar niet begraven, want hij wilde als rooms-katholiek worden begraven op het rooms-katholieke kerkhof in Utrecht. Voor mijn moeder hoefde het familiegraf ook niet; zij is toen ze stierf gewoon in haar woonplaats Hilversum begraven. De Nieuwe Oosterbegraafplaats vind ik een van de mooiste begraafplaatsen van Amsterdam. Ik ben er al jarenlang kind aan huis, zo veel begrafenisdiensten heb ik er al geleid. Voor zwervers, prostituees, kinderen en bejaarden, bekenden en minder bekenden. Daar waren ook mensen bij die vermoord zijn of die zelfmoord hebben gepleegd, mensen die een ongeluk hebben gehad of ziek waren. Een keer heb ik de begrafenis gedaan van drie jonge kinderen, die waren omgekomen bij een brand op de boot waarop ze woonden. De boot stond door onbekende oorzaak in een mum van tijd in lichterlaaie en ze konden er niet op tijd van afkomen, een vreselijk drama was dat.

Meestal vertel ik tijdens zo'n dienst wat over de persoon die is overleden, haal wat herinneringen op, maar je moet oppassen dat je verhaal niet te lang duurt. Er is vaak maar een half uurtje spreektijd en daar hou ik me netjes aan, want anders komt het schema van die dag in de knoei. Van de mensen die op de begraafplaats werken, heb ik vaak een compliment gekregen, dat ik me zo goed aan de tijd houd.

Op begrafenissen merk je vaak dat het geloof voor veel mensen een belangrijke rol speelt in hun leven, ook al doen ze er in de praktijk niets mee. Ik heb zelfs een keer een begrafenis gedaan van een jongen die lid was van de Hell's Angels, een zekere William. Het was een Canadees van 28 jaar, die met zijn Harley Davidson was verongelukt op de snelweg, vlak bij Schiphol. De Hell's Angels heb ik altijd een wonderlijk gezelschap gevonden. Ze zien er nogal agressief uit, met hun tatoeages, leren jacks en brullende motoren en het zijn ook niet allemaal lieverdjes. Ze hadden in de binnenstad een eigen ruimte met een café. William lag in dit café opgebaard, te midden van een zee van bloemen en het Leger des Heils werd gevraagd langs te komen. Toen ik daar samen met drie andere Leger des Heils-zusters bij de kist stond, vroeg een van de jongens of ik met hen wilde bidden.

'Ja, maar willen jullie dat echt, geloven jullie in God?' vroeg ik. Een aantal jongens zeiden dat ze geloofden, anderen gaven een kort, instemmend knikje, sommigen zeiden niets. Toen heb ik met én voor hen gebeden, om troost en kracht voor moeilijke situaties. Ook op de begrafenis heb ik weer gebeden, met de familie van William die was overgekomen uit Canada, en al jarenlang niets van hem had vernomen.

Als ik er niet meer ben, zal het Leger des Heils zijn werk net zo goed blijven doen, al zullen er best mensen zijn die me missen. Voor veel Nederlanders ben ik nu eenmaal het gezicht van het Leger des Heils geworden; ze kennen mij van de televisie. Iedereen weet wie majoor Bosshardt is, terwijl veel minder mensen hebben gehoord van de Nederlandse commandant van het Leger des Heils. Andere belangrijke Leger des Heils-figuren worden gelukkig ook vaak gevraagd voor een interview, maar ze zijn toch minder regelmatig op de televisie te zien en vallen daardoor iets minder op. Er is wel een tijd geweest dat sommige mensen achter mijn rug om zeiden: 'Daar heb je háár ook weer,' en dat vloog me verschrikkelijk naar de keel. Altijd ben ik eruit gesprongen, terwijl er duizenden anderen zijn die minstens zo hard werken als ik. Veel interviews met mij die in de kranten zijn verschenen, heb ik helemaal niet meer terug gelezen. Ik vind het niet leuk om over mezelf te lezen, dan staat alles zo zwart op wit. Maar als ik daarna weer kan spreken voor een enthousiaste zaal, geniet ik er toch wel weer van. En als ik mede dankzij mijn bekendheid grote bedragen voor het Leger des Heils kan binnen halen, ben ik daar heel dankbaar voor, maar ook wel een beetje trots.

Ik ben waarschijnlijk door een samenloop van omstandigheden extra opgevallen. In de eerste plaats omdat ik in een sensationele buurt werkte, tussen de hoeren, de zwervers en de misdadigers. Dat is natuurlijk al smullen geblazen. Daarnaast zal ik zelf wel een bepaalde uitstraling hebben gehad, die de mensen aanspreekt. Hoewel ik er niet bijzonder uitzie; ik heb niet heel mooi haar of een heel apart gezicht. Ik vind ook niet dat ik op een geweldige manier kan preken. Ik kreeg een keer een compliment van iemand na een lezing: 'U heeft helemaal geen moeilijke woorden gebruikt.' Maar dat doe ik niet expres; ik gebruik nooit ingewikkelde taal, omdat ik zelf geen moeilijke woorden ken. Misschien dat ik juist daarom geliefd ben geworden. Met een combinatie van geestelijke en sociale bewogenheid, een psychologisch inzicht in de mensen, aangevuld met een zekere flair en een gezond optimisme. En ik kan nog steeds genieten van het contact met mensen, of dat nu bekenden of onbekenden zijn.

Wat ik heb opgebouwd in de Amsterdamse binnenstad blijft gelukkig in goede handen achter. Er is de laatste twintig jaar al enorm veel veranderd. Waar ik begon met de hulp aan talloze arme gezinnen, zijn nu bijna geen gezinnen meer. De 'supermarkt van diensten' van toen is tegenwoordig een 'Goodwill-megastore', zoals majoor Van Pelt dat uitdrukt.

Nadat ik met pensioen ben gegaan, heeft het werk zich alleen maar uitgebreid. Jaarlijks komen honderden, zo niet duizenden vragen om hulp binnen. Er zijn zieke dak- en thuislozen, vervuilde huishoudens, mensen in psychische nood, mannen, vrouwen en gezinnen met schulden, vrouwen in de prostitutie die met uitzetting worden bedreigd, verslaafden die HIV-geïnfecteerd zijn of aan aids lijden en ga zo maar door.

In de Oudezijds Armsteeg is een Service Centrum gekomen, dat via de Leuwenburgh, binnendoor, te bereiken is. Vroeger kwamen mensen van de straat gewoon bij ons op kantoor binnenvallen voor een kopje koffie, maar tegenwoordig kunnen de dak- en thuislozen daarvoor overdag in het Service Centrum terecht. Er worden lunch- en douchebonnen verstrekt en ze kunnen hier een afspraak maken met een maatschappelijk werker. Het is er zo druk, dat ze pasjes moeten uitgeven, waarmee de mensen of 's ochtends, of 's middags binnen kunnen komen. Daardoor is er misschien een grotere afstand gekomen tussen hulpzoekende en hulpverlener, maar veel medewerkers van het Goodwillcentrum kennen nog altijd bijna iedereen van naam.

In het Service Centrum kunnen dak- en thuislozen die hun inkomen door het Goodwillcentrum laten beheren, wekelijks hun 'zakgeld' komen afhalen. In overleg met de Sociale Dienst en het Arbeidsbureau is het centrum aangewezen als postadres. Alleen met een postadres kan iemand namelijk een uitkering ontvangen. Die uitkering wordt vaak beheerd door het maatschappelijk werk van het Goodwillcentrum. Dat is voor sommigen vaak hard nodig, want als ze al hun geld ineens in handen krijgen, brengen ze het onmiddellijk naar de kroeg, de drugsdealer of de gokkast. Dan komen ze steeds dieper in de schulden en is het uitzicht op een eigen woonruimte verkeken. De schuldenproblematiek is de laatste jaren enorm gegroeid, de afdeling maatschappelijk werk maakt overuren om iedereen te kunnen helpen. Er gaan vaak jaren overheen voordat iemand weer geheel in staat wordt geacht zijn eigen financiën te regelen.

Dak- en thuislozen zullen in de toekomst vaker kunnen worden opgevangen in een sociaal pension: een opvangcentrum waar ze hun eigen kamer krijgen. Zo'n sociaal pension is een manier van opvang die in mijn tijd nog niet bestond, maar waarover ik al wel had nagedacht. Ook het pand 't Hekeltje aan de Martelaarsgracht wordt momenteel verbouwd tot sociaal pension, dat is in handen van het Leger des Heils Centrum Maatschappelijke Opvang, waarvan het kantoor op de Zeeburgerdijk zit. Ik heb begrepen dat de gemeente Amsterdam van plan is zo veel van dit soort pensions te creëren, dat er in het jaar 2000 geen onvrijwillig dakloze mensen meer zijn. Hoewel ik niet weet wat ik me moet voorstellen bij het woord 'onvrijwillig'. Wanneer is een dakloze nu vrijwillig dakloos? Als iemand geen hulp zoekt en niet naar een opvanghuis wil, wil dat nog niet zeggen dat hij vrijwillig op straat rondzwerft, maar dan zit er psychologisch gezien vaak iets niet goed.

Het Goodwillcentrum probeert dakloosheid te voorkomen, onder meer door een schoonmaakproject dat in samenwerking met de GGD en de woningbouwverenigingen is opgezet. Het gebeurt regelmatig dat iemand in zijn huis vreselijke overlast veroorzaakt, vooral als het een 'verzamelaar' is. Zo iemand stouwt zijn hele huis vol met troep, van zakken afval tot pakken oude kranten, waartussen de muizen en kakkerlakken al snel rondscharrelen. Als de woningbouwvereniging of de GGD zo'n geval tegenkomt, wordt dat tegenwoordig bij het Goodwillcentrum gemeld. De schoonmaakploeg gaat dan, met de Schoonmaakauto, op bezoek bij de overlast veroorzakende persoon. Niet zelden zijn dit ouderen die al hun sociale contacten zijn kwijtgeraakt, vereenzaamd en dikwijls aan het dementeren zijn. Het hele huis wordt schoongemaakt, en als het nodig is opnieuw ingericht met tweedehands spullen van het Leger des Heils. Daarna gaat er elke dag iemand op bezoek van Thuiszorg. Op die manier kan iemand die anders onherroepelijk op straat terecht zou komen, met hulp in zijn woning blijven of worden ondergebracht in een sociaal pension of, als het een ouder persoon is, in een verpleeghuis.

Bij mij in de Goodwillburgh wonen sinds een paar jaar zes mannen die psychiatrische problemen hebben. Maar omdat ze inmiddels ook bejaard zijn, hebben ze ook speciale ouderenzorg nodig. Ze zaten eerst in de Valeriuskliniek, maar daar kon niet goed worden ingespeeld op hun situatie. Er zijn drie woningen in de Goodwillburgh voor hen vrijgemaakt, waar ze allen een eigen kamer hebben en een gezamenlijke huiskamer. Ze krijgen extra zorg en begeleiding, maar hebben toch een zekere mate van zelfstandigheid. Enkele bewoners waren eerst niet helemaal gerust op hun komst, je hoorde fluisteren: 'Wat moeten die gekken hier?' Ik heb wel eens een gesprekje met ze en het blijkt dat ze juist door hun zelfstandigheid enorm vooruit zijn gegaan.

Binnenkort zal het werk van het Goodwillcentrum zich zelfs niet meer beperken tot de binnenstad, maar opgaan in één grote organisatie, samen met de Leger des Heils-afdelingen Centrum Maatschappelijke Opvang en het Jeugdhuis Middelveld in Amsterdam-West. Het Goodwillcentrum Amsterdam krijgt daarin twee afdelingen: een Goodwillcentrum Binnenstad en een Goodwillcentrum Regio. Het geheel komt onder leiding te staan van envoy Henk Dijkstra, die voorzitter wordt van het bestuur. Ook majoor Van Pelt zal, met een aantal andere directieleden, deel uitmaken van dit bestuur.

Terwijl het werk zich alleen maar uitbreidt, is het aantal heilssoldaten in Nederland de laatste jaren teruggelopen. In mijn tijd waren er nog twaalf-, dertienduizend, nu zijn er nog maar achtduizend en daarbij een paar honderd officieren. Voor een kerkgenootschap is dat bijzonder weinig, maar toch zien mensen vaker een heilssoldaat lopen dan een non of een dominee. Dat komt vooral omdat het Leger des Heils een naar buiten gerichte godsdienstbeleving heeft, terwijl de kerken meer naar binnen zijn gekeerd. Die terugloop in het aantal heilssoldaten zie je vooral in de westerse landen. In andere landen, bijvoorbeeld in Afrika, India en de voormalige Oostbloklanden, is juist een enorme groei waar te nemen.

De kerken, die ook veel te lijden hebben onder de leegstroom, zouden misschien wat meer moeten inspringen op de maatschappelijke ontwikkelingen. Soms zijn ze hopeloos ouderwets en blijven ze te veel in tradities en oude regels hangen. Dat bleek dit jaar nog tijdens de huwelijksvoltrekking tussen de protestantse prins Maurits, de zoon van Pieter en Margriet, en de rooms-katholieke Marilène van den Broek, de dochter van onze voormalige minister van Buitenlandse Zaken, Hans van den Broek. Het prinselijk paar had voor een oecumenische kerkdienst gekozen. Het hele Nederlandse volk vond de kerkdienst prachtig. De populaire dominee Nico ter Linden sprak heel mooi over de saamhorigheidsgedachte die bij Pinksteren hoort, en samen met pastoor Gerard Oostvogel combineerde hij katholieke en protestantse rituelen tot een mooi geheel. Dat dan later de hervormde synode en de katholieke kerk op hun achterste benen staan omdat sommige leden van de koninklijke familie ter communie gingen – zoals prins Bernhard en prinses Juliana – vind ik zo overdreven. Daarmee kweken ze geen goodwill voor hun eigen kerk.

Het Leger des Heils hanteert zelf helemaal geen rituelen zoals het avondmaal of de eucharistieviering, maar is er ook niet op tegen. De eerste predikant van het Leger des Heils, de oprichter William Booth zelf, vond dat in de samenkomsten geen avondmaal gehouden moest worden. Er waren verder nog geen heilsofficieren, dus de vraag was wie dat ritueel als predikant had mogen voltrekken. Bovendien was Booth geheelonthouder, ter wille van de alcoholisten die veel naar zijn samenkomsten kwamen. Bedenk je eens wat er zou gebeuren! Die zouden in een keer die hele beker wijn leegdrinken, zo'n kans lieten ze zich niet ontglippen. Het enige ritueel dat je op Leger des Heils samenkomsten ziet, is het neerknielen aan de zondaarsbank of de heiligingstafel, als teken van toewijding aan God. Ik beschouw dit als een soort 'vergeestelijkt avondmaal', een avondmaal zonder brood en wijn.

Ten tijde van het huwelijk tussen Maurits en Marilène was ik in Los Angeles, waar ik een rooms-katholieke dienst bezocht ter ere van de pastoor, die zijn 25-jarig jubileum vierde. Hij komt oorspronkelijk uit België en is daar in Los Angeles heel geliefd. Tijdens die dienst ben ik óók ter communie gegaan. Later sprak ik iemand die in Los Angeles bij het Leger des Heils werkte en die zich een beetje verbaasde over het feit dat ik die hostie gegeten had. 'Waarom niet?' heb ik gezegd. 'Ik ben toch ook een christen?' Het is een kwestie van interpretatie. Naar mijn idee nodigt Jezus de mensen uit om ter communie te gaan, maar de katholieken – een gedeelte althans – zeggen dat de kerk het vraagt. Het avondmaal betekent voor de protestanten dat je het brood eet en de wijn drinkt ter nagedachtenis aan Jezus en voor de katholieken verandert het brood in Jezus' lichaam en de wijn in Zijn bloed. Persoonlijk spreekt die eerste optie me het meeste aan. Toen ik terug was uit Amerika en in de kranten las welke commotie over het huwelijk van Maurits en Marilène was ontstaan, heb ik meteen dominee Nico ter Linden gebeld. Maar hij was niet erg onder de indruk van alle toestanden, hoewel de hervormde synode van plan was hem een reprimande te geven. 'Marilène hechtte er erg aan dat er tijdens de kerkelijke plechtigheid ook een eucharistieviering zou zijn. Pas dan was het voor haar compleet. Dat hebben we heel goed doorgesproken,' zei hij. Alleen Pieter van Vollenhoven heeft er niet aan meegedaan, maar prinses Margriet wel. Als ik de moeder van Maurits was geweest, had ik het ook gedaan. Koningin Beatrix neemt als staatshoofd natuurlijk een aparte postitie in, die voorzag misschien wel dat er trammelant zou komen als zij, als protestantse vorstin, ter communie zou gaan.

De kerken kunnen zich niet langer verzetten tegen dit soort gebeurtenissen, zeker niet als ze 'samen op weg' willen. Emily Bremers, de beoogde aanstaande van kroonprins Willem Alexander, is ook katholiek. Stel dat ze ooit gaan trouwen en ze krijgen kinderen die ze katholiek willen laten dopen, dan kun je dat niet eeuwig tegenhouden. Wat mij betreft is er niets op tegen. Katholieken zijn óók van het volk en niets meer of minder dan protestanten. Ik zou het overigens nog wel spannend vinden als Willem Alexander bijvoorbeeld met een Surinaams meisje zou thuiskomen. Zou daar veel verzet tegen rijzen? Het lijkt mij dat dat moet kunnen, zeker als het een goed en behoorlijk meisje is. Toen Beatrix in 1966 met Claus, een Duitser, ging trouwen, heb ik wel gedacht dat daar veel grotere problemen over zouden ontstaan. Op den duur moet het toch allemaal gewoon zijn. Het internationale Leger des Heils krijgt in de toekomst misschien ook een zwarte generaal, hij moet nog gekozen worden maar de kans is groot dat hij het wordt en dat is geen enkel probleem.

Mijn doel is, in bredere zin, altijd geweest om op aarde het koninkrijk van God te brengen. Ik heb niet de illusie dat ik dat had kunnen bereiken. In de bijbel staat al geschreven: 'Gij zult weinig geloof vinden.' Maar je kunt er wel naar streven; dat beschouw ik als mijn taak. Voor alle ellende in de wereld voel ik me niet persoonlijk verantwoordelijk; ik kan al het leed ook niet op mijn schouders dragen. Voor mij staat het vast dat de enige weg naar een betere wereld het geloof in God is.

Ik heb een heel rijk leven gehad, omdat ik al die jaren in dienst van God en voor het Leger des Heils heb kunnen werken. Een leven voor anderen. Mijn leven is niet verrijkt door geld of bezit, maar door alle mooie ervaringen. Daardoor was het een leven dat het dubbel en dwars waard was geleefd te worden en daarvoor ben ik heel dankbaar. Hoewel het niet altijd even gemakkelijk is geweest, is mijn vertrouwen in God nooit beschaamd. Ik kan iedereen recht in de ogen kijken en geniet nog elke dag van alles wat ik op mijn weg tegenkom. Wat ik de mensen altijd probeer te laten zien, is dat het leven een groot wonder is. Ik zie het wonder in een baby die wordt geboren, maar ook in de bloemen die elke lente weer bloeien. Als we in de toekomst oog blijven hebben voor het mooie en het goede en dat wonder blijven koesteren, zal het altijd blijven zegevieren over het slechte en het kwade. Met een onwrikbaar vertrouwen in de kracht van de liefde zal de wereld ook in de volgende eeuw een betere wereld worden. Met de liefde van God als leidende hand. Want als de mens ontgoddelijkt, zal hij ook ontmenselijken.

Hoofdstuk 11

Zes jaar later

Zes jaar geleden, toen dit boek verscheen ter gelegenheid van mijn 85ste verjaardag, vertelde ik in het eerste hoofdstuk hoe ik mijn dagen indeelde en hoe vreselijk druk ik het had. Inmiddels ben ik 91 jaar geworden. Een hele leeftijd, waarvoor ik erg dankbaar ben. Er is in de tussentijd van alles gebeurd. Ik ben gestopt met mijn caférondes met de Strijdkreet, ik heb een aantal keren in het ziekenhuis gelegen en verschillende dierbaren zijn overleden. Maar om nu te zeggen dat ik niets meer te doen heb... gelukkig is er nog heel veel dat ik aankan en ben ik nog helder van geest.

Stoppen met de Strijdkreet was een moeilijke beslissing. Toen ik 85 was, ging het lopen al niet meer zo heel goed. Vooral in het donker was ik bang om te vallen. Maar er zijn tegenwoordig niet meer zoveel medewerkers van het Leger des Heils die nog met de Strijdkreet langs de cafés en restaurants willen gaan. Maar ik haalde er altijd heel veel geld mee op en ik had altijd veel leuke contacten, dus ik vond het jammer als dat weg zou vallen. Elke maandag en zaterdag ging ik trouw op pad en ik verkocht zeker 400 Strijdkreten per veertien dagen – het blad verschijnt twee keer per maand. Daarom ben ik eigenlijk nog doorgegaan tot ik bijna 88 jaar was.

Ik weet nog precies wanneer ik de definitieve beslissing nam. Het was januari, op een koude en regenachtige avond. Ik had mijn ronde gemaakt door de Spuistraat en wilde de avond afsluiten met een bezoekje aan de Makelaarsbeurs op het Rokin in de voormalige Nieuwezijdse Kapel, zoals gewoonlijk op maandagavond. Mijn auto had ik aan de overkant van het Rokin gezet en ik wilde even snel de straat oversteken.

Plotseling merkte ik dat er een tram aankwam uit de richting van de Dam. Ik deed even twee stapjes terug, maar kreeg vervolgens de schrik van mijn leven, toen vanaf de richting van de Munt óók een tram aankwam. Dat had ik te laat gehoord. Op dat moment dacht ik heel bewust: nu ga ik dood. En ook: dat zal me een rel geven bij het Leger des Heils. De majoor doodgereden door een tram op het Rokin. Het verbaasde me naderhand hoe helder ik nog was.

De trams kruisten elkaar en ik stond er precies tussenin. Tot mijn verbazing raakten ze me net niet: de ene ging vlak langs mijn neus, de andere langs mijn billen. Ik dacht: als ik nu maar doodstil blijf staan, loopt het misschien nog goed af! Toen het voorbij was, kwam er een man op me af die zei: 'Wilt u dat nóóit meer doen!' Hij was denk ik de enige die het had gezien, de trams reden gewoon door. Ik was er helemaal naar van. Ik moest in mijn auto gaan zitten om rustig te worden en was ineens van het hele idee genezen om nog naar de Makelaarsbeurs te gaan. En op die avond besloot ik dat het echt tijd was om ermee te stoppen. In de maanden daarna heb ik mijn wijken afgebouwd en heb ik iedereen bedankt bij wie ik al die jaren was langs geweest.

Nu heb ik altijd nog wel een stapeltje Strijdkreten bij me als ik mijn dagelijkse wandelingetje maak. Ik wil elke dag ten minste een halfuurtje lopen om niet te stijf te worden en met een rollator gaat het best. En als ik dan iemand tegenkom die me aanspreekt, krijgt die een Strijdkreet. Sinds november vorig jaar heb ik geen rijbewijs meer. Voor mijn gevoel kon ik nog wel rijden, maar het probleem was dat ik niet meer makkelijk kon uitstappen. Alleen al het stukje lopen van mijn invalidenparkeerplaats naar de ingang van de Goodwillburgh werd een te zware opgave. Ik heb in september 2003 nog twaalf rijlessen genomen, maar ik merkte dat mijn rijvaardigheden niet meer zo geweldig waren. Jammer, maar ach, als je het tot je negentigste hebt kunnen doen, moet je er ook niet al te veel over zeuren. Ik heb veertig jaar gereden, zonder ongelukken! Als ik nu ergens heen moet, zorg ik altijd dat ik of gehaald en thuisgebracht word, of dat ik iemand vind die als chauffeur wil dienen.

Mijn negentigste verjaardag, op 8 juni 2003, kon niet onopgemerkt voorbijgaan, hoewel ik altijd het liefst ergens onderduik in Nederland om alle drukte en felicitaties te ontwijken. Dit keer kon ik er niet onderuit. Maar ik moet zeggen dat het een heel geslaagde dag was. We begonnen 's ochtends met een kerkdienst in de Mozes & Aaronkerk aan het Waterlooplein. Behalve mensen van het Leger waren er heel veel bekenden van daarbuiten, zoals Xandra Brood, de weduwe van Herman, en zijn zuster Beppie, Cor Boonstra en zijn vrouw, Jos Brink en Frank Sanders, de fotograaf Cor Jaring, kennissen uit de binnenstad zoals Henkie de Vries, de eigenaar van de Bulldog coffeeshops die vaak met kerst of Pasen dingen voor de kinderen van het Leger organiseert, maar ook mensen die als kind bij mij in het Kindertehuis hadden gezeten. Heel uiteenlopend. Ik kreeg persoonlijke brieven met felicitaties van premier Balkenende, koningin Beatrix en prins Bernhard. Alle kaarten zijn inmiddels op alfabet opgeborgen in vijftien plakboeken, wat betekent dat ik ongeveer 1500 felicitaties heb gekregen!

In de binnentuin van de Goodwillburgh is die dag een borstbeeld onthuld van mij, gemaakt door Hans Dingemans uit het Brabantse Dongen. Op Parc Spelderholt in Beekbergen, een landgoed waar mensen met een functiebeperking begeleid worden naar een zelfstandig leven in de maatschappij, is die dag ook een hof naar mij vernoemd, omdat ik al sinds de oprichting erbij betrokken ben.

Dit jaar werd daar het Joop van den Endehuis geopend, een logeerafdeling voor familie van de bewoners en tevens een soort hotel voor mensen met een handicap. Joop en Janine van den Ende hebben dit helemaal gefinancierd. Het was wel leuk dat de opening precies op mijn verjaardag was, al was het alleen maar omdat ik daardoor die dag niet thuis hoefde te blijven! Ik ben er twee dagen geweest. We hadden een dinertje, Jan Terlouw hield er een lezing over vertrouwen en betrouwbaarheid, en 's avonds was er nog een songfestival voor gehandicapten, gepresenteerd door Henny Huisman.

Met Cor Boonstra en vooral met zijn vrouw Hansje heb ik regelmatig contact. Zij heeft mij destijds gebeld na die vreselijke ontvoering en mishandeling, waardoor ze een hele tijd in coma heeft gelegen. Cor Boonstra was toen bij haar weg en had een relatie met die zakenvrouw Sylvia Tóth, maar dat was misschien toch een beetje tegengevallen, want hij is nu weer bij Hansje terug. Vorig jaar zijn ze zelfs in alle rust en stilte hertrouwd! Ik heb een paar keer met haar gesproken over hun huwelijk en over de ellendige nasleep van haar kidnapping en mishandeling. Het is mooi dat mensen elkaar na zo'n akelige tijd weer terugvinden en opnieuw gelukkig kunnen worden.

Een aantal dierbare vrienden ontbrak op mijn verjaardag. Een van hen was Tante Jans. Zij was in januari 2002 overleden, negentig jaar oud. Ik kende Jans, of Jantje Akke Woudstra zoals ze eigenlijk heette, al van jongs af aan. Zelf koos ze voor een gezin, trouwde, kreeg een dochter en later nog een geadopteerde dochter. Ze werkte 's morgens buiten het Leger om als schoonmaakster of koffiejuffrouw bij een autobedrijf en kwam 's middags bij ons. Ze hielp dan bij het sorteren van tweedehands kleding, maar haar lust en haar leven was het rondgaan met de Strijdkreet. Je zou haast kunnen zeggen dat ze aan de Strijdkreet verslaafd was. Soms moesten we haar enthousiasme zelfs wat temperen. Tenslotte moest ze haar aandacht ook over haar gezin verdelen.

Jans was een van de eerste bewoonsters van de Goodwillburgh, hoewel ze toen eigenlijk nog niet oud genoeg was. Je moest 65 zijn voor toelating en zij was toen nog maar 63, maar het was haar liefste wens. Twee jaar voor haar dood moest ze noodgedwongen haar geliefde Amsterdam verlaten. Ze is toen opgenomen in een tehuis in Amersfoort, om daar dicht bij haar dochter Rens, die daar woont, verpleegd te worden. Ze was toen geestelijk en lichamelijk al hard achteruitgegaan. Toen ze negentig werd, op 14 november 2001, ben ik nog bij haar op bezoek geweest om haar te feliciteren. Een week later hoorde ik dat het heel slecht met haar ging. Maar ze verzette zich nog wekenlang hardnekkig tegen de dood. De dokter zei tegen haar dochter: 'Het lijkt wel of ze nog op iemand wacht.' Haar kleindochter Diana heeft me toen hier in Amsterdam met de auto opgehaald. In Amersfoort heb ik samen met Jans gebeden en ik merkte dat ze daarbij nog goede momenten had. 'Dankjewel, majoor,' fluisterde ze zachtjes. Daar was ik heel blij om. Eind januari van het jaar daarop is ze vredig ingeslapen.

Zuster To, die ook vele jaren voor het Leger des Heils actief is geweest en vaak met de Strijdkreet rondging, moesten we op mijn negentigste verjaardag ook missen. Ze was precies een jaar eerder, op mijn 89ste verjaardag, overleden.

Mijn nichtje Mieke kon er niet meer bij zijn, omdat ze begin 2003 is overleden aan kanker. Ik vertelde zes jaar geleden, in het laatste hoofdstuk van dit boek, dat ik graag gezien had dat zij op míjn begrafenis zou spreken. Maar het is andersom gegaan.

Mieke was de enige dochter van mijn broer Henk en zijn eerste vrouw, en feitelijk mijn enige échte nichtje. Vroeger zag ik haar niet zoveel, maar toen eerst haar vader en toen haar moeder waren overleden, kregen we meer contact. Ze woonde in Rotterdam, waar ze jarenlang bij de Raad voor de Kinderbescherming werkte. Ze was net een paar jaar met de vut toen ze kanker kreeg. Aanvankelijk leek het goed te gaan en was alles onder controle, maar toen kwam het terug. Het heeft maar drie weken geduurd en toen is ze, toch wel onverwacht, overleden. Ze had nog wel hoop dat ze terug in haar appartement zou komen en was nog met de dokters in bespreking over een nieuwe kuur, maar het was plotseling afgelopen.

Ik had een week daarvoor nog met haar gesproken over euthanasie. Ze voelde daar wel iets voor, als ze bijvoorbeeld veel pijn zou krijgen en haar leven niet meer aanvaardbaar was, maar zo ver was het nog niet. Ik vond dat ze dat zelf moest beslissen, want hoewel ik er persoonlijk geen voorstander van ben, kan ik best begrijpen dat je dat overweegt. Ik ontmoet ook weleens mensen die al zes, zeven jaar op een bed liggen en helemaal in de war zijn. Hoe ik zou denken als dat mij overkomt, is moeilijk te zeggen. Je weet van tevoren natuurlijk niet hoe lang het gaat duren.

In het begin vond ik het heel erg dat Mieke was gestorven. Maar later dacht ik wel: waar is ze allemaal bewaard voor gebleven? Ik heb de uitvaartdienst gedaan en dat was heel moeilijk. Ze wilde gecremeerd worden. Daar heb ik geen moeite mee, maar ze lag er zo mooi bij, mooi aangekleed, haar haren netjes, een bloemetje tussen haar handen. Toen vroeg ik aan de uitvaartleider wanneer de crematie nou werkelijk zou plaatsvinden en hij zei: 'Vanmiddag vóór vijf uur.' Op dat moment was het al één uur en ik werd daar zó akelig van. Ik realiseerde me ineens dat over een paar uurtjes de fik erin zou gaan, om het zo maar te zeggen. Dat vond ik heel erg naar.

Ik ben vorig jaar nog een aantal keren op bezoek geweest bij de beroemde atlete Fanny Blankers-Koen, die in 1948 vier gouden medailles won op de Olympische Spelen in Londen. Het ging erg slecht met haar, ze zat in een verpleeghuis in Hoofddorp en was erg in de war. Ze is begin dit jaar, 85 jaar oud, overleden. En dat kwam voor de familie ten slotte wel als een zegen. Als ik daar kwam, liet ze merken dat ze het liefst voorgoed haar ogen wilde sluiten. Dat gunde ik haar ook van harte. Ze stelde het erg op prijs om samen met mij te bidden. 'Lieve Heer, neem haar maar weg. Dit is zo geen leven meer,' sprak ik dan. Ik heb het warme gevoel dat het haar troost heeft gegeven.

In 2001 ben ik ook bij de uitvaart geweest van Herman Brood, wat natuurlijk iets heel anders was. Eerst was er een bijeenkomst in de popzaal Paradiso, waar allerlei vrienden van hem iets vertelden of een lied zongen, zoals Jules Deelder, Bart Chabot en André Hazes. Daarna moesten we naar de begraafplaats Westgaarde in Osdorp, maar het was nog een hele toer om daar te komen. Langs de weg stonden honderden fans van Herman, die de rouwstoet lang ophielden. Ze juichten iedereen toe, ook mij; het leek wel of de Canadezen binnenkwamen! Ik reed met mijn autootje mee, maar op een gegeven moment ging die niet meer voor- of achteruit. Ik heb hem met hulp van omstanders op de Overtoom aan de kant gezet en mocht instappen bij een aardige politieman, die me naar Osdorp bracht. Ook Hermans volgauto kreeg pech, hoorde ik naderhand. Het was een enorm rommelige uitvaart, die eigenlijk goed bij Herman paste.

Ik hield wel veel van Herman. Het was natuurlijk een grote vlegel, maar hij had een lief karakter en hoewel hij altijd de na-ieveling speelde, was hij ook heel intelligent. Een enfant terrible. Zijn sprong van het Hilton Hotel heeft me wel verbaasd: dacht hij dan niet aan zijn moeder, zijn zus Beppie, aan zijn kinderen, aan Xandra, bij wie hij nog elke avond ging eten? Maar aan de andere kant was hij ook heel erg ziek. Niets werkte meer, hij was incontinent, ik denk dat hij zijn leven helemaal zat was. Ik heb na zijn dood nog veel contact gehad met zijn moeder, die een jaar na hem overleed. Ook Xandra spreek ik nog regelmatig. Ze heeft onlangs een huis gekocht in Amstelveen en ze heeft een leuke baan als styliste voor televisieprogramma's. Oudste dochter Brenda, die niet van Herman was maar van twee inmiddels overleden drugsverslaafden, is het huis uit en heeft nu zelf een kind, dat ze alleen opvoedt. Dochter Lola, Hermans enige eigen dochter, deed dit jaar eindexamen en wil ook iets worden als schoonheidsspecialiste, of een eigen kapsalon beginnen, geloof ik. Met de kleine Holly, die niet van Herman zelf is maar wel zijn achternaam heeft, gaat het heel goed. Ze hebben allemaal veel zorgen om Herman gehad. Hij was wel heel lief voor de kinderen, hoor: hij ging samen met ze eten, keek samen televisie met ze of overhoorde hun huiswerk. Maar daarna moest-ie altijd weer de hort op. Ik denk dat ze, nu hij dood is, wel een zekere rust hebben, maar dat ze hem toch ook ontzettend zullen missen.

Het is altijd moeilijk om een geliefde los te moeten laten, ook al zegt je verstand dat het beter is, of dat iemand toch een gezegende leeftijd heeft bereikt. Enkele jaren geleden werd ik gebeld door Aase Rasmussen, de vrouw van Willy Walden, of ik niet eens bij ze op bezoek wilde komen. Willy, de overgebleven helft van het komische duo Snip en Snap, was al heel erg oud en slecht ter been. Hij zei niet meer zo heel veel, maar we hebben samen gebeden, of God voor hem en Aase wilde zorgen. Zijn vrouw vertelde toen nog dat ze ook de hulp van het medium Jomanda hadden ingeroepen. Jomanda zou voor Willy bidden en vragen of God hem beter kon laten lopen. 'Ik denk dat jullie dat ook best zelf aan God kunnen vragen,' heb ik gezegd. Ze zal het wel goed bedoelen, maar ik houd er niet zo van als iemand denkt dat ze tussen God en de andere mensen in staat. Iedereen kan in contact met Hem komen, daar is geen medium voor nodig. Willy is eind vorig jaar overleden, hij werd 97 jaar.

Ik denk dat de dood van prinses Juliana ook wel als een soort verlossing is gekomen, al blijft ze voor Beatrix en haar zusters natuurlijk hun moeder en voor Bernhard de vrouw met wie hij zo lang getrouwd is geweest.

Ik heb vier koninginnen meegemaakt in mijn leven, maar het meeste contact had ik met Juliana, mijn generatiegenoot. Al kort na de oorlog ben ik eens uitgenodigd op het Paleis op de Dam. Ze was heel geïnteresseerd in het maatschappelijk werk, had dat zelf ook graag willen doen maar beschouwde ook het koningschap als een roeping, iets waarvoor je bent geboren. Het was het begin van een leuke relatie. Vriendschap is misschien een groot woord. Ik bleef altijd 'u' zeggen. We hebben natuurlijk niet met elkaar ge-knikkerd. Wel belden we elkaar vaak, ook om persoonlijke zaken te bespreken. Over haar geloof, of over de kinderen en kleinkinde-ren.

Een paar jaar geleden kwam vanuit Soestdijk een bericht met de vraag of ik maar geen brieven meer wilde sturen aan Juliana. Ze wilde nog wel terugschrijven, maar dat ging niet meer. Beatrix vertelde me later hoe moeilijk het was dat haar moeder steeds verder achteruitging. Ze werd bijvoorbeeld boos omdat ze niet meer alleen de tuin in mocht om haar lathyrus water te geven.

Dat was dan Beatrix' schuld, vond Juliana. Ach, als iemand zo oud is geworden en niemand meer herkent, dan komt de dood denk ik voor allemaal als een bevrijding.

Ik was wel telefonisch uitgenodigd voor de uitvaart in Delft, maar stelde me voor dat ik daar zou vallen en me bezeren. En dat er voor mij nog een ambulance zou moeten komen. Dat zou heel vervelend zijn geweest. Bovendien: op televisie kun je het allemaal heel goed volgen en het was een heel mooie uitvaart.

Die van prins Claus een paar jaar eerder was trouwens ook heel indrukwekkend. Ik sprak hem niet zo vaak, wat dat betreft had ik een betere band met prins Bernhard. Ik weet zelfs nog dat hij in het begin, toen hij net met Beatrix was getrouwd, geen idee had wie ik was. Ze had het natuurlijk weleens over 'de majoor', maar hij dacht dan dat ze het over een man had. Later begreep hij pas hoe het zat. Ik vond dat Huub Oosterhuis en dominee Carel ter Linden heel mooi spraken op zijn begrafenis, net zoals de vrouwelijke dominee Welmet Hudig afgelopen jaar bij Juliana.

Mijn band met het koningshuis heeft me veel plezier geschonken. Ik krijg regelmatig kaartjes, bijvoorbeeld een bedankje van prins Bernhard en Beatrix na de begrafenis van Juliana, van Willem-Alexander en Máxima bij de geboorte van prinses Amalia en van Laurentien en Constantijn, toen Claus-Cazimir een dag na Juliana's overlijden werd geboren.

Vroeger bracht ik regelmatig een bezoek aan paleis Drakestein, iets wat nu wat moeilijker gaat omdat ik minder mobiel ben. Ik ging bijvoorbeeld even een bloemetje brengen, of een kinderbijbel, toen de zonen van Beatrix en Claus werden geboren. Ik weet zeker dat ze die nog steeds hebben. Ze kregen toen natuurlijk heel veel cadeaus uit het hele land. Claus zei een keer tegen me dat hij zijn zoons elke minuut van de dag zou kunnen verkleden en dat er dan nog kleertjes over waren.

Niemand mocht het weten, maar veel gezinnen in de binnen-stad hebben in die tijd, toen de prinsjes nog klein waren, kinderkle-ding gekregen uit het paleis. Ik ging persoonlijk met de auto naar Den Haag om stapels kleding op te halen bij Beatrix' werkpaleis op het Lange Voorhout. Ze drukte me altijd op het hart om nie-mand te vertellen waar de hemdjes en broekjes vandaan kwamen en ik moest ook goed controleren of er geen briefjes meer tussen zaten. Ach, ze kregen zoveel spullen. Ook met Koninginnedag, toen dat nog met een défilé op Soestdijk werd gevierd. Dan kon ik later broden en koeken en dergelijke ophalen voor gezinnen in de stad. En daar draaide het voor mij toch om: die contacten waren voor mij persoonlijk heel leuk, maar vooral goed voor het Leger des Heils.

In de tijd dat prins Claus in het AMC in Amsterdam was opgenomen, in de zomer van 2002, lag ik er ook een paar dagen. Ik was toen opgenomen omdat ik last had van hartritmestoornissen. Een jaar daarvoor had ik ook al in het ziekenhuis gelegen, toen in het Onze Lieve Vrouwe Gasthuis, na een lichte herseninfarct. Maar dit keer was het mijn hart en het was toch wel zo ernstig, dat de dokter me vertelde dat het mogelijk het einde kon betekenen. Gelukkig knapte ik redelijk snel op.

Het bleek dat de pers in de gaten had gekregen dat ik in het AMC op de intensive care lag, tegelijk met prins Claus. We lagen inderdaad op dezelfde verdieping. Ik denk zelfs dat onze monitoren in dezelfde controlekamer stonden. Een verpleegster vroeg of ik Claus niet even zou willen bezoeken, maar ik vond niet dat ik dat uit mezelf kon doen. Als er naar me gevraagd was, had ik het wel gedaan, maar ik denk dat ze meer behoefte hadden aan rust.

En om die rust te waarborgen, kreeg ik op een gegeven moment een andere naam. Er kwam een jonge verpleegkundige aan mijn bed, die zei: 'Majoor, vanaf vandaag ligt u hier niet als majoor Bosshardt, maar noemen we u "mevrouw Amersfoort".' Ik dacht eerst dat die jongen zichzelf een lolletje had beloofd, maar het was serieus. Er stond 'mevrouw Amersfoort' op de deur, op mijn bed, bij de zusterpost. Dat was om te voorkomen dat journalisten via mij zouden proberen bij prins Claus te komen. Dat ze zouden zeggen: we komen op bezoek bij majoor Bosshardt, en dan stiekem foto's zouden gaan maken van Claus. Mevrouw Amersfoort werd een soort wachtwoord, dat ik aan mijn kennissen moest doorgeven, anders kwamen ze er niet in.

Ik heb Beatrix in die tijd niet gezien, maar ze kwam wel elke dag trouw bij haar man op bezoek. Veel mensen verbaasden zich erover dat ze niet even bij mij langs is geweest, maar ik kan dat heel goed begrijpen. Ze had het natuurlijk vreselijk druk en had veel zorgen om Claus. Hij is dat najaar, begin oktober, overleden en in mei van het jaar daarop heb ik Beatrix ontmoet, toen ze een tehuis voor langdurig zieken in Baarn kwam openen. Ik heb die dag heel uitgebreid met haar gesproken over alles.

Vorig jaar ben ik nog een keer heel ernstig ziek geweest, weer zo erg dat ik met de dokter heb gepraat over 'wat als het nu dan toch afloopt'. Ik voelde me zo slecht, dat ik zei dat hij me dan maar rustig moest laten gaan. Het gebeurt natuurlijk een keer en als je de negentig bent gepasseerd, ligt dat niet meer in een sfeer van 'wat vreselijk'. Ik heb alles al zo goed mogelijk geregeld, voor als het zover is. Maar, zo liet ik de dokter ook weten: ik heb ook geen erge haast om dood te gaan.

Uit onderzoek bleek dat ik een gaatje had in mijn dikke darm. Na tien dagen mocht ik weer naar huis, op een vrijdag, maar de volgende dag ging het helemaal mis. Midden in de nacht kreeg ik vreselijke pijn en heb ik de zuster beneden gealarmeerd, die de weekenddokter liet komen. Die vond de situatie zo ernstig dat hij onmiddellijk een ambulance liet komen. Ik herinner me er niet zo heel veel meer van, maar weet nog wel dat ik met de brancard door de binnentuin ben gegaan, omdat de ambulance eigenlijk in de verkeerde straat was geparkeerd.

In het AMC kreeg ik heel nare onderzoeken. Er stond een ver-pleegster bij me die steeds tegen me bleef praten: je moet sterk zijn, want anders gaat het mis. Ze gingen met een slang naar binnen en ontdekten toen een gaatje, zo groot als een halve cent van vroeger. Elf zakken bloed van een halve liter kreeg ik, maar het stroomde er zogezegd meteen weer uit. Op een bepaald moment was mijn bloeddruk nog lager dan de helft van wat die zou moeten zijn. Het was echt kantje boord, hoewel ik alles heel bewust heb beleefd. Ik kon de hele operatie volgen op een soort televisiescherm, want ik moest wakker blijven. Ze konden me niet verdoven, vanwege die lage bloeddruk. Het duurde alles bij elkaar zeker anderhalf uur. Al met al heb ik drie weken in het ziekenhuis gelegen.

Momenteel voel ik me weer redelijk gezond. Ik ben vooral heel blij dat ik er geestelijk niets aan heb overgehouden. Ik loop moeilijk en ben snel moe, maar over het algemeen heb ik weinig te klagen.

En ik houd nog steeds zoveel van mensen. Daarom wil ik ook niet thuis achter de geraniums blijven zitten. Ik kan niet meer overal op ingaan, maar mijn agenda loopt toch iedere keer weer vol. Het hele land doorkruis ik. De ene keer ga ik naar een congres van een internationale groep van het Leger des Heils in Lunteren, dan weer naar een crematorium in Utrecht dat een themadag heeft over de dood, of naar het aansteken van de Europese vredes-vlam in Cadzand. Naar een herdenkingsdienst voor alle mensen uit het Leger des Heils die zijn overleden, of naar een feest van het tijdschrift Libelle. Maar ook naar verjaardagen, huwelijken, kraamfeestjes, het houdt nooit op. Natuurlijk zeg ik ook weleens dat ik niet kan komen. Als ik ergens word gevraagd om te spreken doe ik het wel, maar als het alleen gaat om mijn aanwezigheid zeg ik weleens: 'Jongens, het feest mislukt niet als ik er niet bij ben.' Ik moet toch in de gaten houden dat ik het allemaal nog voor elkaar krijg. Begin dit jaar was ik bijvoorbeeld op een feest in Amsterdam dat veel te vermoeiend was. Er was veel licht en harde muziek, en dan kom ik uitgeput thuis; dat moet ik gewoon niet meer doen.

Voor de Europese Verkiezingen ben ik nog gebeld door een man die wilde dat ik me zou inzetten voor een of andere ouderenpartij. 'Meneer,' zei ik, 'ik wil nergens in. Ik wil niet gebonden zijn aan een of andere partij.' Hij hield het lang vol, maar als er iets is wat ik beslist niet doe is het me bemoeien met politiek. Ik stem altijd op het CDA en daar blijft het bij. Ik kan het niet helemaal goed beoordelen. Ik heb het altijd belangrijker gevonden tussen de mensen zelf te werken, heel praktisch, niet op een afstand. De meeste politici staan te ver van het gewone volk af, heb ik het idee. Met de coalitie van PvdA, VVD en D66 ging het destijds heel lang goed. Maar zoals het vaak gaat: ze beginnen enthousiast en bereiken goede dingen. Het gaat financieel allemaal voor de wind, en vervolgens kunnen ze de vinger niet aan de pols houden. Als je tevreden achterover gaat leunen, gaat dat ten koste van je strijdlust. Dan gaan je idealen verloren. Ik vind dat de Nederlandse politiek op een gegeven moment veel te tolerant werd. Alles kon maar en jonge mensen mochten niet betutteld worden. Dat is helemaal doorgeslagen naar de andere kant. Niet iedereen kan immers met die grote vrijheid omgaan, je hebt ook duidelijke normen en waarden nodig en die waren volkomen overboord gegooid. Dat werkt ook door in de maatschappij. Het hoeven niet per se de christelijke normen en waarden te zijn, maar goede richtlijnen zijn onontbeerlijk.

Pim Fortuyn had in mijn ogen wel wat goede ideeën. Het is jammer dat hij twee jaar geleden is doodgeschoten, want nu zullen we nooit weten of hij ze had kunnen waarmaken of dat hij volkomen de mist in zou gaan. Ik denk eerlijk gezegd dat hij het niet had gered, maar nu is hij als een held gestorven.

Ik heb nog best vertrouwen in de wereld, maar soms is het moeilijk te begrijpen waarom dingen gebeuren en waarom mensen geen vrede kunnen bewaren. De aanslagen op het World Trade Centre in New York waren een grote schok. Ik zat op dat moment bij mijn hartspecialist, die via zijn dochter aan de telefoon hoorde wat er was gebeurd. Zij woont in New York en haar man werkt in de buurt bij het WTC, maar gelukkig waren ze op dat moment op vakantie in Israël. Aanvankelijk kon ik niet bevatten wat er nou precies was gebeurd, maar toen ik het later thuis op televisie zag, was dat verbijsterend.

Als je zoiets doet, heb je toch geen enkel respect voor het leven van een ander? En dat iemand kennelijk zelfs zijn eigen leven overheeft voor zijn idealen. Het is goed als je je idealen nastreeft, maar op deze manier is het volstrekt verkeerd. Je kunt niet bevatten hoe dat werkt bij deze mensen. Ze geloven zelf echt dat ze gelijk hebben, want dat is ze hun hele leven lang al ingeprent. Ik probeer me in te denken in welke angst de mensen moeten hebben gezeten in die torens, voordat ze instortten. In angst leven is misschien nog wel erger dan de dood; na de dood volgt het eeuwige leven waarin geen angst meer is. Veel mensen zijn nu bang voor aanslagen, vooral na de bomontploffingen in de treinen van Madrid, dan komt het dichter bij huis. Hoe erg ik het ook vind voor al die mensen, ik heb die angst gelukkig niet. Als het gebeurt, is het al erg genoeg en kun je er niets meer aan veranderen.

In de Tweede Wereldoorlog leefde dezelfde angst onder de joodse bevolking. Omdat ik in het kindertehuis op het Rapenburg werkte, midden in de jodenbuurt, heb ik dat van heel dichtbij meegemaakt. Veel joodse ouders brachten hun kleine kinderen, vooral veel baby's, bij ons, om ze te laten onderduiken. Maar we hebben bijvoorbeeld ook joodse mannen laten onderduiken in een hoerenkast! Om beurten gingen we daar langs, om ze te eten te brengen. De kinderen bracht ik naar verschillende adressen, maar ik mocht natuurlijk niets noteren. Niet hoe ze heetten, niet bij wie ze vandaan kwamen en al helemaal niet naar wie ze gingen. Na de oorlog ben ik vanuit het Hoofdkwartier in Amsterdam op zoek gegaan naar de kinderen van wie we niet meer wisten waar ze gebleven waren. Soms veranderden ze ook nog een paar keer van adres en waren ze lastig te traceren. Of ze waren inmiddels een paar jaar ouder en daardoor niet direct te herkennen. Vooraf hadden we daar wel een beetje rekening mee gehouden, door ze een of ander herkenningsteken mee te geven. Een armbandje, of een zakdoekje. Zo hebben we er uiteindelijk veel teruggevonden, maar niet allemaal.

Met een aantal kinderen van destijds heb ik nog altijd contact. Zo was er een gezin met vijf joodse kinderen, van wie er vier in het kindertehuis zaten omdat hun moeder vertrokken was en hun vader – die overigens niet joods was – moest werken. De vier meisjes kwamen elke dag bij ons, de zoon ging naar een rooms-katholiek huis in de Jordaan. Die is later trouwens geëmigreerd naar Amerika. Deze kinderen – inmiddels zijn ze natuurlijk ook al in de zestig – hebben dit jaar het initiatief genomen om mij een hoge Israëlische onderscheiding toe te kennen voor mijn hulp aan de joodse gemeenschap tijdens de oorlog. Eind augustus kreeg ik van de Israëlische ambassade deze 'Righteous Among the Nations'-onderscheiding, op het hoofdkwartier van het Leger des Heils in Almere. Een medaille en een certificaat, en ook een vermelding van mijn naam in de Righteous Honor Wall in Yad Vashem in Israël. Ik was natuurlijk erg vereerd, maar ook wel weer zo nuchter dat ik het vooral mooie publiciteit vind voor het Leger des Heils.

Israël is een prachtig land, maar politiek gezien gaat het er niet helemaal goed. Het land is aan de joden beloofd, het volk van God, maar dan geloof ik ook dat God wil dat ze samen kunnen leven met de Palestijnen. Er is ruimte genoeg, de Israëliërs zijn erg goed in het vruchtbaar maken van land, dus moet iedereen er vreedzaam en goed kunnen leven. Wat zou het mooi zijn als we een paar generaties verder zijn, en de Israëliërs en de Palestijnen zijn volledig geïntegreerd en sluiten zelfs onderling huwelijken. Maar anderen denken dat dit nooit zal gebeuren, omdat er inmiddels te veel doden zijn gevallen en de haat jegens elkaar te diep is ingeprent. Ooit moet er toch eens één zo wijs zijn dat ze daarmee stoppen?

Palestijnen zijn natuurlijk Arabieren en overwegend moslim. Maar dat wil niet zeggen dat je dan niet met elkaar kunt leven. Ik geef grif toe dat er heel vervelende moslims zijn, ook in Nederland, maar er zijn in de loop der eeuwen ook héél vervelende christenen geweest, laten we dat niet vergeten. Degenen die zich misdragen, vormen misschien maar tien procent van de hele moslimgemeenschap, wat betekent dat er altijd nog negentig procent goede moslims zijn. Ik denk weleens dat het allemaal een kwestie is van tijd; in de middeleeuwen kenden wij hier ook de doodstraf en niet eens lang geleden was homoseksualiteit hier ook nog volstrekt onaanvaardbaar.

Daar komt nog bij dat ik niet kan zeggen dat het bij ons in het westen op dit moment allemaal zo goed is. Onze maatschappij is individualistisch en materialistisch, dat is niet iets wat mensen uit andere culturen van ons zouden moeten overnemen. In andere culturen heeft men vaak veel meer tijd voor meditatie en toewijding, daar lopen ze niet de hele dag achter hun hypotheek en hun bank aan, of zich af te vragen wat ze nu weer eens zullen kopen. Ze hebben meer tijd voor elkaar, voor het gezin, wat rust en bezinning geeft. In ons land geldt voor veel mensen: ik wil alsmaar meer, meer, meer. Dat houdt een keer op; er is op een gegeven moment gewoon niet meer.

Ik had hier onlangs een pittige discussie over met een vrouw die bij me op bezoek was. Zij was er stellig van overtuigd dat het christendom het enige ware geloof is. Daar was ik het niet mee eens. Het is een heel goed geloof, dat zeker, maar wie zijn wij om te oordelen over anderen?

Zo heb ik altijd in het leven gestaan en zo heb ik ook gewerkt voor het Leger des Heils. Ik denk dat ik dit alles heb bereikt door enerzijds mijn aard en mijn karakter en anderzijds mijn geloof in en mijn opdracht van God, waardoor ik kon werken volgens goddelijke richtlijnen. Ik ben altijd geïnteresseerd geweest in mensen, dat is in de grond belangrijker dan bijbelvastheid. Mijn liefde voor God heeft zich altijd geuit in liefde voor de mensen, waarbij ik altijd iedereen heb geaccepteerd zoals hij was. Ik had nergens beter op mijn plaats kunnen zijn dan in de binnenstad van Amsterdam, dat is heel goed voor me geweest. Voor hetzelfde geld was het heel anders gelopen en was ik op z'n gunstigst directrice van een kindertehuis in Apeldoorn geworden. Het is in feite aan de oorlog te danken dat ik in de hoofdstad kon blijven. Ik hielp mee bij de wederopbouw, verdeelde kleding en andere goederen over het hele land, bracht de voogdijkinderen in kaart en spoorde de ondergedoken kinderen op. Daar heb ik eerlijk gezegd enorm van genoten.

Omdat ik in Amsterdam was, trok ik 's avonds vaak al de binnenstad in met een groepje vrijwilligers. Dat ik hier in 1948 het goodwillwerk mocht opzetten, is het beste wat mij kon overkomen. Ik heb in mijn leven het toppunt van mijn mogelijkheden bereikt, door die samenloop van omstandigheden. Daarvoor ben ik intens dankbaar. God had daar zijn hand in. Hij heeft mij, in alle vrijheid, zelfstandig keuzes laten maken. Hij heeft de goede keuzes aangegeven, door zijn geest in de mijne te laten spreken.

Lied 245 uit het liedboek van het Leger des Heils verwoordt dat als volgt:

God heeft zijn hand op ons leven gelegd
En ons zijn Rijk ingeleid
Daar vinden wij wat hij heeft toegezegd,
Vrede, trots, lijden en strijd
Heer, 'k ben U dankbaar
Dat 'k door genade uw kind mag zijn
Dienen in uw Koninkrijk
Maakt mij gelukkig, ja 't maakt mij zo rijk.

Hoofdstuk 12

Bevorderd tot Heerlijkheid

Na een lang leven in dienst van God en mensen werd opgeroepen tot hogere dienst

ALIDA M. BOSSHARDT

Officier van het Leger des Heils
Order of the founder of the Salvation Army
Officier in de Orde van Oranje-Nassau
Ereburger van de stad Amsterdam
Yad Vashem onderscheiding

In de leeftijd van 94 jaar

'Het volk van God staat de echte sabbatsrust dus nog te wachten'
Hebr. 4:9 (vertaling Groot Nieuws voor u)

Amsterdam, 25 juni 2007

Zij stierf die maandagmiddag zoals ze het graag had gewild. Rustig, thuis, in haar eigen bed. Haar laatste woorden waren: 'Het is goed zo.'

Begin december 2005 was een keerpunt in het leven van de majoor. Vanaf dat moment had ze overal pijn. Na onderzoek in het Onze Lieve Vrouwe Gasthuis bleek het een beknelde zenuw. 'Het duurde veertien dagen voor de artsen wisten waar ik last van had', vertelde ze daar begin 2006 over in De Telegraaf. 'De pijn was vreselijk. Nu heb ik heel sterke medicijnen, omdat de pijn niet meer over ging. Het risico dat ik val wordt hoe langer hoe groter. En ik ben veel sneller moe. Als ik trap heb gelopen moet ik een kwartier zitten om uit te rusten.'

Relativerend: 'Ach, ik kan in elk geval nog denken. Dat wel. Voor die beknelde zenuw krijg je een soort prik onder je stuitje. Die spuit moet de zenuw bevriezen. Dan voel je hem niet meer, maar genezen is-ie ook niet. Verder heb ik hartproblemen en ik hoor niet meer zo goed. Bovendien heb ik meer last als ik zout, zoet of vet eet. Ik neem nog wel eens een koekje hoor. Of ik daar nou een dag korter van leef, maakt me nu minder uit.'

Het was afgelopen met de lezingen, die ze tot dat moment nog altijd door het hele land gaf. 'Ik kan geen halve minuut meer staan. En zittend kom je niet met gezag over. Ik moet toch een zeker vertrouwen uitstralen. In Hardenberg is vorig jaar mijn laatste lezing geweest. Ik mis dat werk best wel, maar ik moet niet zeuren. Ik heb een mooi leven gehad. Nu ik moeilijk loop, kan ik nauwelijks meer iets. Als de dood komt, dan heb ik er vrede mee. Ik denk er vaak aan. Veel meer dan toen ik 50, 60 of 70 was... Soms heb ik zo veel pijn. Het is een toestand, hoor. Ik word er soms wel eens dol van. Dan moet ik twaalf, dertien verschillende medicijnen op een dag nemen. Nou, dan verlang ik er wel naar. Laat het maar gebeuren, mompel ik dan tegen mezelf.'

Een van de laatste hoogtepunten in haar leven was de toekenning van de Yad Vashem-onderscheiding van de staat Israël, in augustus 2004. Op het hoofdkwartier van het Leger des Heils in Almere ontving ze het certificaat van 'Rechtvaardige onder de Volkeren' en de bijbehorende Yad Vashem-medaille uit handen van de toenmalige Israëlische ambassadeur in Nederland, Eitan Margalit. 'Zij is een voorbeeld voor de jongere generaties', sprak hij daarbij.

De onderscheiding was voor de majoor aangevraagd door de joodse zusjes Hendrina, Dimphina, Helena en Roos Terhorst, die bij het begin van de Duitse bezetting in mei 1940 in kindertehuis De Zonnehoek verbleven.

Ondanks de vele ontberingen en omzwervingen met de kinderen, zoals de majoor dat eerder in dit boek verhaalde, wist zij de zusjes Terhorst altijd bij elkaar te houden. 'De majoor is voor ons als een moeder en ze noemt ons tot op de dag van vandaag mijn kinderen', zeiden de zusters geëmotioneerd tijdens de plechtigheid.

Het was hun naoorlogse zusje Shira die een jaar eerder, op de 90ste verjaardag van majoor Bosshardt, het initiatief nam. Tot tranen toe geroerd zei ze: 'Zonder majoor Bosshardt had ik geen zussen gehad.'

Koningin Beatrix stuurde een gelukstelegram, dat werd voorgelezen door commissioner Wim van der Harst, de leider van het Leger des Heils in Nederland. 'Ze zendt u de hartelijke gelukwensen met deze belangrijke blijk van waardering.'

Telegraaf-columnist professor Bob Smalhout wijdde op 4 september 2004 zijn column aan deze gedenkwaardige dag. Hij noemde de ontvangers van de onderscheiding 'vaak anonieme helden'. 'Hun namen, zover bekend, staan gebeiteld in de muur van de Tuin der Rechtvaardigen bij het Yad Vashem-complex. Het zijn er thans in totaal ruim 11.000, waaronder 4300 Nederlandse. Daar is nu dus de naam van majoor Bosshardt bijgekomen.'

TV-presentator Frits Barend interviewde haar tijdens de plechtigheid. Hij vroeg of ze niet beseft had dat ze door haar reddingswerk zélf voortdurend in levensgevaar had verkeerd. 'Nee', zei de majoor, 'ik wist toen nog niet dat mensen zó slecht konden zijn. Ik was als heilssoldaat altijd gewend het goede in de mens te zien. Maar pas in 1943 realiseerde ik mij dat er echt gewetenloze moordenaars zijn.'

Volgens professor Smalhout was de heilssoldate gezegend met een onzichtbaar, maar effectief pantser: 'Dat is samengesteld uit een bijna heilige argeloosheid, een onvoorstelbare onschuld, een onverwoestbare morele standaard, een kristalheldere nuchterheid en een onwrikbaar vertrouwen in de Eeuwige, haar hoogste Commandant. Alida Bosshardt is nooit getrouwd. Ze zou zeker een prima echtgenote en een schat van een moeder zijn geweest, maar zoals ze zelf zei, het was niet voor haar weggelegd. Haar hoogste Chef had kennelijk andere plannen met haar en daardoor leven er in de wereld vele nakomelingen van de joodse kinderen die zij gered heeft. Volwassenen, kinderen en baby's die er zonder haar nooit geweest zouden zijn. Daarvoor is majoor Bosshardt door Israël tot "Rechtvaardige onder de Volkeren" benoemd. Ze is een levende illustratie van de oude talmoedtekst: "Wie een mens redt, redt de mensheid". En de Eeuwige met wie Alida iedere avond voor het slapen gaan een persoonlijk gesprek voert, laat ook haar via zijn profeet Jesaja weten: "Ik geef u in Mijn huis en binnen Mijn muren een gedenkteken en een naam, beter dan zonen en dochters. Ik geef u een eeuwige naam die niet uitgeroeid zal worden". (Jes. 56:5)'

Ook rabbijn Awraham Soetendorp loofde de majoor. Bij haar overlijden memoreerde ook hij de bijeenkomst in Almere: 'Meer dan 40 jaar geleden ontmoette ik haar voor het eerst op straat en raakten we in discussie. Ik nodigde haar uit voor een internationaal joods jongeren congres, waar zij sprak over de verantwoordelijkheid voor de medemens, die in alle spirituele tradities wordt gedeeld. Ik was verrast dat zij de Yad Vashem-onderscheiding kreeg. In al die tussenliggende jaren, waarin we elkaar met zekere regelmaat zagen, had zij mij niets over haar verzetswerk verteld. Zij had daar niet over gesproken, omdat zij het de gewoonste zaak van de wereld vond. "Hoe had ik anders kunnen handelen?", zei ze. Deze houding tekende haar. Zij zette zich in met hart en ziel voor degenen die in de knel waren geraakt. Zij kon niet anders. Toen ik bij deze gelegenheid het woord voerde, zei ik: "U heeft het grootste hart van Nederland." Zij onderbrak mijn toespraak, spontaan als zij altijd is geweest: "Meneer Soetendorp, u wordt bedankt." De levensloop van deze barmhartige vrouw leert ons weer: het kwaad is besmettelijk, maar God zij Dank, goedheid is ook besmettelijk. Haar nagedachtenis zij tot zegen.'

Premier Jan Peter Balkenende schreef in oktober 2006 een boek met brieven aan diverse bekende Nederlanders, onder wie aan Harry Mulisch, Ruud Lubbers, kardinaal Simonis en aan majoor Bosshardt. Bij het overlijden van de majoor herhaalde hij zijn woorden uit de bewuste brief, waarin hij haar prees als voorbeeld voor de Nederlandse samenleving:

'Zij offerde zich op en zette zich belangeloos in voor anderen. Haar wijsheid, warmte, verdraagzaamheid, naastenliefde, betrokkenheid en het rotsvaste geloof zijn een lichtend voorbeeld voor Nederland. Zij stond altijd voor iedereen klaar. Vooral voor de mensen die het zonder "Het Leger" niet zouden redden.'

De laatste keer dat de premier haar ontmoette, gaf ze aan zich zwakker te voelen. 'Zij voelde het einde naderen. We verliezen in haar iemand die van naastenliefde een levensopdracht maakte. Zij straalde vanuit haar geloof een optimistische en inspirerende levensvisie uit. Er mag grote dankbaarheid zijn voor alles wat majoor Bosshardt voor zoveel mensen heeft betekend.'

De premier ontmoette haar op het verkiezingscongres van het CDA in de Amsterdamse RAI, 30 september 2006. Daar reden de christen-democraten letterlijk de toen 93-jarige majoor Bosshardt als 'pronkstuk' naar binnen. Ze werd op het podium gehesen door de premier en zijn toenmalige fractievoorzitter Maxime Verhagen. Het was volgens vele aanwezigen een genante vertoning. Het cabaretduo Lebbis & Jansen kwam er in hun Oudejaarsconference van dat jaar op terug en gaf het CDA er flink van langs. Hennie Tinga en haar man Koos, het Leger des Heils-echtpaar dat de laatste jaren vrijwel dagelijks contact had met majoor Bosshardt en haar in alles bijstond, zeiden erover in de Volkskrant: 'Het was weinig minder dan lelijk gesol met een bejaarde vrouw die daartoe eigenlijk niet meer in staat was, maar niet gewoon was "nee" te zeggen.'

Eerder dat jaar, in april, gebeurde al iets soortgelijks, toen majoor Bosshardt een naar haar vernoemde prijs kreeg uitgereikt door de psycholoog professor Anton van der Geld. De initiatiefnemer van deze 'Majoor Bosshardt Prijs', entertainmentjournalist Christian Houkes, voorzitter van de stichting 'Nederland Positief', wilde dat de prijs – een bronzen beeldje van de majoor met Strijdkreet en collectebus – door de professor in haar huiskamer werd overhandigd. De uitreiking moest twee keer gedaan worden, omdat de opgetrommelde media niet in één keer naar binnen konden. Ten slotte zei majoor Bosshardt zichtbaar vermoeid: 'Jongens, jullie zijn schatjes, maar ga nou maar weer weg.'

Anton van der Geld, verbonden aan de non-profitorganisatie Benelux Universitair Centrum voor wetenschap, cultuur en humaniteit, ontving de Majoor Bosshardt Prijs zelf enkele maanden later, in augustus 2006. Ook deze uitreiking moest weer plaats vinden in het huiskamertje van de majoor met camera's en flitsende fototoestellen er omheen.

De professor kreeg de prijs omdat hij zich, aldus de jury van Christian Houkes' stichting, ruim dertig jaar lang inzette voor het welzijn van individuele mensen en voor een betere samenleving. De prijs zou eigenlijk pas in december van dat jaar worden uitgereikt, maar wegens de verslechterde gezondheid van de majoor werd de datum van de uitreiking vervroegd.

Desondanks verscheen majoor Bosshardt in december ook weer in hotel Krasnapolsky in Amsterdam, waar Anton van der Geld de oprichting van de 'Stichting Majoor Bosshardt Prijs' bekend maakte. Behalve de professor zelf namen bisschop Tiny Muskens en predikant Gerrit Manenschijn zitting in een soort comité van aanbeveling. In de rumoerige en drukke Wintertuin van Krasnapolsky werd de majoor andermaal op het podium gehesen om haar steun te betuigen aan dit initiatief.

Hennie Tinga was er niet enthousiast over. 'De naam "majoor Bosshardt" is door het Leger des Heils gedeponeerd. De mensen achter de stichting hebben geen toestemming gevraagd aan de Legerleiding of ze haar naam mochten gebruiken en wilden ook niet met ons samenwerken. Maar omdat de majoor zelf heeft toegestemd, lieten we het maar zo. Zij vond het allang best dat het een prijs was voor mensen die zich positief inzetten voor hun medemens. Het zou haar alleen maar verontrusten dat wij daar kanttekeningen bij plaatsten. Het laatste wat ze wilde was iets verkeerd doen. Ze kon gewoon geen "nee" zeggen. Zo was ze nu eenmaal. Maar ik vond het respectloos dat er nog mensen met camera's wilden langskomen, toen ze al erg verzwakt was.'

In haar overlijdensadvertentie riep het Leger des Heils op geen bloemen te geven bij de uitvaart van de majoor. De organisatie richtte zelf een nieuw 'Majoor Bosshardt Fonds' op, dat in plaats van bloemen van harte werd aanbevolen. 'Dit fonds is in het leven geroepen als een blijvende herinnering aan alles wat luitenant-kolonel mevrouw Bosshardt voor het Leger des Heils betekend heeft. Vanuit het Majoor Bosshardt Fonds zullen projecten op het gebied van Goodwillwerk in Amsterdam, evangelisatie in Nederland en internationale hulpverlening ondersteund worden.'

Op deze manier zal haar naam voortleven bij het Leger des Heils, dat immers een belangrijke ambassadeur moet missen.

In de week van haar overlijden stroomden op de diverse online condoleanceregisters duizenden reacties binnen.

'Nederland is een mooi mens armer, de hemel is een engel rijker', stond te lezen. Sommigen kenden de majoor persoonlijk. Zo schreef iemand: 'Veel dank voor de gesprekken in de goodwillcentra. Rust zacht.'

'Misschien wel de enige vrouw in heel Nederland die de betekenis van respect, aandacht en liefde echt begrepen heeft. Een dame die géén onderscheid maakte, of je nu man, vrouw, junk, prostituee, of wat dan ook bent. Lieve majoor Bosshardt, rust zacht; u hebt een stoel in de hemel echt verdiend!'

'De geschiedenis kent slechts weinigen die zo vol passie onzelfzuchtig zijn. U gaf het Leger des Heils een gezicht, maar vooral aanzien. Niet dweperig, maar gewoon hartelijk en menselijk. U maakte – zonder dat u dat wenste – uzelf onvergetelijk. Waren er maar meer mensen zoals u, dan zag de wereld er een stuk beter uit en was er bij de mensen onderling meer liefde.'

'Mede dankzij deze vrouw zijn mijn drie kinderen tot geloof

gekomen. Ik ben haar en haar medesoldaten eeuwig dankbaar. Vier feest daarboven!'

'Als ex-alcoholist ben ik nu één van mijn geestelijke moeders kwijt. Tijdens een goed gesprek met de majoor, onder de klanken van het lied 'Veilig in Jezus' armen', ben ik veertig jaar geleden bij haar tot bekering gekomen. Elke keer als ik haar weer ontmoette op de Tref/Landdagen van het Leger toonde ze nog altijd warme belangstelling voor mij.'

'Als politieman heb ik veel voetsurveillances op de Wallen gedaan. Het maakte niet uit wat voor weer het was, of hoe gevaarlijk, majoor Bosshardt kwam je altijd tegen.'

Weer een ander vertelt: 'De majoor was voor mij als een tweede oma, zij heeft mijn moeder een eind op weg geholpen na mijn geboorte, en daarna kwam ze ieder jaar met kerst op mijn verjaardag.'

'Jehova's getuigen zou ik aan de deur hebben laten staan, maar met haar zou ik een leuk gesprek gehad kunnen hebben. Gewoon een gezellig mens. Rust zacht, majoor.'

Een medeheilssoldate uit Almelo verwoordde het als volgt: 'Voor haar is nu het mooiste gekomen: Bevorderd tot heerlijkheid!'

De Amsterdamse burgemeester Job Cohen liet weten: 'Majoor Bosshardt was een echte Amsterdamse: heldhaftig, vastberaden en barmhartig. Ze was daarmee een voorbeeld voor alle Amsterdammers. We zullen het nu zonder haar moeten doen. Het is een schok. Ook al was ze 94, het treft je toch.'

Ook in de buurt waar zij zo lang werkte, de Amsterdamse Wallen, hield de dood van de majoor de gemoederen bezig. Metje Blaak, woordvoerster van de Rode Draad, de belangenvereniging van prostituees, zei: 'Zo'n vrouw vind je niet snel meer. Veel hulpverleners zitten achter een bureau, maar zij opereerde echt in het hol van de leeuw. Ze stapte gerust een peeskamertje binnen. Met haar persoonlijke aandacht en haar luisterend oor ging ze er echt voor.'

Door daklozen en drugsgebruikers uit de rosse buurt werd een erewake georganiseerd op de brug op de hoek van de Lange Niezel en de Oudezijds Achterburgwal, de zogeheten 'Pillenbrug'. Ze brandden kaarsjes, rookten een joint en dronken een biertje, maar alles in gepaste sfeer. Een politieman zei in dagblad *Het Parool*: 'Je kunt het aan toeristen eigenlijk niet uitleggen wat hier gebeurt.'

De twee dagen voorafgaand aan de uitvaart op zaterdag 30 juni 2007 lag het lichaam van de majoor – in een gesloten kist met een wit laken met rode bies, waarop haar bijbel, haar hoed en een bloemetje lagen – opgebaard in de korpszaal van De Ruytenburgh aan de Oudezijds Achterburgwal 45. Vanuit heel Nederland kwamen mensen hier hun laatste eer bewijzen. Van Limburger tot Noord-Hollander, van dominee tot dakloze. Leden van motorclub Hells Angels haalden ouderen op uit het verzorgingshuis op de Nieuwmarkt en duwden ze in hun rolstoel naar de korpszaal.

In haar geboortestad Utrecht stelde de CDA-fractie nog vóór haar begrafenis voor een 'Majoor Bosshardt-straat' in Utrecht te benoemen. Zo'n straat zal ook in Amsterdam niet misstaan; de stad waar zij zo van hield en waar ze het grootste deel van haar leven doorbracht.

In het hele land werd bij haar uitvaart stil gestaan; zelfs in Maastricht klonken de tonen van het lied 'U zij de glorie', dat stadsbeiaardier Frank Steijns als hommage aan de majoor speelde op het carillon van het stadhuis.

Majoor Bosshardt kreeg die zaterdag een ware staatsbegrafenis, die live werd uitgezonden op televisie. 's Ochtends werd de kist met haar lichaam de korpszaal uitgedragen en in een witte lijkwagen geplaatst. Hier startte een plechtige laatste tocht over de Oudezijds Achterburgwal en de Oudezijds Voorburgwal. Langs haar eerste kantoor annex woonhuis De Leuwenburgh waar enkele minuten stilte werden gehouden en langs al die andere plekken waar zij haar voetstappen heeft achtergelaten. Duizenden mensen hadden zich op de Wallen verzameld om de laatste eer te bewijzen aan 'hun' majoor.

Twee politiemannen te paard, in gala-uitrusting, gingen aan de stoet vooraf. De begeleidende politieagenten droegen witte handschoentjes. Voor de motoragenten waren dat hun speciale zwarte 'rouwwanten'. Koos en Hennie Tinga liepen voor de rouwwagen uit. Koos droeg de Leger des Heils-vlag. 'Dat gaf me een warm gevoel. We kwamen langs de Oude Kerk, waarvan op dat moment de klokken begonnen te luiden. Hetzelfde gebeurde even later bij de Nicolaaskerk. Ik was ontroerd en trots tegelijk, dat ik dit mocht doen.' Hennie droeg de bijbel van majoor Bosshardt en naast haar liep hun dochter Margot met een kussentje, waarop alle onderscheidingen van de majoor lagen. Ook haar zo bekende 'hallelujahoedje' werd meegedragen. De twee zoons van het echtpaar waren dragers van de kist. Het muziekkorps van het Leger des Heils, de Amsterdam Staff Band, liep er achter en speelde marsliederen. Op de Dam, het hart van Amsterdam, had zich eveneens een groot publiek verzameld langs de afzettingen. Mensen begonnen te applaudisseren toen de witte lijkwagen langs kwam. Anderen knielden spontaan en er werd hier en daar een traan weggepinkt. Vanaf de Dam ging de tocht verder per auto richting de Koningskerk in de wijk Watergraafsmeer. Daar werd al lang van tevoren op de stoet gewacht, door een bont gezelschap. Een dakloze met een blikje bier. Twee Surinaamse dames met fraai geknoopte doeken om hun hoofd. Een paar bejaarde vrouwen, die zich op hun rollators hadden geposteerd om niets van het schouwspel te hoeven missen. Een man in een lange bruine jas, die tegen niemand in het bijzonder honderduit liep te praten. Hij omhelsde onverwacht minister-president Balkenende, toen deze per auto bij de kerk arriveerde. Die liet het lachend over zich heenkomen.

Velen hadden het gehoopt, maar koningin Beatrix kwam niet naar de uitvaart. Zij liet zich vertegenwoordigen door haar grootmeesteres Martine van Loon-Labouchere. Met zeshonderd andere genodigden, onder wie bekenden als Mies Bouwman, Henny Huisman, Willeke Alberti, Cor Boonstra en zijn vrouw Hansje, Erica Terpstra, Wim en Rita Kok, nam zij plaats in de kerk.

De dienst werd geleid door oud-commissioner Reindert Schurink. Hij vertelde dat de majoor lag opgebaard in haar uniform. 'Dat droeg ze meestal, haar andere kleding was niet aan mode onderhevig. Als ze in het donker in Amsterdam op plekken kwam waar zelfs de politie niet durfde te komen, diende het als een soort kogelvrij vest. Bang is ze overigens nooit geweest.'
Met een glimlach vertelde hij dat de majoor altijd zo genoten had van alle aandacht en publiciteit. 'In haar avondgebed zei ze soms dat er zo verschrikkelijk veel uitzonderlijke woorden tot haar gericht waren. Ze vroeg God die mensen maar te vergeven. En ook om haar te vergeven, omdat ze die woorden toch ook wel mooi vond.'
Burgemeester Job Cohen begon zijn toespraak met de woorden: 'Old soldiers never die, they only fade away.' Hij noemde de majoor 'een onvermoeibare standwerker van onze lieve Heer' en benadrukte dat het woord 'Strijdkreet' niet zo bij haar paste: 'Ze

was meer van de zachte krachten. Wij herdenken onze "engel aan de Amstel" met grote eerbied en genegenheid.'

Voor commissioner Wim van der Harst was het een bijzonder moment. Spreken bij de uitvaart van de majoor was zijn laatste taak in deze functie. Daags erna vertrok hij naar Moskou, waar hij is aangesteld als leider van het 'Oost Europa Territory'. 'Majoor Bosshardt laat een lege plek achter in de organisatie en in de harten van vele mensen. Er was maar één majoor. En je hebt niet zomaar een nieuwe.' Hij las de boodschap voor van generaal Shaw Clifton, die aan het hoofd staat van de wereldwijde organisatie met afdelingen in 110 landen. 'Bedroefd maar dankbaar maken wij ons saluut en eren majoor Bosshardt. Wie zal nu opstaan en geïnspireerd door haar voorbeeld haar werk overnemen?'

Schurink analyseerde de bijzondere gaven van de majoor: 'Ze was zelfs een voorbeeld voor de niet-gelovigen. Als mensen niet meer in mensen geloven, wordt het heel moeilijk om ook nog in God te geloven. Zij besefte dat en maakte Jezus zichtbaar. Ze droeg de boodschap uit dat mensen liefde voor elkaar moeten hebben in plaats van zich over te geven aan zelfzucht. Het gaat er om wat een mens ís, niet om wat een mens hééft. Niet voor niets was haar lijfspreuk: "God dienen is mensen dienen. En mensen dienen is God dienen".'

De Amsterdam Staff Songsters zongen het lied 'Nooit zal 'k het wond're feit verstaan'. 'Dat lied hebben we de laatste dagen veel voor haar gezongen', vertelde Hennie Tinga. 'Het stond aanvankelijk niet op het programma van de uitvaartdienst, maar omdat we het in de dagen voor haar dood wel honderd keer gedraaid en meegezongen hebben, vonden wij dat het niet mocht ontbreken.'
'De tranen biggelden over mijn wangen', zei Koos Tinga geëmotioneerd. 'Maar dat mag, als je zo'n belangrijke periode in je leven afsluit. Het is heel goed geweest zo. De majoor wilde graag thuis overlijden. In overleg hebben we besloten dat zo te laten gebeuren en haar niet meer naar het ziekenhuis te brengen. Het is in feite bijna onbeschaafd om een leven te rekken dat op is. De laatste dag vertrokken Hennie en ik naar deze aula, waar we een uitvaart leidden voor een Surinaamse verslaafde man, die aan kanker overleed. Toen we bij de majoor vandaan gingen heeft Hennie gezegd: "We willen u pas weer over héél

veel jaren terugzien, in de hemel." En zo is het gegaan. Toen we terugkwamen was ze net twee minuten overleden.'

Na de kerkdienst werd majoor Bosshardt naar de Nieuwe Ooster-begraafplaats gebracht, waar zij werd bijgezet in het Leger des Heils-graf. Na het uitbundige loflied 'Lof zij de heer' besloot Reindert Schurink de plechtigheid met het Onze Vader en de zegen.

Majoor Bosshardt vertelde altijd geamuseerd dat er iets bijzonders aan de hand was met haar telefoonnummer:
'Het is: 6242526. En in Numeri 6, vers 24, 25 en 26, staat de zegen. Dus als mensen mij bellen krijgen ze automatisch de zegen.'

Moge de Heer u voorspoed geven en u in bescherming nemen.
Moge de heer u welwillend aanzien en zich over u ontfermen.
Moge de Heer over u waken en u geluk en vrede schenken.
(Numeri 6: 24-25-26)

F